Cân dros Gymru

Dafydd Iwan

Gwasg
Gwynedd

Argraffiad Cyntaf — Tachwedd 2002

© Dafydd Iwan 2002

ISBN 0 86074 193 1

*Cyhoeddwyd ac Argraffwyd
gan Wasg Gwynedd, Caernarfon*

I
MAM A NHAD,
TAID AC ANTI MAIRA

GYDA DIOLCH

Cynnwys

BRYNAMAN (1942–1955) 11

LLANUWCHLLYN (1955–1966) 17
 • Geni'r canwr pop

Y CHWEDEGAU 23
 • Y gân gyntaf • Nos Fercher ar 'Y Dydd' • Y record gyntaf
 • Y Gymdeithas a'r Briodas • Croeso 69! • 'Yr heddlu cudd'
 • Eisteddfod yr Urdd, Aberystwyth • Y Ralïau a'r
  Nosweithiau Llawen • Peintio'r byd yn wyrdd

Y SAITHDEGAU 61
 • Carchar a geni Sain • I'r gogledd • Peintio a malu
 • Achos yr Wyth • Tai Gwynedd

Y WAUNFAWR 80
 • Lecsiyna • Dal i ganu • Cynhaeaf Sain
 • Cwm-Rhyd-y-Rhosyn • Y darnau yn disgyn i'w lle
 • Y dyn pwysig • 1979 – Brad a thorcalon

YR WYTHDEGAU 95
 • Y Nant a'r Antur • Y llosgi a'r Sianel • Carchar eto
 • Dafydd Iwan ar dân – ac Ar Log • Hunllef Abertawe
 • Tywyllwch 1984 • Ysgariad • Ail-gychwyn • Twtil
 • Gwinllan a Roddwyd • Carrog, 1988 • Priodi

TEITHIAU TRAMOR 130
 • Ynysoedd Groeg • Llydaw • Iwerddon • Y Ffindir
 • Fflandrys • Gwlad y Basg • Yr Unol Daleithiau, 1979
 • Gŵyl Geltaidd Berlin, 1980 • Sardinia • Cymry Paris

Y NAWDEGAU 154

- Sain • Colli Mam • Dal i gredu
- Caio a Celt: 'I ble'r aeth haul dy chwerthin?'
- Yma mae 'Nghân • Efrog Newydd, Medi 2001 • Patagonia
- Teithio gyda'r Band • Ennill lecsiwn a sefydlu Cynulliad
- Dal i grwydro, ond diwedd y gân? • Dyddiau difyr
- Ysbryd Mimosa

Cyflwyniad

Fy mwriad yn y llyfr hwn yw adrodd tipyn o stori Dafydd Iwan y canwr. Nid hunangofiant fel y cyfryw, ond hanes fy ymwneud â byd y canu, o ddyddiau'r eisteddfod a'r capel ym Mrynaman yn y 40au a'r 50au i flynyddoedd y teithio gyda'r Band yn y 90au. Wrth gwrs, ni fydd modd osgoi rhai agweddau eraill, fel yr ymgyrchu gwleidyddol a'r gwaith gyda Sain a phob math o gyrff a mudiadau eraill, ond byddaf yn gwneud hynny i raddau helaeth trwy lygaid y canwr.

Mae'n gyd-ddigwyddiad cyfleus fod fy 'ngyrfa' fel canwr wedi dirwyn i ben gyda throad y ganrif a'r mileniwm, ar adeg pan yw Cymru'n wynebu ar ddyfodol newydd gyda sefydlu'n Cynulliad Cenedlaethol. Mae fy nghaneuon i'n perthyn i'r ugeinfed ganrif, i'r cyfnod yn arwain tuag at sefydlu'r Cynulliad a chyfnod y deffro cenedlaethol a welwyd yng Nghymru yn ail hanner y ganrif honno. Mawr oedd fy mraint yn cael bod yn rhan o'r deffroad hwnnw.

Rwy'n cael fy nghysylltu'n bennaf â dau beth – y canu a'r iaith Gymraeg. Er imi wneud cwrs gradd mewn pensaernïaeth, ac er imi fod yn Rheolwr-Gyfarwyddwr cwmni masnachol 'llwyddiannus' ers dros ugain mlynedd, ac er fy mod yn Gynghorydd Sir ac yn bregethwr cynorthwyol digon diwyd, ni allaf fyth ddianc rhag y ddwy elfen sydd wedi llywio gymaint ar gwrs fy mywyd – y gân a'r Gymraeg. Y rhain sydd wedi bod yn sail i rai o brofiadau mawr fy mywyd, y rhain sydd wedi rhoi imi fôr o lawenydd a hwyl (ac ambell i gernod gofiadwy), a'r rhain sydd wedi mynd â mi i bob cwr o Gymru ac i sawl rhan o'r byd. A hyd ddiwedd fy oes, y gân a'r Gymraeg fydd yn dwyn rhai o'r atgofion cyfoethocaf yn ôl imi.

Does dim dwywaith amdani, roedd ail hanner yr ugeinfed ganrif yn gyfnod cyffrous a thyngedfennol i Gymru, ac y mae'n bwysig ein bod i gyd yn cofnodi ein hatgofion am y cyfnod allweddol hwn. Yn fwy na dim, mae'n bwysig ein bod yn ei gofio fel cyfnod o ddeffro ac o obaith newydd. Hawdd iawn yw dyfynnu ffigyrau i ddangos bod popeth ar drai, ond cofiwn y gallwn weld darlun tebyg ar draws y byd – ieithoedd bach yn edwino ac yn diflannu, diwylliannau yn crebachu allan o fod, a chymunedau gwledig yn diflannu wrth i'r ifainc heidio i'r canolfannau poblog a ffasiynol. Ond y mae ochr arall i'r stori – sef bod y diwylliant Cymraeg yn un a all oroesi, diolch i ffydd ac ymroddiad miloedd o'n cydwladwyr, ac y mae angen inni ddathlu hynny a chredu yn ein dyfodol ein hunain.

Mae cantorion yn bobol digon rhyfedd ar y cyfan, ac yn gallu bod yn greaduriaid sy'n byw ar ymyl y dibyn fel 'tae. Wrth fynd ar lwyfan i ganu, rydych yn dinoethi eich enaid gerbron y gynulleidfa ac yn eich taflu eich hunain ar ei thrugaredd. Pan fydd popeth yn mynd o'ch plaid, a'r gynulleidfa'n ymateb yn gynnes a'r gymeradwyaeth yn frwd, does dim teimlad tebyg iddo yn y byd. Ond hawdd iawn y gall pethau droi fel arall, a gall cwymp y canwr a'r diddanwr fod yn gwymp sydyn a chreulon; nid cyd-ddigwyddiad yw bod cymaint o drasiedi yn rhan o fywyd cynifer o gantorion. Rwyf fi'n f'ystyried fy hun yn ffodus iawn o gael dod i ddiwedd y daith (mwy neu lai!) yn ddianaf (mwy neu lai!), a gobeithio y cewch chithau flas wrth ddilyn y daith honno ar y tudalennau sy'n dilyn.

Rwy'n ddiolchgar iawn i Wasg Gwynedd am eu hanogaeth, i Alwyn am ei hynawsedd, i Alwena am ei chymorth, ac yn arbennig i Nan am ei gofal manwl gyda'r broflen a'i chyngor doeth a pharod.

DAFYDD IWAN

Brynaman

Mae tipyn o hwyl i'w gael wrth dynnu coesau'n gilydd ar y sail ein bod yn rhannu fel Cymry yn 'Gogs' a 'Hwntws', ond rhaniad diystyr ydyw erbyn hyn ac ni ches i fy hun erioed drafferth efo'r busnes De/Gogledd yma. Gallaf ddweud yn ddigon gonest fy mod yn teimlo gwreiddiau mewn sawl man yn y De a'r Canolbarth a'r Gogledd, er fy mod wedi ymgartrefu yma yn Arfon ers dros ddeng mlynedd ar hugain bellach. Roedd teulu fy nhad yn hannu o dde Ceredigion, ac yntau wedi ei eni yng Nghwm Rhymni yng Ngwent a threulio'i lencyndod yn Nhreorci yng Nghwm Rhondda. Roedd teulu fy mam o Faldwyn, a hithau wedi ei geni yng Ngharno, cyn symud i Aberhosan, ger Machynlleth.

Fe'm ganwyd innau ym Mrynaman, neu yn Ysbyty Glanaman i fod yn fanwl, rhyw flwyddyn cyn diwedd yr Ail Ryfel Byd a blwyddyn a deufis ar ôl fy mrawd hynaf, Huw Ceredig. Daeth y brawd nesaf, Arthur Morus, i'r byd flwyddyn a phum mis ar fy ôl i, ac Alun Ffred, y cyw melyn ola, fel rhyw ôl-nodyn rai blynyddoedd yn ddiweddarach.

Roeddem yn feibion i weinidog Gibea, capel yr Annibynnwyr ym Mrynaman Uchaf, pentre glofaol ym mhen ucha Dyffryn Aman yn Sir Gaerfyrddin. Mae'n bwysig pwysleisio'r 'Uchaf' wrth sôn am y pentre, oherwydd roedd Brynaman – ac y mae'n dal i fod – yn ddau bentre mewn gwirionedd, yr 'Uchaf' yn Sir Gaerfyrddin a'r 'Isaf' yn Sir Forgannwg. Rhedai'r Afon Aman rhwng y ddau, ond roedd y bwlch yn llawer mwy na lled afon. Yn wir, yr unig ystyr i 'ryfel' i mi yn nyddiau plentyndod oedd y rhyfel rhyngom ni o Frynaman Uchaf a'r 'Banwen Japs' o'r wlad yr ochr draw i'r afon. Mae gen i ryw gof ohonof yn martshio fel rhan o fyddin yr Ucha i gwrdd â'r gelyn ar Bont yr Aman yn llafarganu:

> Wî wyn ddy wôr in nyintin-fforti-ffôr,
> Wî wyn ddy wôr in nyintin-fforti-ffôr...

11

yn gwisgo arfbais o focsus carbord, ac wedi'n harfogi â chleddyfau pren. Rwy'n prysuro i ddweud (fel heddychwr da) mai milwr anfoddog ar y cyrion oeddwn i ac rwy'n credu imi ddianc o'r rhengoedd yn fuan, a does gen i fawr o gof a fu yna dywallt gwaed ar Bont yr Aman ai peidio. Naddo, mae'n siŵr, ond roedd chware soldiwrs yn naturiol ddigon yn y dyddiau Prydeinig-fuddugoliaethus hynny.

Mae'n bosib, o edrych yn ôl ar y cyfnod pell hwnnw, mai dyna oedd fy mhrofiad cyntaf o ganu, neu o lafarganu, cân ymgyrchu! Ond, o ail-feddwl, mae'n siŵr fy mod tua'r un adeg wedi canu 'I bob un sy'n ffyddlon' yn y *Band of Hope* yng nghapel Gibea:

> Awn i gwrdd â'r gelyn,
> Bawb ag arfau glân,
> Uffern sydd i'n herbyn...

Tybed pwy oedd y gelyn yng nghefn fy meddwl wrth ganu'r geiriau hynny? Hitler a'r Jyrmans, neu'r Banwen Japs?

Mae'n anodd bod yn siŵr erbyn hyn a wnes i ddod i gysylltiad â'r rhyfel go iawn ai peidio. Dywedodd Mam wrthym droeon ein bod wedi gorfod mynd i lochesu yn seler tŷ cyfagos unwaith neu ddwy, pan oedd y bomio ar ei waethaf yn Abertawe. Efallai mai'r cof sy'n chware triciau ond weithiau mi allwn dyngu 'mod i'n cofio bod yn y seler honno, wedi fy lapio mewn siôl, a golwg bryderus ar bawb wrth i sŵn yr awyrennau a'r bomio atseinio o bell. Ond efallai mai dychmygu'r cyfan yr wyf. Yr hyn sy'n hollol sicr yw bod hwnnw wedi bod yn gyfnod hunllefus i bobol yr ardal, wrth weld yr awyr yn goleuo'n goch uwchben Abertawe ac wrth i ambell awyren ddisberod basio dros y pentre. Daeth un awyren Almaenig i ddiwedd y daith ar lethrau'r Mynydd Du, a bu'r fan lle disgynnodd yn gyrchfan poblogaidd i blant y pentre am flynyddoedd wedi hynny. Roedd gweld y darnau metel a sgerbwd y cocpit yn fodd i ddeffro dychymyg a chwilfrydedd pawb, ac yn destun siarad di-ben-draw i ni blant Brynaman.

Sawl gwaith y cofiaf i nifer ohonom ni, blant Gibea, fynd am dro i'r Mynydd Du i chwilio am olion yr awyren ar ôl yr Ysgol Sul ar brynhawniau braf yn yr haf. Ac yn yr Ysgol Sul honno, ac yn y *Band of Hope* (gair Cymraeg a ynganem ni fel *Bando'ôp*) ar nos Fawrth y cefais flas ar ganu. Dysgem lwyth o ganeuon – emynau gan fwyaf, wrth gwrs – a'u dysgu drwy'r sol-ffa, mewn dau lais fel rheol. Mam a Mrs Gretta Howells oedd ein prif athrawesau canu, a does dim dwywaith amdani nad yno y gosodwyd unrhyw sylfeini cerddorol a fu i mi. Canem yn rheolaidd mewn oedfaon a chyngherddau bach yng Nghapel Gibea ond dau uchafbwynt y flwyddyn oedd y cyngerdd Nadolig a'r Eisteddfod. Cynhelid eisteddfod ym mhob un o gapeli Brynaman – chwech neu saith ohonyn nhw – ac yna byddai'r enillwyr yn mynd ymlaen i'r Eisteddfod fawr yn y Neuadd gyhoeddus, lle'r aem hefyd ar bnawniau Sadwrn i weld y pictiwrs (y *Pyblicôl*, perthynas pell i'r *Bando'ôp*).

Roedd y Steddfod fawr yn para am ddeuddydd neu dri (ac y mae'n dda gen i ddweud, wrth imi sgrifennu hwn, fod y Steddfod hon yn dal ei thir yn y pentre, er gwaetha'r trai a fu ar y Gymraeg yn Nyffryn Aman). Ac yno y ganwyd Dafydd Iwan y perfformiwr mewn gwirionedd. Er yn greadur bach digon swil ar y cyfan, roeddwn yn fy elfen ar lwyfan ac wrth fy modd yn concro'r nerfau er mwyn cael y wefr o berfformio. Canu unawd, cerdd dant, adrodd, darllen ar y pryd, partïon canu a chyd-adrodd a chorau; doedd dim pall ar fy awydd i berfformio. Ac yr oedd ennill – rhywbeth a ddigwyddai'n weddol fynych – yn hufen ar y deisen.

Roedd yna gystadlaethau cartref hefyd, ac arferem ni'r plant fynd i festri Gibea at ein gilydd i sgrifennu neu i dynnu llun – ffordd ardderchog i sicrhau nad oedd neb yn cael cymorth annheg. Yn un o'r nosweithiau hynny y cefais i'r profiad cyntaf o'r hyn y gallech ei alw'n 'awen'. Gosodwyd testun tebyg i 'disgrifiwch y pentre'n gynnar yn y bore', a chofiaf eistedd yno am hir yn methu gwybod lle i ddechrau. Yn raddol, euthum i ryw gyflwr meddwl breuddwydiol, a dechreuodd y darlun yma dyfu yn y dychymyg a dechreuodd y geiriau lifo wrth imi geisio cyfleu yr hyn a welwn yn fy mhen. Does gen i ddim esboniad am y peth, ond mae'r cof am y cyflwr meddwl hwnnw'n fyw ac yn felys, ac os daeth yr awen heibio imi wedi hynny chafodd hi ddim yr un argraff arnaf ag y cafodd y tro cyntaf hwnnw yn festri Gibea yn nechrau'r pumdegau.

Os oes un peth yr wyf yn difaru ym myd cerddoriaeth, peidio cael crap iawn ar y llythrenne yw hwnnw. Hynny yw, y *theory*, chwedl fy athro piano ers llawer dydd. Roedd Mam yn gerddorol iawn ac wrth ei bodd wrth y piano. Os oedd hi am ymlacio, neu os oedd hi wedi cael digon ar geisio rhoi trefn ar dri neu bedwar o gogie anystywallt, roedd hi'n troi at y piano a dotiwn at y modd cwbl ddiymdrech y gwnâi i'r piano hwnnw ganu. Yno y rhoddai dro ar y darnau nesaf i'w dysgu yn yr Ysgol Sul neu'r *Band of Hope*, ac yno y byddai'n ymarfer caneuon y steddfod neu'r cyngerdd nesaf. A phan fyddai galw am hynny, byddem ninnau'r bois yn ymuno â hi o gwmpas y piano. Ond, ar adegau eraill, nid ymarfer fyddai Mam wrth y piano ond mwynhau ei hun, a gadael i'w blinder a'i gofidiau (ac yr oedd ganddi ddigon o'r rheiny o bryd i'w gilydd) ddiflannu yn sain ei hoff gerddoriaeth. O, fel yr edmygwn ei dawn!

Gwnaeth Mam ei gorau i drosglwyddo crefft y berdoneg i'w meibion, ond llwyddiant rhannol a gafodd. Er twsu a chwysu, a threulio sawl awr ar y stôl biano, ni lwyddodd i wneud pianydd naturiol o'r un ohonom. A bod yn deg â'r lleill, roedd y tri arall yn well na mi – ond dyw hynny'n fawr o glod. Roeddem ein pedwar ar ryw adeg neu'i gilydd yn medru rhyw lun o roi darn at ei gilydd, ac mi wnaeth pob un ohonom gystadlu ar y piano mewn ambell steddfod, ond does yr un ohonom wedi troi at y piano (am a wn i) ers blynyddoedd bellach. O'r pedwar, mae'n debyg mai Huw oedd y gorau, ond mae yntau wedi cael gafael ar gyfryngau amgenach i ddifyrru ei hun ers amser maith.

Gymaint oedd awydd Mam i'n gweld yn meistroli'r piano – ('Does gyda chi ddim syniad gymaint o fantais fydd e ichi ymhen blynyddoedd' – ac roedd hi'n llygad ei lle) fel y trefnai i ni fynd at athro arall i gael gwersi wedi iddi hi gyrraedd pen ei thennyn. Arferwn i gerdded ar draws y pentre at hen fachgen a drigai ar Hewl Cwmgarw i gael fy ngwers wythnosol, hanner awr ar biano oedd wedi gweld ei ddyddie gore ers sbel go dda a hanner awr o *theory*. Ond chafodd yr hen frawd fawr o hwyl ar ei ddisgybl a dirwyn i ben a wnaeth y gwersi, a'm gadael innau'n ddigon di-glem a cherddorol anllythrennog. Ond doedd Mam ddim am roi'r gorau iddi ar chwarae bach a bu'n rhaid imi gerdded ar draws y pentre i Hewl y Mynydd am beth amser wedi hynny, yn cario feiolin mewn cas bach du ac yn crafu'r synau mwyaf amhersain o'r tannau perfedd cath (hawdd y gallwn gredu mai o berfedd cath y gwnaed y tannau o glywed y sŵn). Bu farw'r gwersi feiolin hwythau o achosion naturiol, a Mam druan erbyn hyn yn dechrau anobeithio.

Mae'n debyg mai'r hyn a'm hachubodd rhag fflamau uffern yn offerynnol oedd hen bibell fach dyllog a elwir, am ryw reswm, yn recorder. O'r diwedd, dyma offeryn oedd yn hawdd i'w chwarae ac yn ddigon dymunol ei sain, a chafodd fy hoffter naturiol o alawon gyfle i gael ei ddiwallu ganddo. Cofiaf yn dda eistedd yn yr ardd y tu cefn i 'Erw Fair', ein cartref yn Bryn Avenue, yn chwythu'r bibell fach bren am oriau ac yn cael modd i fyw. Rai blynyddoedd yn ddiweddarach, wedi symud i Lanuwchllyn, cefais yr ail wobr yn Eisteddfod Genedlaethol yr Urdd yn Llanbedr Pont Steffan ar yr unawd chwythbrennau agored, diolch i'r hen recorder bach annwyl. Rhoddodd hynny syniadau o'r newydd ym mhen Mam a bu'n rhaid imi fynd ar drên i Ddyffryn Ardudwy bell am wersi wythnosol ar y clarinet am gyfnod. Ac er imi lwyddo i feistroli'r offeryn hwnnw i raddau, roedd yn fwy o waith caled nag o ddifyrrwch cerddorol a daeth y breuddwyd hwnnw i ben yn ddigon disymwth yn y diwedd.

Cyn gadael Brynaman – y bydd ei glowyr yn ymddangos droeon yn fy nghaneuon yn nes ymlaen – efallai y dylwn gyfeirio at yr un llwyddiant 'cenedlaethol' a gefais yn ystod fy neuddeng mlynedd yno. Roedd Mam yn gosod darnau Cerdd Dant imi ac, yn 1953, cyrhaeddais lwyfan Eisteddfod Genedlaethol yr Urdd ym Maesteg ar yr unawd dan ddeg oed. Doedd cystadlu yn Steddfodau'r Urdd ddim hanner gymaint o hwyl â chystadlu yn Steddfod Brynaman; roedd rhaid codi'n rhy fore, teithio'n rhy bell, canu mewn rhagbrofion diflas a maith, ac ar ben hynny i gyd gweld arwyddion y cythrel canu ar bob llaw, a phlant i famau o bob math yn cael cam, a beirniaid o dan y lach yn dragwyddol. Ond cyrraedd y llwyfan mawr a wnes i yr un tro hwnnw a'r babell yn orlawn.

Minnau'n crynu fel deilen, a Mam wrth ochr y llwyfan yn fy annog ymlaen gyda'r geiriau: 'Beth bynnag gei di, mi fyddi di'n cofio hyn am byth'! Ac roedd hi'n iawn, wrth gwrs.

Trydydd ges i, ond mi allwn ganu'r pennill cynta heddiw fel 'tae'r Steddfod ddoe ddwetha:

> Hen Gymro iawn oedd Caron
> A Chymro oedd ei dad,
> A gwell Cymraes na Fflos ei fam
> Ni cherddodd gam o'r wlad...

Llanuwchllyn

Dwn i ddim yn iawn pam y penderfynodd fy nhad adael Brynaman am Lanuwchllyn, ond gallaf feddwl am sawl rheswm. Roedd fy nhad , Gerallt Jones, yn genedlaetholwr ac yn heddychwr, ac yn fab i genedlaetholwr a heddychwr arall, sef Fred Jones, yr hynaf o 'Fois y Cilie' ac un o syfaenwyr Plaid Genedlaethol Cymru. I genedlaetholwr oedd hefyd yn ymwybodol iawn o hanes Cymru ac yn troi ym myd y 'pethe', roedd Llanuwchllyn yn gyforiog o gysylltiadau ac yn bennaf yn eu mysg roedd Michael Jones a'i fab, Michael D. Jones, ac Owen M. Edwards. Gellid dweud mai Michael D. Jones oedd tad cenedlaetholdeb yng Nghymru, ac mai O.M. fu'n fodd i gyfieithu'r cenedlaetholdeb hwnnw, os nad i'r byd gwleid-yddol, yna'n sicr i fyd addysg, llenyddiaeth a hanes. Derbyniodd Nhad alwad i lenwi pulpud yr Hen Gapel, sef capel Michael D. Jones. Ond yr oedd yno hefyd gysylltiadau cyfoes a ddenai fy rhieni, ac nid y lleiaf yn eu plith oedd yr enwog Gôr Godre'r Aran a'u harweinydd egnïol, Tom Jones; yr arlunydd llengar, Ifor Owen (a ddaeth yn gyfaill agos i'r teulu) a'r bardd, Euros Bowen, ficer Llangywer gerllaw.

Os oedd gan fy nhad a mam resymau digonol dros symud, roedd amheuon mawr ym meddyliau aelodau Gibea. Roedd hi'n ddiwrnod o Hydref niwlog a gwlyb pan gynhaliwyd cyfarfodydd sefydlu fy nhad yn yr Hen Gapel a doedd dim golwg o ogoniannau'r fro, dim ond niwl trwchus i bob cyfeiriad. Roeddwn i wedi aros ar ôl i orffen fy nhymor yn Ysgol Ramadeg Dyffryn Aman ac felly mi ddes i'r cyfarfodydd ar y bws gyda phobol Brynaman. Wrth i'r niwl a'r glaw gau amdanom fwyfwy ar ein taith tua Meirionnydd, roedd amheuon rhai o'r fintai wedi troi'n arswyd bron. Wedi cyrraedd Llanuwchllyn, a dim byd i'w weld o gwbl ond sgerbwd ambell goeden yn y niwl, mynegodd un wraig deimladau'r gweddill mewn llais pruddglwyfus:

'Wel beth yn y byd ddath dros ben Mr Jones i ddod i shwt le â hyn? Gwetwch y gwir!'

Ond i ni'r bois, roedd Llanuwchllyn yn lle bendigedig. Na, doedd dim llawer o 'gyfleusterau' fel mae pawb yn ei ddisgwyl heddiw – dim canolfan hamdden, dim pwll nofio, dim caffi ac ati. Ond roedd digonedd i'w wneud, rhwng yr Aelwyd a'r Capel, y bwrdd snwcer yn y Neuadd Bentre, draffts ac ambell Yrfa Chwist yn y Llyfrgell, steddfodau a chyfarfodydd cystadleuol, 'sosials' a chyngherddau a chorau, pêl-droed, Aelwyd yr Urdd, picio i Wersyll Glanllyn, wythnos o ddramâu lleol, a'r pictiwrs yn y Bala. Digon i gadw pawb yn ddiddig, a digon o amser dros ben. Yn yr haf doedd dim angen pwll nofio am fod yna bwll hyfryd o'r enw Llyn Cob yn Afon Twrch a chraig gyfleus i blymio oddi arni, ac yn y gaeaf doedd dim angen llethr sgïo am fod llethrau'r Garth Bach cystal â dim, a slediau-gwaith-cartre cystal ag unrhyw dobogan Olympaidd.

Roedd hi'n dipyn o fantais bod yn un o bedwar o fechgyn o safbwynt chwaraeon, er bod Huw wedi'i anfon i Goleg Llanymddyfri ac felly ddim ond ar gael yn ystod y gwyliau. Roedd y tir glas o gwmpas y tŷ weithiau'n gwrt tennis, weithiau'n gae criced ac weithiau'n stadiwm bêl-droed, a chwaraeem hyd at daro. Doedden ni ddim yn bencampwyr ar ddim – ond ar ffraeo efalle – a'r unig reswm y ces i'r fraint o gynrychioli Ysgol Tŷ Tan Domen mewn criced oedd mai prin un ar ddeg ohonom oedd yn y chweched dosbarth a fedrai rhyw lun o daflu pêl o unrhyw fath.

A'r canu? Wel, roedd diwylliant Llanuwchllyn yn barhad naturiol o ddiwylliant Brynaman yn hynny o beth, gyda digon o ganu yn y capel, yr Ysgol Sul a'r Aelwyd. Roedd yna steddfodau bach yn flynyddol ('cyfarfodydd cystadleuol' y galwem ni nhw) ym mhob un o ganghennau'r Hen Gapel – Peniel i gyfeiriad Rhyd-y-main, Carmel yng Nghwm Penantlliw, Cwm Cynllwyd yng nghesail yr Aran, a'r Ysgoldy yn y pentre, ac yna ar y Llungwyn cynhelid Eisteddfod Gadeiriol Llanuwchllyn. Ar ben hynny, wrth gwrs, roedd Steddfodau'r Urdd a'r Genedlaethol, ac nid âi blwyddyn heibio heb i rywun fynd 'drwodd' i'r llwyfan cenedlaethol – boed yn barti cyd-adrodd, yn barti Cerdd Dant, yn gôr, yn barti drama neu'n unigolion, deuawdau a thriawdau. Roeddwn i'n dal i gystadlu fel unawdydd yn ogystal â bod yn rhan o bartïon a chorau, ond anaml yr awn i heibio'r Steddfod Sir yn yr Urdd am fod yna ganwr o'r enw Gwynfor Evans o Ddinas Mawddwy yn fy nghuro bob tro. Mi aeth yntau ymlaen i'r byd canu poblogaidd yn Lloegr a newid ei enw i Mike Hudson, os cofiaf yn iawn, ond wn i ddim beth ddaeth ohono wedi hynny.

I rai na chafodd y profiad o fod yn rhan o weithgarwch o'r fath, mae'n debyg y gall hyn oll swnio braidd yn ddi-fflach a diflas. I lawer o ieuenctid heddiw, mi allaf dybio ei fod yn swnio'n hynod o anniddorol. Ond fel hwyl y cofiaf i'r cyfan – ar waethaf ambell bwl o nerfau, ambell ymarfer hirfaith ac ambell arweinydd blin, ambell ragbrawf mewn stafell rewllyd cyn codi cŵn Caer, a sawl cam gan sawl beirniad. Hwyl cymdeithasu, hwyl cyd-ddysgu, hwyl cyd-ganu, hwyl y teithio i bob rhan o Gymru, ie – a hwyl y cystadlu, a'r wefr arbennig o berfformio pan fyddai'r darnau'n disgyn i'w lle a phawb yn gwneud ei ran, y cyd-symud yn berffaith a'r gynghanedd yn cyflymu'r galon. Wrth gwrs, fyddai hi ddim fel hynny bob tro ond, pan fyddai pethau'n gweithio, doedd dim teimlad tebyg iddo i griw o blant oedd yn cychwyn eu taith yn y byd.

Oherwydd y mynych gystadlu, roedd gennym bob amser eitemau parod ar gyfer ambell gyngerdd neu Noson Lawen; roedd llai o bwysau arnom ar adeg fel hynny a mwy o gyfle i ymollwng a mwynhau'r profiad. Ond, adeg y Nadolig, roedd dimensiwn arall eto i'r cyd-ganu wrth i Gôr yr Aelwyd fynd o gwmpas y ffermydd yn y cymoedd pellennig yn ogystal â'r pentre; pawb wedi'u lapio'n gynnes rhag yr oerwynt, ein hanadl yn gymylau o ager yng ngolau'r lampau a'n lleisiau'n diasbedain o greigiau'r Aran hyd lan Llyn Tegid, o'r Garn Dochan i gilfachau eithaf Penantlliw. A chyfle rhwng 'Hwiangerdd Mair' a 'Wele Cawsom y Meseia' i gael ambell i gusan slei bach a chynhesu dwylo a chalonnau ifanc. Ydw i'n dechrau rhamantu tybed, neu oedden nhw wir yn ddyddie da? Siŵr iawn eu bod nhw!

Rhywbryd tua'r adeg yma, mi ddaeth canu pop i fodolaeth. Yn raddol, fesul tamaid i ddechrau, ond yn gynyddol wedyn.

Cofiaf fod wrthi'n darllen ar gyfer arholiadau yn fy llofft yng Ngarth Gwyn, a llais un o fechgyn y Llan yn bloeddio darn o gân y Rolling Stones cynnar y tu allan i'r Neuadd Bentre. Ond mae hynny'n neidio mlaen beth. I ddechrau roedd Elvis Presley a'i gysgod gwan o Loegr, Cliff Richard. Fel mae'n digwydd doeddwn i ddim yn cael fy nenu rhyw lawer at y cantorion newydd yma; roedd Arthur a Huw'n gwrando llawer mwy ar Radio Luxembourg na mi. Roedd dylanwadau gwahanol ar Huw oherwydd iddo fynd i Goleg Llanymddyfri a deuai adre ar wyliau i'n rhyfeddu ni oll â steil ei wallt, meinder ei drywsus ac ôl addysg eang mewn roc-a-rôl, ceffylau, ffilmiau a gamblo! Huw oedd y 'Tedi-boi' cyntaf i gerdded llwybrau'r Llan ac aeth y sôn amdano ar hyd a lled Sir Feirionnydd. Does dim dwywaith amdani, roedd yr addysg a gafodd ym mhellafoedd y de o fantais aruthrol iddo pan ddôi'n fater o fachu merched ar derfyn Dawns Werin yn Neuadd Idris Dolgellau ar nos Sadwrn. Cyn y bachiad olaf roedd Huw eisoes wedi codi aeliau sawl un wrth jeifio'n wallgo gydag ambell i lefran yng nghanol dawns 'Robin Ddiog'.

Rhyw lechu yn y cilfachau oeddwn i pan oedd hyn oll yn digwydd a fy mrawd, Arthur, oedd y cyntaf i gael gafael mewn gitâr. Y Shadows, band Cliff Richard, oedd un o'r modelau cyntaf a bu Arthur yn ymlafnio gyda'i gyfaill, Edward Eithinfynydd (yr un Edward a ddaeth yn gydymaith a chyd-ganwr ffyddlon i mi'n ddiweddarach), i feistroli caneuon y cysgodion cerddorol hynny ar ddwy gitâr drydan. Cyn pen dim roedd Arthur yn dipyn o giamstar arni, ac Edward ac yntau wedi casglu rhagor atyn nhw i ffurfio band i ganu yn Gymraeg – peth prin iawn yr adeg honno. Rhyw ddarfod wnaeth y cyfan yn raddol wrth i Edward fynd tua'r Coleg Normal ac Arthur i Goleg Celf yn Lerpwl ac yna i Exeter. Daliodd Arthur i chwarae'r gitâr am beth amser a chyrhaeddodd safon o chwarae dipyn amgenach na mi cyn rhoi'r gorau iddi a throi at ddysgu, arlunio, tipyn o farddoni a ffotograffiaeth ac yna rhedeg ffatri wlân yn ei ddull dihafal ac unigryw ei hun.

Ar y cyfan rhyw greadur am aros gartre oeddwn i. Roeddwn yn hoffi cymdeithasu ar brydiau ond roeddwn yn hoffi bod ar fy mhen fy hun yn amlach. Darllen, sgriblo lluniau, rhoi cynnig ar farddoni, synfyfyrio a stwna o gwmpas y tŷ, a gwneud tipyn o waith ysgol. Rhyw ladd amser braidd yn anniddig yn gwneud fawr ddim o bwys. Wedi symud o Ysgol Ramadeg Dyffryn Aman i Ysgol Tŷ Tan Domen, y Bala, mi ges fy rhoi yn y drydedd flwyddyn yn lle'r ail (ar argymhelliad pwy, dwi ddim yn siŵr) ac, o ganlyniad, mi rown i'n llawer iau na gweddill y dosbarth. Mi sefais fy lefel O yn 14 oed, fy lefel A yn 16 ac mi es i lawr mewn hanes fel y disgybl cyntaf i fynd i'r chweched dosbarth mewn trowsus byr! Arhosais yn y chweched am drydedd blwyddyn i ychwanegu Mathemateg at y Gymraeg, Saesneg a Daearyddiaeth i lefel A ac arlunio i lefel O, am fy mod erbyn hynny wedi penderfynu bod yn bensaer. Dwn i ddim yn iawn pam, ond cofiaf yn glir fy mod yn teimlo'n gryf bod rhaid i ni'r Cymry symud allan o'r hen rigolau a chwilio am feysydd newydd i weithio ynddyn nhw, a doeddwn i ddim ar boen fy mywyd am fod yn athro.

Geni'r canwr pop

Yn ystod gwyliau'r ysgol roeddwn i, fel pawb arall o'r un oed â fi, yn chwilio am waith i gael tipyn o bres poced, a doedd hwnnw ddim yn hawdd i'w gael. Unwaith neu ddwy mi ges i waith yn Hufenfa Meirion, y ffatri laeth gydweithredol ger Rhydymain, yn gwylio'r peiriant golchi poteli a thynnu allan unrhyw boteli oedd yn fudr neu wedi torri. Hwnnw oedd fy mlas cyntaf ar le gwaith go iawn ac y mae gen i lawn cyd-ymdeimlad â phawb sy'n gorfod gwneud gwaith undonog, swnllyd a gwlyb byth oddi ar hynny. Wedi i Huw fy mrawd roi'r gorau i weithio yng nghegin Gwersyll Glanllyn yr Urdd, mi ges i waith yno yn ei le, yn cadw'r tanau i fynd, yn plicio tatws a chadw'r lle'n daclus. Rhwng Llangrannog a Glanllyn, ar staff y gegin y treuliais fy ngwyliau haf am sawl blwyddyn yn nechrau'r chwedegau felly, ac yng Nglanllyn y cychwynnodd pethau ddigwydd o ddifri gyda'r canu.

Roedd ambell gitâr yn cyrraedd y gwersyll o bryd i'w gilydd ac roedd gen i ddigon o amser rhydd rhwng prydau i geisio gweithio ambell i gord amrwd allan. Prynais gitâr Sbaenaidd rad, wedi cael gair o gyngor gan Arthur fy mrawd ac Edward, a daliais ati i bloncio nes cael eitha meistrolaeth ar y tri chord enwog oedd am fynd a fi i anfarwoldeb a thu hwnt. Wedi fy arfogi â chasgliadau Americanaidd fel *Folk is Fun* a *The Burl Ives Song Book* (doedd dim o'r fath bethau i'w cael yn Gymraeg), mi es yn ôl i Lanllyn yn barod i roi tro ar gân neu ddwy. Yn ogystal â chaneuon o'r ddau lyfr mi rown gynnig ar ambell gân oedd yn y siartiau Saesneg ar y pryd, a chofiaf yn glir imi ganu 'Colours' gan Donovan yng Nghaban Bwyta Glanllyn un noson. Mae'n rhyfedd o beth, o edrych yn ôl, mai yn Saesneg y cychwynnais fy ngyrfa gyhoeddus fel trwbadŵr, a hynny yng nghysegr Urdd Gobaith Cymru Fach!

Ond ni pharodd fy nghyfnod Saesneg yn hir. Roedd rhywbeth anghydnaws a chroes i'r graen mewn canu yn Saesneg yn y fath le, a'r unig reswm y gwnawn hynny oedd am nad oedd caneuon Cymraeg o'r fath ar gael. Felly dyma fynd ati i gyfieithu, a chanfod bod caneuon Donovan yn swnio'n ddigon naturiol yn Gymraeg a chanfod hefyd bod geiriau Cymraeg fel 'Ji Geffyl Bach' yn ffitio'n iawn i 'Froggy Went A-courtin', a bod 'Shuckin' of the Corn' yn swnio'n well o beth coblyn fel 'Meddwl Amdanat Ti', a chytgan Gymraeg Edward ac Arthur D. Jones, Alltygwine, 'Mae'n Wlad i Mi' yn gorwedd yn hapus iawn ar alaw enwog Woody Guthrie, 'This land is your land, this land is my land, From California to New York Island...' Pa synnwyr oedd i fachgen o Frynaman a Llanuwchllyn ganu am y fath leoedd anghysbell? Onid mwy naturiol o'r hanner oedd canu am Lyn Tegid a'r Arenig ac Afon Dyfrdwy'n distaw loetran?

Mi ddechreuodd rhywbeth rhyfedd ddigwydd ar y gyda'r nosau yng Nglanllyn yr haf hwnnw (1961 os cofiaf yn iawn). Roedd y gwersyllwyr yn gwrthod gadael i'r pliciwr tatws a'r taniwr fynd i'r gwely heb iddo ganu 'Ji Geffyl Bach' unwaith eto, ac eto, ac eto. A phan geisiwn ddianc i'r stafell wely, mi redai cant o blant gwichlyd ar fy ôl! Doeddwn i ddim yn siŵr iawn beth oedd yn digwydd, ond mi wyddwn y tu mewn imi yn rhywle na fyddai fy mywyd fyth yr un fath eto. Roedd Dafydd Iwan y 'canwr pop' wedi'i eni ar risiau hen Blasdy Glanllyn rhwng Llanuwchllyn a'r Bala.

Y Chwedegau

Roeddwn wedi cael rhyw fath o ysgoloriaeth i fynd i Goleg y Brifysgol yn Aberystwyth o Ysgol Tŷ Tan Domen – ysgoloriaeth oedd yn gyfyngedig i feibion gweinidogion Annibynwyr, os cofiaf yn iawn, felly doedd hi ddim yn bluen fawr iawn yn fy het. Roedd hi'n golygu bod gen i fwy o arian yn fy mhoced, ac mi ges i fy mhrofiad cyntaf o ryddid go iawn; gadael cartre, gadael rhieni, gadael brodyr am flwyddyn o ryddid yn y Coleg-ger-y-lli. Am fy mod i wedi penderfynu mynd am radd mewn pensaernïaeth, roedd gofyn gwneud blwyddyn 'ragbaratoawl' yn un o golegau Prifysgol Cymru cyn symud ymlaen i'r Ysgol Bensaernïaeth yng Nghaerdydd. Dilynais gwrs mewn Cymraeg, Saesneg a Chelfyddyd, a chael y profiad o fod wrth draed Gwenallt, cyfle i gasau *Anglo-Saxon* a chyfle i gael fy nghyfareddu gan y diweddar R. L. Gapper wrth iddo fynd â ni ar daith yn ei ddarlithoedd drwy Knossos a'r Aifft a Gwlad Groeg. Wnes i ddim cymryd y flwyddyn o ddifri'n academaidd, ond llwyddais i gael y marc uchaf yn fy mlwyddyn yn y Gymraeg a'r marc isaf yn Saesneg (ar waetha fy ngharwriaeth gyda barddoniaeth Keats).

Pwysigrwydd y flwyddyn honno (Medi 1961 i Fehefin 1962) yn Aber i mi, fodd bynnag, oedd y ffrindiau a wnes i. Roedd rhywbeth mawr yn cyniwair yno, yng nghynteddau'r coleg, yng nghyfarfodydd y Geltaidd, yng nghyfarfodydd cangen Plaid Cymru, yn yr Home Café ac ym mar yr Angel. Y 'rhywbeth' hwnnw oedd Cymdeithas yr Iaith Gymraeg. Roedd Lerpwl yn paratoi i foddi Tryweryn, roedd Saunders Lewis yn paratoi ei ddarlith, ac roedd criw o Gymry ifanc yn benderfynol na fyddai'r iaith Gymraeg farw a'i bod yn bryd i 'weithredu dros yr iaith'. Roedd ysbryd y chwedegau ar gerdded: yr ymgyrch fawr dros hawliau sifil yng Ngogledd America; yn erbyn *apartheid* yn Ne Affrica; yn erbyn rhyfel America yn Fietnam (yn ddiweddarach), a'r myfyrwyr yn creu chwyldro ar strydoedd Paris a'r Almaen a hyd yn oed ar do'r LSE yn Llundain. Roedd rhywbeth mawr yn digwydd mewn gwledydd eraill hefyd, a chantorion a beirdd yn mynegi dyhead eu pobol i fyw eu diwylliant eu hunain yng Nghatalwnia, yn Llydaw, yn Chile, ac yma yng Nghymru.

Wedi blwyddyn o fwynhau fy hun yn Aberystwyth ac o ymdaflu i fywyd cymdeithasol y coleg gydag arddeliad (digon anystywallt a meddw ar brydiau) mi es i 'nôl i weithio yng nghegin Glanllyn gyda theimladau cymysg iawn. Gwyddwn fy mod yn gadael criw Aber ar adeg pan oedd pethau mawr ar fin digwydd a doeddwn i ddim yn siŵr beth oedd o'm blaen yng Nghaerdydd – lle diarth iawn imi ar y pryd. Felly daeth Haf 1962, a chynnwrf pellach y canu yng Nglanllyn, fel dihangfa i'w chroesawu. A phan gyrhaeddais y brifddinas a chael llety gyda Chymry Cymraeg yn y Tyllgoed, roedd y gitâr a'r awydd cynyddol i greu fy nghaneuon fy hun yn fodd i leddfu'r hiraeth llethol a deimlwn o fod wedi gadael y wlad am y ddinas, a gadael Aberystwyth am Gaerdydd.

Pan ddechreuodd pethau ddigwydd yn Nhryweryn, a minnau'n gweld y protestio ar ddiwrnod agor yr argae ar sgrïn y teledu yn fy llety pell yng Nghaerdydd, roedd fy hiraeth yn saith gwaeth. Yna daeth hanes y ffrwydro ac achos fy nghefnder Emyr Llew yn y Bala. Unwaith eto yr oeddwn ymhell oddi yno, a minnau'n ysu am gael bod yn rhan o'r ddrama fawr. Ac yna daeth Cymdeithas yr Iaith a'r brotest gyntaf honno ar Bont Trefechan; mi wyddwn y dylwn i fod yno, ac mi wyddwn na fyddai digwyddiad o'r fath byth yn digwydd eto heb imi fod yn rhan ohono. O'r amser hwnnw ymlaen roedd o leiaf un bws yn cludo protestwyr o Gaerdydd i bob protest a gynhaliwyd gan y Gymdeithas, ym mha le bynnag y byddai hynny. Roedd hyn yn sbardun i'r ymdeimlad Cymraeg yn y brifddinas ac yn fodd i'n tynnu ni i mewn i brif ffrwd y chwyldro oedd am newid Cymru am byth.

Y gân gyntaf

Y cof cyntaf sydd gen i o ganu mewn cyngerdd gweddol ffurfiol gyda'r gitâr oedd yn Ysgol Abergwaun, mewn cyfarfod a drefnwyd gan Blaid Cymru yn hwyr yn haf 1962, a chefais ymateb cynnes ryfeddol gan dorf oedd yn dipyn hŷn na thyrfa wyllt Glanllyn. Hyd yma doeddwn i dim wedi mynd mor bell â chyfansoddi cân fy hun, dim ond cyfansoddi geiriau Cymraeg i alawon oedd eisoes yn bod, o gasgliadau Americanaidd gan fwyaf, ond roeddwn wedi cael blas arni a mater o amser oedd hi cyn mentro ar alaw hefyd.

Y symbyliad yn y diwedd oedd noson gyd-golegol rhwng Cymdeithasau Cymraeg Colegau Prifysgol Caerdydd ac Abertawe, yn ystod y flwyddyn goleg 1964-65, a minnau'n chwilio am eitem arbennig i'r achlysur. Er mai yn yr hen WCAT (Welsh College of Advanced Technology) yr oedd yr Ysgol Bensaernïaeth yn swyddogol – y sefydliad a ddaeth yn rhan o Brifysgol Cymru yn ddiweddarach fel UWIST – i'r 'GymGym' yr awn i gael fy nogn o gymdeithasu a diwylliant Cymraeg. Y GymGym oedd Cymdeithas Gymraeg Coleg y Brifysgol yng Nghaerdydd ac, yn nechrau'r chwedegau, fel sawl sefydliad Cymraeg arall, roedd hi'n dechrau deffro a myfyrwyr o sawl sefydliad arall yn ymuno â ni. Yno roeddwn yng nghwmni pobol fel y diweddar Gruff Meils a nifer o'i gyd-aelodau yn y Dyniadon, gan gynnwys Bili 'Ffidil' Ifans ac Eric Dafydd, a Huw 'Eic' Davies, a chaem dipyn o hwyl wrth fynd o gwmpas fel parti 'Noson Lawen'. Huw oedd yn arwain fel arfer, a minnau'n helpu gydag ambell sgetsh neu adroddiad neu gân. Tua'r adeg yma y ces i'r syniad o gyfansoddi adroddiad digri hirfaith am fyfyriwr o'r enw 'Wili John', ac mi wnes i dipyn o enw i mi fy hun ar gorn y darn hwnnw – darn a ddaeth yn handi iawn mewn partïon a thafarndai'n ogystal ag mewn nosweithiau mwy syber. Roedd digon o gantorion ar gael inni, yn cynnwys Carol (Davies erbyn hyn) a Llinos (Swain), a daeth y parti Noson Lawen hwnnw'n eitha enwog yn ei ffordd fach ei hun.

Ond ar gyfer y noson arbennig yn Abertawe roedd disgwyl imi ganu rhywbeth i gyfeiliant gitâr, ac ro'n i'n dechrau teimlo nad oedd 'Ji Geffyl Bach' a 'Meddwl Amdanat Ti' yn ddigonol ar gyfer criw o fyfyrwyr prifysgol aeddfed a deallus. Felly beth am gyfansoddi cân fy hun? Ond am beth? A dyma eistedd i lawr yn fy llety yn y Tyllgoed, Caerdydd (tŷ cartrefol iawn Mr a Mrs D. J. Davies; D.J. o Gaio ac yn ben-fasgedwr Sain Ffagan, a'i briod o Faldwyn), i feddwl am destun fy nghân gyntaf. Mi drawodd fi fel taranfollt – onid oedd y testun yn amlwg ac o 'nghwmpas ym mhob man? Onid am hyn yr oeddwn yn treulio rhan fawr o 'mywyd yn trafod a dadlau, yn myfyrio a ffraeo, yn drist ac yn llawen, ddydd ar ôl dydd? Onid oedd y newyddion yn llawn ohono? Am beth arall y medrwn i gyfansoddi caneuon ond am Gymru a'i phobol, a'r iaith Gymraeg a'i dyfodol?

Felly dyma fynd ati ac, os cofiaf yn iawn, y gytgan ddaeth gynta fel gyda sawl cân wedi hynny – y geiriau a'r alaw'n ffurfio gyda'i gilydd wrth i minnau gau fy llygaid yn dynn a strymio'r tri chord i bedair wal fy stafell:

> Wrth feddwl am fy Nghymru
> Daw gwayw i 'nghalon i,
> Dyw'r werin ddim digon o ddynion, bois,
> I fynnu ei rhyddid hi.

Faswn i ddim mor rhyfygus â meiddio bod mor gondemniol o'r 'werin' pe bawn i'n sgwennu cân heddiw ond dyna fel y teimlwn ar y pryd, wrth weld Cwm Tryweryn yn cael ei foddi, yr iaith ar drai a heb statws yn ei gwlad ei hun, a Chymru hithau heb unrhyw fath o reolaeth dros ei bywyd ei hun. Disgynnodd y penillion i'w lle'n ddigon rhwydd – un i bob conglfaen fy nghenedlaetholdeb, fel petai: hanes Cymru, perygl diflaniad yr iaith, boddi Tryweryn a'r her i ninnau heddiw. Ac wrth i'r gân ddod at ei gilydd, o ble bynnag y mae caneuon yn dod, daeth dagrau i fy llygaid ac mi wyddwn 'mod i wedi creu rhywbeth oedd yn cynhyrfu rhyw gynneddf yng ngwaelod fy mod. Mae'r dagrau hynny wedi dychwelyd imi wrth ganu gannoedd o weithiau ers y foment fawr honno; dagrau ydyn nhw nad ydwyf yn eu deall, ond arwydd ydyn nhw, debyg gen i, fod y gân yn dweud rhywbeth sy'n cyfri, yn cyfleu teimlad neu brofiad neu wirionedd sy'n ymwneud â phethau dyfnion fy modolaeth. Gobeithio nad yw hynny'n swnio'n rhy fawreddog; a dweud y gwir, fel arall yn hollol, mae'n fy ngwneud i'n reit wylaidd o feddwl 'mod i wedi cael cyfle o bryd i'w gilydd i daro tant nad yw'n hawdd ei gyrraedd, a thant efallai sydd wedi seinio yng nghalon ambell wrandawr hefyd ar draws y blynyddoedd.

Wrth Feddwl am fy Nghymru

Rwy'n cofio Llywelyn, byddinoedd Glyndŵr
Yn ymladd dros ryddid ein gwlad,
Ond caethion y'm eto dan bawen y Sais,
Mor daeog, mor llwm ein hystâd.
    Ac wrth feddwl am fy Nghymru
    Daw gwayw i 'nghalon i,
    Dyw'r werin ddim digon o ddynion, bois,
    I fynnu ei rhyddid hi.

Wrth edrych o'th gwmpas, fe weli
Fod yr heniaith yn cilio o'r tir,
Ni chlywir yr un acen, ni chlywir yr un gair
O iaith ein cyndadau cyn hir.

Mae argae ar draws Cwm Tryweryn
Yn gofgolofn i'n llyfrdra ni,
Nac anghofiwn ddewrder yr ychydig prin
Aeth i garchar y Sais drosom ni.

Disgynnodd yr iaith ar ein gwarrau,
Ni allwn ni ddianc rhag hon,
Mae arial y Celt yn byrlymu'n ein gwaed
A fflam Glyndŵr dan ein bron.
    Ac wrth feddwl am fy Nghymru
    Daw llawenydd i 'nghalon i,
    Bydd y werin yn ddigon o ddynion, bois,
    I fynnu ei rhyddid hi.

Cyn imi adael y busnes dagrau yma, efallai y dylwn grybwyll rhywbeth arall hefyd. Roeddwn yn llwyr-ymwrthodwr cyn imi fynd i Goleg Aberystwyth, a hynny o ryw fath o argyhoeddiad. Cefais fy magu i gredu mai lle drwg oedd y dafarn, mai pobol ofer oedd yn yfed, a bod cwrw'n ddrwg i chi ac i gymdeithas yn gyffredinol. Ni chofiaf i Dad na Mam erioed bregethu ar y pwnc, na gosod y ddeddf i lawr yn ddu a gwyn, ond dyna oedd awyrgylch cyffredinol ein magwrfa. Fodd bynnag, fues i fawr o dro cyn syrthio i'r fagl a chael fy nenu i dŷ potes ar Stryd y Frenhines yn Aber gan gyd-letywr o Geredigion i flasu gogoniant y lager-a-leim. O dipyn i beth, llwyddwyd i drechu fy magwraeth ac imi berswadio fy hun nad oedd hyn yn bechod wedi'r cwbwl, a chan fod gen i fwy o arian yn fy mhoced na fu gen i erioed o'r blaen (a dim llawer o bwys fyddwn i'n pasio fy mlwyddyn ai peidio) dechreuodd meddwi ddod yn beth i anelu ato, mae'n gas gen i gyfadde. Nid bob nos, ond yn rheolaidd. Ac yn fy meddwdod ro'n i'n gwneud un o dri pheth – canu, credu 'mod i dros fy mhen mewn cariad, neu grio.

Erbyn imi gyrraedd Caerdydd ro'n i wedi aeddfedu dipyn, yn medru 'dal fy niod' yn well ac, erbyn hyn, yn credu bod cymdeithasu mewn tafarn yn rhan hanfodol o'r profiad Cymraeg. Gymaint felly nes imi berswadio aelodau'r GymGym i dorri traddodiad cenedlaethau a mynd i dŷ tafarn ar ôl y cyfarfod ffurfiol arferol. Roedd hyn yn anathema llwyr i rai aelodau ac yn gwbl groes i'r graen; onid iaith y capel a phethau felly oedd y Gymraeg? Ac onid tiriogaeth y diafol – a'r diafol Seisnig at hynny – oedd y tafarndai? Ond gwyddwn i'n reddfol erbyn hyn fod rhyddhau'r Gymraeg o'r fath hualau cul yn rhan o'r frwydr i'w gwneud hi'n iaith fyw a chyflawn. Efallai bod hynny'n swnio'n chwithig i rai o hyd ond y gwir yw bod yr iaith wedi cael ei dal yn ôl am ormod o amser gan y syniad mai iaith rhai pethau'n unig yw'r Gymraeg – iaith capel a Steddfod a barddoniaeth a 'diwylliant' traddodiadol, ond nid iaith busnes a masnach a hamdden a hwyl cyfoes. Ta waeth, mewn cyfnod pan na fedrech ganfod awyrgylch Gymraeg mewn unrhyw dafarn yn y brifddinas, bu nifer ohonom, gan gynnwys criw 'Tregaron' – John Albert, Alun Jones, Wyndham Richards, John Meirion, Alun Brechfa a Wyre Thomas – yn chwilio am dafarn y gallem ei mabwysiadu fel lle i'r Cymry Cymraeg gyfarfod. Dyma benderfynu ar y Moira yn Sblot, ac yno y buom ni'n cyd-gyfarfod am gyfnod nes aeth y lle'n rhy fach, a ffwrdd â ni am sgawt arall i ddarganfod y New Ely – ac y mae'r gweddill yn hanes, fel maen nhw'n dweud!

Ond at hyn ro'n i'n anelu – mi gofiaf ambell nos Sadwrn yng Nghaerdydd, a minnau wedi bod allan gyda fy ffrindiau coleg, Cymraeg a di-Gymraeg (roedd mwy o fyfyrwyr o Irac yn fy mlwyddyn i'n gwneud pensaernïaeth nag oedd yna o fyfyrwyr Cymraeg eu hiaith). Yn aml iawn roeddwn yn gorfod cerdded 'nôl i'r llety yn y Tyllgoed, a honno'n daith o rai milltiroedd. Doedd cymryd tacsi ddim yn croesi meddwl myfyrwyr yr adeg honno (yn enwedig gan fod bendith yr Ysgoloriaeth wedi peidio a'r boced yn wacach) ac roedd y bysus mae'n debyg wedi hen orffen teithio yr adeg honno o'r nos. Cofiaf fel 'tae ddoe gerdded ar hyd y palmant di-ddiwedd hwnnw ar hyd Heol y Gadeirlan, a hithau'n bwrw glaw, a chyda phob cam roeddwn yn mynd yn ddyfnach, ddyfnach i'r felan. Roedd rhyw hiraeth mawr yn fy llethu ar adeg fel hynny, hiraeth am Lanuwchllyn, hiraeth am y wlad, hiraeth am ardal Gymraeg, a hiraeth, – ie, hiraeth – am Gymru. Daeth sawl cân ac ambell bwt o farddoniaeth felan-colaidd o'r teimladau llethol hyn, megis 'Cân y Ddinas' a 'Mae hiraeth yn fy nghalon'. Ond mae gen i gof am ambell noson, hyd yn oed pan oeddwn yn dal yng nghwmni fy ffrindie, pan dorrwn i lawr yn llwyr a beichio crio yn y modd mwya di-lywodraeth. Roedd fy nghyfeillion yn dychryn braidd ar adegau fel hyn ac yn methu deall beth oedd yn bod.

Mae un noson arbennig yn dod imi; roeddem ar Stryd Charles yng nghanol y ddinas (ar y ffordd rhwng dwy dafarn, mae'n siŵr) ac yn sydyn daeth y dagrau, a minnau yn fy nghwrcwd wrth *railings* rhyw gapel yn methu symud o'r fan, na stopio'r dagrau. Beth oedd achos y crio hwnnw? Duw a ŵyr, ond mi beidiodd. Fel yr âi'r chwedegau rhagddynt, ac fel yr ymdaflwn innau fwyfwy i ymgyrchoedd Cymdeithas yr Iaith, ac fel y llifai'r caneuon un ar ôl y llall, doedd dim angen imi grio dim mwy. Yr unig esboniad y gallaf ei gynnig yw bod yna ryw euogrwydd, neu efallai rhyw deimlad o ddi-ymadferthedd, yn cronni yn fy enaid am nad oeddwn yn gwneud dim i newid sefyllfa Cymru a'r iaith Gymraeg; digalondid llethol yn codi o'r teimlad nad oeddwn yng nghanol yr ymgyrch fawr dros fy nghenedl, hynny'n gymysg â hiraeth am y Gymru Gymraeg. Ond erbyn i'r chwedegau ddirwyn i ben roedd y cwmwl digalondid hwnnw wedi diflannu.

Nos Fercher ar 'Y Dydd'

Os mai 'Wrth Feddwl am fy Nghymru' oedd y gân gyntaf imi ei chyfansoddi, yn alaw a geiriau, mae'n debyg mai hi hefyd gychwynnodd bethau go iawn imi fel canwr. Ond rhaid mynd yn ôl ychydig cyn hynny i gael y stori i gyd. Roedd digwyddiadau Glanllyn wedi cyrraedd clustiau eraill, a gofynnwyd imi fynd draw i stiwdios TWW ym Mhontcanna i drafod y posibilrwydd o ganu ar raglen newyddion *Y Dydd*. Roedd Eleanor Mathias, un o olygyddion y rhaglen, wedi bod mewn noson yng nghartre fy modryb Enid a'i phriod, Ithel Davies, ym Mhenarth, ac wedi fy nghlywed i'n canu yno. Roedd hi'n arferiad y dyddiau hynny i gael ambell eitem gerddorol fel rhan o gylchgrawn newyddion ar y teledu – cofiaf, er enghraifft, glywed Bob Dylan am y tro cyntaf yn ei het *pork-pie* yn llafar-ganu ar raglen Cliff Michelmore *Tonight*. A dyna fu fy hanes inne, canu'n fyw bob nos Fercher ar yn ail gyda phobol fel Tony ac Aloma ar *Y Dydd*. Mi barodd hynny am rai wythnosau ac yna bu seibiant am sbel.

Wedi imi ganu 'Wrth Feddwl' mewn ambell achlysur colegol daeth y sôn amdani, ac am yr ymateb iddi, i glustiau Owen Roberts (mab i'r diweddar W. H. Roberts o Fôn a phriod Ann Clwyd, i gael rhoi iddo ei bedigri llawn, ond gŵr hynaws a galluog yn ei haeddiant ei hun) a gofynnodd imi ei chanu iddo. Gwrandawodd arni unwaith a gofyn faswn i'n ail-gydio yn fy 'slot' ar nos Fercher, a dal ati am dipyn y tro hwn. Yr hyn sy'n destun peth rhyfeddod erbyn hyn yw bod unrhyw un wedi ystyried cân mor uniongyrchol wleidyddol, a chân yn wir oedd yn talu gwrogaeth i rai a fu yng ngharchar am osod ffrwydron yn Nhryweryn, yn addas ar gyfer rhaglen newyddion ar deledu cenedlaethol. Yn sicr, ni ellid dychmygu'r peth heddiw a'r unig esboniad y gallaf gynnig am y peth yw bod cenedlaetholdeb yn 1965 yn cael ei ystyried yn ymylol iawn, heb fod yn wir berthnasol i brif ffrwd gwleidyddiaeth y cyfnod. Esboniad mwy cadarnhaol, fodd bynnag, yw bod boddi Tryweryn ac ymgyrchoedd Cymdeithas yr Iaith wedi peri cynyrfiadau a gyrhaeddai ymhell i galon sefydliadau Cymraeg o bob math. Sylwais, dan wenu ar fy ngwaetha, fod Syr Wyn Roberts, y Ceidwadwr, oedd yn bennaeth rhaglenni Cymreig i TWW ar y pryd, yn hawlio mai fo oedd yn gyfrifol am roi cychwyn ar fy ngyrfa ar y teledu. Dwn i ddim am hynny, ond yn sicr roedd pobol fel Eleanor Mathias ac Owen Roberts yn dipyn nes at bethau na'r marchog mwyn o'r Ro-wen.

Pwy bynnag oedd yn gyfrifol, mae'n debyg i'r gyfres honno o ganeuon ar raglen *Y Dydd* gael effaith bellgyrhaedd-ol ar gwrs fy mywyd. Yn y lle cyntaf roedd yn ddisgyblaeth lem, ac yn fodd i'm gorfodi i greu corff o ganeuon a fu'n sail i recordiau a nosweithiau cyhoeddus di-ri am flynyddoedd wedi hynny. Roedd y rhaglenni i gyd yn fyw yr adeg honno ac felly roedd rhaid i mi, nid yn unig gyfansoddi cân newydd sbon bob wythnos, ond ei dysgu'n ddigon da i'w chanu heb gopi, yn fyw i'r genedl. Rhaid cyfadde fy mod i wedi hwylio'n bur agos i'r gwynt ar sawl nos Fercher, ac roedd ambell gân yn cael ei gorffen wedi i'r rhaglen fynd ar yr awyr; rhaid, ar adegau fel hynny, oedd cael gafael ar gerdyn, sgrifennu'r geiriau ar hwnnw, a chael un o'r criw llawr i'w ddal yn ddigon agos imi ddarllen y geiriau.

Daeth hyn â mi i drwbwl unwaith, diolch i John Ogwen. Roedd John wrthi'n paratoi rhaglen i blant yn y stiwdio drws nesa ar y pryd a gofynnais iddo fydde fo'n dal y cardiau imi (roedd dau neu dri cherdyn y diwrnod hwnnw, ac felly roedd hi'n bwysig eu cyfnewid ar yr adeg iawn). Dyma fynd ar yr awyr, a'r arwydd yn dod imi fwrw iddi a John yn dal y cerdyn cyntaf yn ufudd ddigon, ond pan ddaeth yr ail i'r golwg roedd wedi ychwanegu ambell air go anweddus yma ac acw, a bu'n rhaid imi roi ambell 'ffa-la-la' i mewn yn eu lle. Roedd John yn morio chwerthin a minnau'n ei ddiawlio i'r cymylau ar ôl y rhaglen, yn chwys drabŵd, ond efallai mai cymwynas a wnaeth â mi yn y pen draw gan i'r ddyfais o roi ambell 'ffa-la-la' yn lle ambell air oedd yn gwrthod dod i'r cof fy achub droeon rhag embaras cyhoeddus. Ond wnes i byth ofyn iddo ddal cerdyn imi ar ôl y profiad hwnnw!

Roedd ymddangos bob nos Fercher fel hyn ar *Y Dydd* yn fy ngwneud yn wyneb a llais cyfarwydd led-led Cymru, a rhaid bod y caneuon yn apelio gan imi ddechrau cael gwahoddiad-au o bob cwr o Gymru i ganu mewn Noson Lawen at y capel fan hyn, cyngerdd at y carnifal fan draw a noson goffi i'r

Blaid fan arall. Ac, am y tro cyntaf am wn i, bu'n rhaid i gwmni teledu wneud cardiau'n dwyn llun canwr Cymraeg i'w llofnodi a'u hanfon i 'ffans' ar hyd a lled y wlad. Rhyw ymgais digon amaturaidd ar hybu gyrfa canwr pop oedd hyn, gan nad oedd gan y byd teledu Cymraeg ddim o'r adnoddau na'r profiad oedd ei angen i wneud y gwaith yn broffesiynol effeithiol. Llun digon di-glem a ddewiswyd ohonof ar gyfer y cerdyn, llun a dynnwyd wrth imi baratoi i ganu yn un o'r rhaglenni cynnar, fy ngwallt bob sut, coler-a-thei digon bethma, a chrys *lumber-jack* a brynais ar sêl yng Nglanllyn gydag arian plicio tatws. Ond o leia roedd pethau'n dechrau symud, a'r Gymraeg yn cael ei gweld fel cyfrwng adloniant poblogaidd ar y teledu. Roedd pob math o hanesion yn dod i'r fei gan y gwylwyr, un am ffermwr a ruthrai i orffen y godro'n gynnar ar nos Fercher er mwyn clywed cân *Y Dydd*, ond y rhan fwyaf am ferched o bob oed oedd yn dymuno cael llun o'r canwr i roi o dan eu gobennydd.

Mae rhywbeth oeraidd ac amhersonol mewn perfformio ar deledu, yn enwedig y dyddiau hyn pan yw popeth bron wedi'i recordio o flaen llaw. O leiaf yn y dyddiau cynnar, roedd darlledu'n fyw'n rhoi rhyw awch ar y profiad ac yn rhoi i'r perfformiwr rhyw ymdeimlad o gysylltu â'r gynulleidfa. Ond y gwir brofiad, wrth gwrs, oedd canu'n fyw i gynulleidfa, a dyna wnes i'n gynyddol o ganol y chwedegau ymlaen. Ychydig a freuddwydiwn yr adeg hynny mai dyna fyddai fy nhynged am bron i ddeugain mlynedd!

Digon amrwd oedd y perfformiadau am y blynyddoedd cyntaf: cadair i roi fy nhroed dde arni, gitâr Sbaenaidd rad heb strap, ychydig o gordiau, a fi a'r caneuon. Yn y rhan fwyaf o nosweithiau, dim meicroffon o fath yn y byd, a phan fyddai yna un roedd hi'n anodd gwybod ai help ai rhwystr ydoedd. Neuaddau pentre o bob maint a llun, festrïoedd capeli bach a mawr, sguboriau dirifedi, neuaddau ysgol a chornel ambell i gae; roedd y cyfan yn dod yn eu tro a minnau'n teithio o Gaerdydd, neu o Lanuwchllyn, yn y fan fach werdd A35 i bob rhan o Gymru, heb wybod beth oedd yn fy nisgwyl. Fel rheol, un o nifer o eitemau oeddwn i, er mai fy enw i oedd yn flaenaf ar y posteri, ac felly eistedd yng nghefn y llwyfan yn disgwyl fy nhro oedd y brif orchwyl. Yr arfer oedd cael nifer fawr o eitemau lleol, felly roedd y disgwyl-cefn-llwyfan yn gallu bod yn hirfaith ar brydiau, a'r anfantais o ganu'n olaf oedd bod y gynulleidfa wedi hen flino cyn i mi ymddangos i gloi'r noson. Ond dyna oedd y drefn a rhaid oedd gwneud y gorau ohoni – ar y cyfan roedd y profiad yn bleserus ar waetha'r teithio hir a'r oedi hwy, gan fod y cynulleidfaoedd, at ei gilydd, mor wresog.

Wrth i ymgyrchoedd Cymdeithas yr Iaith boethi, roedd hynny'n rhoi min ychwanegol i'r caneuon ac i awyrgylch y nosweithiau. Barnai rhai cantorion fy mod yn gwneud camgymeriad yn cymysgu adloniant a 'pholitics' mor agored ond doedd gen i ddim dewis, am fod y caneuon a'r ymgyrchoedd, yn aml, yn dod o'r un lle ac yn mynd i'r un cyfeiriad. Roedd fy nghanu i'n rhan o'r ymgyrchu yn ogystal â bod yn adloniant, ac fe wyddai pobol hynny wrth fy ngwahodd i ganu. Wrth gwrs, doedd pawb ddim yn cytuno, ac mi wn am sawl pwyllgor a chwalodd mewn anghytgord am fod rhai'n frwd am fy ngwadd a'r gweddill yn ffyrnig dros beidio gadael imi ddod yn agos. Erbyn diwedd y chwedegau roedd nifer o gantorion a grwpiau pop yn teithio Cymru i berfformio a rhannem lwyfannau'n aml – Tony ac Aloma, Hogia'r Wyddfa, Hogia Llandegai, Ryan a Ronnie, Heather Jones, Huw Jones, Meic Stevens, Owain ac Alwen Selway, Emyr ac Elwyn, myrdd o grwpiau fel y Pelydrau a'r Perlau – ac roeddem yn cael llawer o hwyl yng nghwmni'n gilydd. Ond roedd ambell achlysur lle nad oedd yna groeso i mi, megis y gyfres o gyngherddau 'Sêr Cymru' a drefnwyd yn sinema'r Majestic yng Nghaernarfon a lleoedd tebyg. Ni chefais wahoddiad i unrhyw un o'r rhain am flynyddoedd, rhag imi ddarfu ar yr heddwch mae'n debyg. Ta waeth, dal ati'n fy ffordd fy hun a wnes i drwy'r degawdau, a dal ati i gael gwahoddiadau lu wrth i nifer o heuliau eraill godi a machlud yn eu tro.

Y record gyntaf

Yn fuan iawn ar ôl imi ailddechrau canu ar *Y Dydd*, daeth dyn diarth i 'ngweld i yn fy llety yng Nghaerdydd. Dyn tal, yn ei chwedegau, mewn cot fawr drom go laes ydoedd, a chyflwynodd ei hun imi fel John Edwards o gwmni recordiau Welsh Teldisc. Ni wyddwn ar y pryd, ond roedd y gŵr hwn yn un o arloeswyr mawr y byd recordio yng Nghymru ac yn gerddor a phianydd galluog ei hunan. Ef a reolai gwmni Qualiton yn ystod y dyddiau arloesol pan ddechreuwyd gwasgu recordiau EP feinyl yma yng Nghymru, cyn i'r cwmni hwnnw gael ei werthu i Decca, yn gwbl groes i ddymuniad y rheolwr ei hun. O ganlyniad, fe sefydlodd gwmni Welsh Teldisc a fu'n gyfrifol am nifer fawr o recordiau poblogaidd Cymraeg a Chymreig yn y 50au a'r 60au. Roedd gan John Edwards, er mai o gefndir clasurol y deuai ef ei hun, glust effro iawn i'r hyn a apeliai at y werin Gymraeg a bu'n gyfrifol am recordio Triawd y Coleg, Jac a Wil, Bob Roberts Tai'r Felin, darlith 'Y Tri Bob' gan Robin Williams, Hogia Llandegai, Bois y Blacbord a llawer iawn mwy, yn ogystal â nifer o gantorion clasurol. Ef hefyd oedd sylfaenydd Urdd Hyrwyddo Cerddoriaeth Cymru, corff sy'n dal i fodoli ac sy'n cyflwyno gwobr er cof am John Edwards yn flynyddol am gyfraniad arbennig i'r byd cerdd yng Nghymru. Teimlwn fod y cylch yn gyflawn rywsut pan gyflwynwyd y wobr hon gan yr Urdd i Gwmni Sain ym mlwyddyn gyntaf y mileniwm newydd, oherwydd pwrpas yr ymweliad hwnnw gan John Edwards yn ôl yn 1965 oedd gofyn imi recordio ar ei label.

Fy ymateb cyntaf i'r gwahoddiad oedd anghredinedd llwyr. Ac nid ffug wyleidd-dra na dim o'r fath oedd hyn, ond fy mod yn credu'n siŵr nad oeddwn wedi meistroli digon ar y grefft o gyfansoddi caneuon – heb sôn am y grefft o chwarae'r gitâr – i fynd yn agos i stiwdio recordio. Ond doedd dim troi ar John Edwards, roedd yn hollol argyhoeddiedig 'fod gen i rywbeth' yr oedd yn rhaid ei roi ar record cyn iddo golli ei newydd-deb. Anghofiaf i byth mo'i daerineb tawel wrth iddo ddweud: 'Mae gyda chi rywbeth sbesial, rywbeth gwahanol; sdim ots am y ffrils, mae'n bwysig ei fod yn cael ei roi ar gof a chadw fel y mae, a hynny'n glou. Credwch chi fi, fyddwch chi byth yn edifar'. Wel, pwy o'n i, fyfyriwr tlawd o'r wlad fel ag yr oeddwn, i ddadlau? A dyna benderfynu, braidd yn anfoddog mae'n wir, i arwyddo cytundeb gyda chwmni

Welsh Teldisc, a chychwyn ar yrfa recordio na wyddwn i yn y byd i ble yr arweiniai.

At Edward, cyn bartner gitâr fy mrawd Arthur, yr es am dipyn o gyngor a chefnogaeth. Roeddem eisoes wedi canu ambell bennill gyda'n gilydd yn Llanuwchllyn, ond yn awr yr oedd yna ddiben mwy pendant i gydweithio – gwneud record! Ychydig iawn o bobol, hyd y gwyddwn i, oedd yn chwarae gitâr yn y Gymru Gymraeg yr adeg honno, ond yr oedd gan Edward rywbeth na welswn i erioed o'r blaen, sef gitâr 12-tant, ac roedd hynny'n swnio jyst y peth i fod yn gyfeiliant ar record. Felly dyma fynd ati i benderfynu pa ganeuon fyddai orau i'w recordio, pa rai fyddai'n unllais a pha rai'n ddeulais, a sut gyfeiliant fyddai orau. Ac, un bore Sul tua diwedd 1965, aeth Edward a minnau i le na fuom ni erioed o'r blaen, sef Creunant yng Nghwm Nedd, ac yno yn y Sports and Social Club (neu enw cyffelyb) y recordiwyd wyth o ganeuon ar gyfer y ddwy EP a gyhoeddwyd yn ystod 1966. *Wrth Feddwl am fy Nghymru* oedd y gyntaf (er ei bod yn cael ei galw'n Record Y Dydd gan fod y llun ohonof ar y clawr o flaen sgrin fawr yn cario enw'r rhaglen deledu), ac ar y record honno clywir hefyd 'Wyt Ti'n Cofio?', 'Bryniau Bro Afallon' a 'Meddwl Amdanat Ti'. Yr ail i ymddangos oedd *Mae'n Wlad i Mi*, gyda 'Ji Geffyl Bach', 'Crwydro' a 'Mae'r Esgid Fach yn Gwasgu'.

Yr hyn sy'n fy nharo i o restru'r caneuon fel hyn yw eu bod i gyd, ar wahân i 'Wrth feddwl' a'r gân serch 'Wyt Ti'n Cofio?', yn addasiadau o ganeuon 'gwerin' Americanaidd. Ac eto, mae'n debyg i'r ddwy record yma greu mwy o argraff ar y werin Gymraeg, ac o bosib gael mwy o ddylanwad ar arddull canu poblogaidd Cymraeg, na'r rhan fwyaf o recordiau a gyhoeddwyd wedyn. Mae'n siŵr fod y rhan fwyaf o bobol yn meddwl bod y caneuon i gyd yn wreiddiol (ffaith oedd yn wir am y rhan helaethaf o ganeuon a recordiais yn ddiweddarach) er bod clawr y record yn nodi'n ddigon clir mai addasiadau oedden nhw. Yr hyn oedd yn newydd oedd y nodyn gwladgarol, yr elfen gref o deimlad a phrofiad personol yn y geiriau ac, wrth gwrs, hinsawdd gwleidyddol y chwedegau. Ac i feddwl bod yr wyth cân wedi eu recordio cyn cinio o flaen un meicroffon mewn clwb yfed yn y Creunant – os gwrandewch yn ofalus iawn, gellwch glywed tincial gwydrau'r nos Sadwrn cynt yn cael eu golchi yn y cefndir!

Rhwng 1966 ac 1969, cyhoeddais wyth EP a dwy record sengl ar label Welsh Teldisc, gan orffen gyda *Carlo* a *Croeso Chwedeg-Nain*, ond chafodd John Edwards druan ddim byw i glywed mwy na'r ddwy gyntaf, gan iddo farw'n ddisymwth cyn diwedd 1966. Ar ôl ei farw, cariodd ei weddw Olwen Edwards ymlaen gyda'r gwaith o redeg y cwmni, gyda chymorth y peiriannydd (rhan-amser) medrus Noel Kendrick o Glydach. Gadawodd aelod arall o staff y cwmni, Jo Jones, yn fuan wedi marwolaeth John Edwards i sefydlu ei gwmni ei hun, Cambrian, a gwnaeth ddefnydd helaeth o'r hyn a ddysgodd gan John a Noel wrth recordio nifer fawr o artistiaid Cymru yn niwedd y chwedegau ac yn ystod y saithdegau, ond ddim bob amser gyda'r un gofal am bethau fel cytundeb ysgrifenedig a thaliadau breindal. Erbyn diwedd y chwedegau, roedd Huw Jones a minnau wedi penderfynu bod yn rhaid i'r byd recordio Cymraeg symud yn ei flaen, a buom yn trafod y syniad o gymryd Welsh Teldisc drosodd gyda Mrs Olwen Edwards a Noel Kendrick, ond wedi hir ystyried penderfynu aros fel yr oeddent a wnaeth y ddau. Bu ond y dim inni fynd i bartneriaeth gyda'r diweddar Trefor Morgan, ond yn y diwedd sefydlu cwmni ein hunain a wnaethom gyda chymorth benthyciad o £500 gan Brian Morgan Edwards, cymeriad lliwgar a ddychwelodd i wlad ei dadau'n llawn brwdfrydedd wedi'i danio gan fuddugoliaeth Gwynfor Evans yng Nghaerfyrddin yng Ngorffennaf 1966.

Roedd diwedd y chwedegau'n gyfnod pwysig yn fy hanes i ar lawer i gyfrif. Roeddwn wedi gorffen fy nghwrs yn Ysgol Bensaernïaeth Cymru ym Mehefin 1967, ac wedi graddio'n B.Arch. ym Mhrifysgol Cymru 'gydag anrhydedd ail ddosbarth', beth bynnag y mae hynny'n ei olygu. Ond, mewn gwirionedd, nid pensaernïaeth oedd y peth pwysicaf yn fy mywyd bellach gan fod nifer o bethau eraill wedi'i ddisodli. Yn ystod 1967 daeth tair EP arall allan ar label Welsh Teldisc, sef:

Rwy'n Gweld y Dydd
(gyda: 'Beth yw'r Haf i Mi?', 'Hyn Sydd yn Ofid Im',
      'Stôl i Ddau')

Clyw fy Nghri
(gyda: 'Mae Geneth Fach yng Nghymru', 'Rhaid yw Dal
    yn Ffyddlon', 'Paid â Chwarae Efo'm Serch', 'Tyrd
    yn Ddi-oed')

Cân yr Ysgol
(gyda: 'Chwarae â 'Nghalon', 'Pan Glywaf Gân y Clychau',
    'Trwy'r Drysni a'r Anialwch')

Bu'r tair yn uchel yn siart *Y Cymro* am y rhan helaethaf o'r
flwyddyn, ac roeddwn innau'n crwydro Cymru o un pen i'r
llall, o noson lawen i gyngerdd ac o farbeciw i festri.

Yn y cyfamser, roedd ymgyrchoedd Cymdeithas yr Iaith
yn mynd o nerth i nerth, a rhywfaint o wrthdaro wrth i'r
arweinwyr cynnar gamu'n ôl o flaen y llwyfan am fod rhai am
weithredu'n fwy eithafol. Roedd 1966 wedi bod yn flwyddyn
dyngedfennol yn hanes Cymru ar lawer cyfri; bu protest fawr
yng Nghaerdydd pan arestiwyd nifer o aelodau'r Gymdeithas
wedi gwrthdaro ffyrnig gyda'r heddlu ger y Swyddfa
Gymreig ym Mharc Cathays. Cofiaf fod yn un o nifer fawr yn
llysoedd barn Caerdydd yn disgwyl yr achos a ddilynodd y
brotest honno pan ddaeth y newydd dychrynllyd am
drychineb Aberfan, a gohiriwyd y cyfan o barch i'r rhai a fu
farw. Yn fy meddwl i ni allwn lai na chredu bod yna
gysylltiad yn rhywle rhwng y diniwed a laddwyd yn Aberfan,
oherwydd yr ecsbloetio di-reolaeth ar ein hadnoddau
naturiol, a thynged yr iaith Gymraeg. Yng Ngorffennaf y
flwyddyn honno roedd Gwynfor Evans wedi ennill buddug-
oliaeth fawr i Blaid Cymru yn is-etholiad Caerfyrddin, ac
roeddwn yn un o'r dorf ar y Sgwâr yn gorfoleddu yn ei
lwyddiant hanesyddol. Erbyn y flwyddyn ddilynol roeddwn
yn ymddangos yn y llys yn Llanfair-ym-Muallt am beidio
dangos disg treth ar fy nghar, fel protest yn erbyn diffyg
ffurflenni a disg treth Cymraeg. Dirwy fechan a gefais, ac
mae'n rhaid ei bod wedi'i thalu (yn ddiarwybod i mi) gan
rywun di-enw er mwyn osgoi achos pellach neu garchariad.

Yn dilyn is-etholiad Caerfyrddin daeth Plaid Cymru yn
agos iawn i ennill sedd y Rhondda ym mis Mawrth 1967 ac, o
ystyried mwyafrif enfawr y Blaid Lafur yn y sedd honno,
roedd hwn yn ganlyniad syfrdanol a phellgyrhaeddol iawn ei

effaith ar wleidyddiaeth Cymru. Fel gyda Chaerfyrddin, rhaid oedd bod yno yng nghanol yr hwyl, ac roedd nifer fawr o bobol ifanc fel ni wedi bod yno ar dro yn canfasio o ddrws i ddrws ac, wrth gwrs, yn ymuno yn y dathlu mawr ar noson y canlyniad. Hawdd iawn oedd cael y syniad bod rhyw chwyldro mawr ar droed, yn enwedig gan fod nifer cynyddol ohonom, aelodau Cymdeithas yr Iaith, yn mynd o brotest i brotest ac o lys barn i lys barn dros ymgyrch yr iaith hefyd. Roedd amser i chwarae, wrth gwrs, a nodais yn fy nyddiadur am 15 Ebrill 1967 y fuddugoliaeth fawr dros Loegr ar Barc yr Arfau o 34 i 21, a bachgen ifanc o'r enw Keith Jarret yn sgorio 19 o bwyntiau dros ei wlad mewn gêm fythgofiadwy. Meddwn yn fy nyddiadur: 'Cododd fy ysbryd i'r uchelfannau yn ystod y chwarae – dim ond adeg cyhoeddi canlyniadau Caerfyrddin a'r Rhondda y cefais y fath deimlad gorawenus o'r blaen'. Ym mis Gorffennaf y flwyddyn honno daeth y Ddeddf Iaith Gymraeg gyntaf i rym; roedd pethau'n dechrau symud yn wir, er mor annigonol ydoedd.

Y Gymdeithas a'r Briodas

Roedd pethau'n symud ymlaen yn fy mywyd personol hefyd ac, wedi cyfres o garwriaethau amrywiol, synnais fy hun a phawb arall am wn i, wrth benderfynu ei bod yn amser 'setlo i lawr' rhyw gymaint, a phriodi Marion, merch i gyn-chwarelwr o Fynydd Llandegai ar Ddydd Calan, 1968. Fe wyddai Marion yn ei chalon, ac mi roedd hynny'n ddealltwriaeth rhyngom o'r dechrau, na fyddai yna lawer o raen ar y 'setlo' tra bod ymgyrchoedd yr iaith a'r trwbadwrio'n dal i ddigwydd, ond bu'r briodas yn angor pwysig yn fy mywyd am ddeunaw mlynedd dyngedfennol.

Roedd y ddadl rhwng cefnogwyr y dull di-drais a'r rhai a gredai mewn dulliau mwy eithafol yn bygwth chwalu Cymdeithas yr Iaith ac, erbyn 1968, roedd cryn bwysau arnaf fi i gymryd at arweinyddiaeth y mudiad. Ar ôl i'r garfan ddi-drais ennill y dydd roedd y ddau brif ladmerydd, Emyr Llywelyn a Gareth Miles, o dan bwysau teuluol cynyddol ac felly, yn y Cyfarfod Cyffredinol ym mis Hydref 1968, fe'm etholwyd yn Gadeirydd ar y Gymdeithas. Nid gormodiaith yw dweud bod hynny wedi rheoli cwrs fy mywyd yn llwyr am y tair blynedd ganlynol. Rhain oedd blynyddoedd yr ymgyrch arwyddion, yr ymgyrch wrth-Arwisgo a rhai o achosion llys a ralïau torfol mwyaf niferus y Gymdeithas; cyfnod a gofnodwyd mewn nifer o ganeuon gen i a chyfansoddwyr eraill – 'Peintio'r Byd yn Wyrdd', 'Mr Tomos, Os Gwelwch yn Dda', 'Rhaid yw eu Tynnu i Lawr', 'Ie, Ie, 'Na Fe', 'Carlo', 'Croeso Chwedeg-Nain', 'Tri Mis o Ddathlu Mawr', i enwi ond rhai.

O edrych yn ôl ar y cyfnod hwnnw, mae bron yn amhosib credu bod cymaint o bethau o bwys wedi cyd-ddigwydd, a hynny ar draws y byd. Yn ystod 1968 roedd rhyfel yr Americanwyr yn Fietnam yn troi'n fwyfwy gwaedlyd ac, ym mis Hydref, roeddwn yn Llundain gyda chwarter miliwn o bobol eraill yn gorymdeithio'n erbyn y rhyfel. Roedd yn gwbl amhosib cyfansoddi caneuon heb i ddelweddau dychrynllyd y rhyfel dibwrpas hwnnw ymddangos. Un o'r caneuon a sgrifennais ar gyfer *Y Dydd* oedd hon, cân oedd yn ceisio cyfleu undod y frwydr dros Gymru ar y naill law a'r frwydr fyd-eang dros ryddid, heddwch a hawliau dynol ar y llaw arall:

Hyn Sydd yn Ofid Im

Pan welaf yr haul ar yr heli
Neu lwybr y lloer ar y lli,
Pan ddaw'r gwanwyn yn ôl i'r wig
Gyda'i fantell werdd i'r brig,
Hyn sydd yn ofid im.
Cofio'r rhyfel a'r gwaed yn Fietnam
Lle nad oes amser i hidio dagrau mam,
Yno gwelir gormes grym
Yn lladd â'i gleddyf llym,
A hyn sydd yn ofid im.

Pan fydd llawnder yn llethu fy mywyd
Ac esmwythyd yn llethu fy myd,
Pan fydd hawddfyd arna i'n bwn
Daw y cof am y tristwch hwn,
A hyn sydd yn ofid im:

Gweld y bomiau yn disgyn gyda'r glaw,
Clywed adlais yr wylo oddi draw,
Cofio'r Negro yn ei gell,
A'r Gwladgarwr o flaen ei well,
A hyn sydd yn ofid im.

Pan fydd natur yn dawel o'm cwmpas
A hedd hwyrnos haf dros y wlad,
Er mor dawel fy myd, mi wn
Fod imi ran yn y tristwch hwn, –
A hyn sydd yn ofid im:
Cofio'r pentre sydd heddiw dan y llyn,
Cofio'r Gymru sy'n gaethferch hyd yn hyn,
Trwy holl sŵn rhyfeloedd pell
Cofiaf Gymry yn eu cell,
A hyn sydd yn ofid im,
Hyn sydd yn ofid im...

Os oes yna gân sy'n crynhoi fy agwedd i at y byd a'i bethau, hon yw hi. Am fod y cyfeiriad at ryfel Fietnam yn ei chlymu i un cyfnod, mae'n debyg imi ei hesgeuluso braidd, ac ychydig iawn o ganu fu arni ers dechrau'r saithdegau. Ond, o'i darllen yn awr, mae'n llwyddo'n well na'r rhelyw i egluro'r rheidrwydd a deimlais drwy fy mywyd i ymgyrchu dros newid pethau a chodi llais yn erbyn anghyfiawnder. Mae'n ddiddorol hefyd am ei bod yn enghraifft o sawl un o'r caneuon sy'n fwriadol yn 'benthyg' ymadroddion gan fy hoff feirdd, dyfais sy'n gallu cyfoethogi cerdd am ei bod yn dwyn i mewn gysylltiadau'r gerdd wreiddiol. Mae 'hyn sydd yn ofid im' yn dwyn i gof un o linellau R. Williams Parry o 'Eifionydd', lle mae'n dweud am y Lôn Goed:

I lan na thref nid arwain ddim
Ond hynny nid yw ofid im.

Wrth adleisio'r cwpled hwnnw, roeddwn yn awgrymu mae'n debyg (wrth gwrs, nid gwyddoniaeth mo hyn, felly mae elfen o ddehongli creadigol yn gallu digwydd, hyd yn oed ar eich gwaith eich hun!) na thâl inni oedi'n rhy hir yn llonyddwch y Lôn Goed er hyfryted yw, gan fod y frwydr yn galw draw. Doedd Williams Parry ddim yn poeni ar y pryd am nad oedd y Lôn Goed yn arwain i nunlle, ond buan y galwyd yntau'n ôl i wynebu 'hagrwch cynnydd' ac i alw am 'ddaeargrynfeydd dan gadarn goncrit Philistia'.

Ac wrth ddweud bod i minnau 'ran yn y tristwch hwn', rwy'n fwriadol yn adleisio cerdd Gwenallt i Gymru, a'i gwestiwn heriol 'paham y rhoddaist inni'r tristwch hwn?'.

Defnyddiais yr un ddyfais mewn amryw o ganeuon eraill, a 'benthycais' ('samplo' yw'r term a ddefnyddir yn y byd recordio, lle cymerir darn o gân neu gerddoriaeth rhywun arall a'i osod yng nghanol cân newydd, weithiau wedi'i ystumio'n ddi-drugaredd gan offer cyfrifiadurol) sawl darn o gerddi T. H. Parry-Williams o bryd i'w gilydd. Yn 'Weithiau Bydd y Fflam' y mae'r pennill prudd-glwyfus hwn:

> Weithiau bydd y fflam yn llosgi'n isel yn y lamp,
> Weithiau bydd fy nghalon innau'n drom,
> Weithiau byd y dagrau yn mynnu llifo'n rhydd
> Wrth weld dim ond y 'noeth amlinell lom'.

Ac yn 'Mae'r Saesneg yn Esensial' benthycais, yn gwbl ddigywilydd ac agored, y cwpled anfarwol hwn am y rheswm syml na fedrwn feddwl am ffordd well i'w ddweud:

> Cei ganmol hon (sef yr iaith Gymraeg) fel canmol jwg ar seld,
> Ond gwna hi'n hanfod, ac fe gei di weld.

Dyna'r wers farddoniaeth drosodd am y tro, ac felly'n ôl â ni at 1968!

Tra oedd milwyr America'n gwneud eu gwaetha yn Fietnam saethwyd Martin Luther King yn farw ar y pedwerydd o Ebrill, ac ar y chweched o Fehefin lladdwyd y trydydd 'K', sef Robert Kennedy, yn Los Angeles. Yn Ffrainc bu deng miliwn o weithiwyr ar streic yn erbyn polisïau de Gaulle, gan ymuno â phrotestiadau ffyrnig myfyrwyr y wlad. Fis cyn hynny roedd Enoch Powell wedi traddodi ei ddarlith yn erbyn y mewnlifiad o bobol groenddu i Brydain, a gwrthododd De Affrica dîm criced Lloegr am ei fod yn cynnwys chwaraewr croenddu. Yn ddiweddarach y flwyddyn honno tanlinellwyd symudiad yr Unol Daleithiau tua'r dde pan etholwyd Richard Nixon yn Arlywydd.

Croeso 69!

Yn ôl yma yng Nghymru roedd Cyfarfod Cyffredinol Cymdeithas yr Iaith yn penderfynu gadael yr ymgyrch am sianel deledu Gymraeg ac Awdurdod Darlledu i Gymru o'r neilltu am y tro, er mwyn canolbwyntio ar ymgyrch i bwyso ar Awdurdodau Lleol Cymru i roi lle amlycach i'r Gymraeg. Datblygodd yr ymgyrch honno i fod yn 'ymgyrch yr arwyddion' yn bennaf, yr ymgyrch fwyaf amlwg a chyhoeddus erioed ac un a gorddodd y dyfroedd yn fwy na'r un yn hanes y Gymdeithas. Ond doedd dim modd osgoi'r Arwisgo chwaith, er i mi, ac ambell aelod arall, ddadlau'n frwd na ddylem wastraffu gormod o egni ar y fath bantomeim; penderfynu trefnu cyfres o gyfarfodydd gwrth-Arwisgo a wnaed, gan geisio cadw'r cyfan yn weddol ysgafn. Ond â'n helpo ni! Roedd y peiriant propaganda Brenhinol Prydeinig ar ei eithaf yn chwipio cefnogaeth y werin a'r sefydliad, a thynnwyd pawb i mewn i'r trobwll. Bu ffraeo o fewn Cymdeithas yr Iaith, Plaid Cymru, yr Urdd, yr Eisteddfod a'r Orsedd, o fewn teuluoedd ac o fewn Côr Godre'r Aran wrth iddyn nhw dderbyn gwahoddiad i ganu yn y sioe. Defnyddiwyd yr achlysur yn gwbl ddigywilydd gan George Thomas a'i griw i glymu clymau Prydeindod yn dynnach ar y naill law, ac i rwygo'r mudiad cenedlaethol a'r sefydliad Cymraeg ar y llaw arall.

Er cymaint y credwn i'n bersonol na ddylai Cymdeithas yr Iaith arwain yr ymgyrch mi ges i fy nyrchafu, ar fy ngwaetha, fel pen-bandit y giwed a fynnai ddilorni'r tywysog bach annwyl oedd yn cael ei gynnig i'n cenedl yn rhad ac am ddim. Nid yn unig oherwydd fy mod yn Gadeirydd y Gymdeithas ond hefyd am imi recordio 'Carlo', cân fach ddiniwed fel y credwn i ar y pryd a gyfansoddais ar y ffordd i un o'r 'Pinaclau Pop' ym mhafiliwn Pontrhydfendigaid. Roedd Mrs Olwen Edwards, perchennog Welsh Teldisc yn cael ei rhwygo bob ffordd, druan fach, rhwng ei thueddfryd naturiol i gefnogi'r Frenhiniaeth a'r posibilrwydd o wneud pres sylweddol drwy werthu'r record. Gwnaeth John Eilian, golygydd papurau'r *Herald* yng Nghaernarfon, gymwynas fawr â mi drwy gyhoeddi llun ohonof yn ei bapur gyda'r pennawd: 'Y gŵr sydd wedi dwyn cywilydd ar Gymru', a chyfeirio at fy record fel 'Y record na ddylai unrhyw Gymro ei phrynu'. Wrth gwrs, roedd hynny'n ddigon i anfon y miloedd allan i'w phrynu a bu ambell siop yn ei gwerthu, hyd yn oed yng nghysgod y castell, bob yn ail â mygïau'r Arwisgo a baneri Jac yr Undeb! Gwerthwyd 13,000 o gopïau o'r record yn ystod yr wythnos gyntaf, nes oedd dwylo Mrs Edwards a'i ffrindiau brenhinol bron a disgyn i ffwrdd wrth bacio'r holl barseli yn swyddfa'r cwmni yn Walter Road, Abertawe.

Os cafodd cân ymateb erioed, 'Carlo' oedd honno. Roedd geiriau'r gân yn hynod o ddidramgwydd, gan mai esgus canmol y prins yr oeddwn am ei Gymreictod llachar:

Carlo

Mae gen i ffrind bach yn byw ym Mycingham Palas
A Charlo Windsor yw ei enw e'.
Tro dwetha yr es i, i gnoco ar ddrws ei dŷ
Daeth ei fam i'r drws, a dwedodd wrtha i:

'Carlo, Carlo, Carlo'n whare polo heddi,
Carlo, Carlo, Carlo'n whare polo gyda dadi';
Ymunwch yn y gân, daeogion fawr a mân,
O'r diwedd mae gynnon ni brins yng Ngwlad y Gân.

Fe gafodd o'i addysg yn Awstralia, do, a'r Alban,
Ac yna draw i Aberystwyth y daeth o,
Colofn y diwylliant Cymraeg, cyfrannwr i *Dafod y Ddraig*,
Aelod o'r Urdd, gwersyllwr ers cyn co'.

Bob wythnos mae o'n darllen *Y Cymro* a'r *Faner*,
Yn darllen barddoniaeth Dafydd ap Gwilym yn ei wely bob nos;
Mae dyfodol y wlad a'r iaith yn agos at ei galon fach e',
A ma' nhw'n dweud ei fod e' wedi ymuno â'r FWA...

Digon diniwed, o ystyried beth fyddai'n cael ei ddweud a'i ddangos ar raglenni fel 'Spitting Image' ymhen rhai blynyddoedd, ond i'r Gymru Gymraeg ym mlwyddyn wirion yr Arwisgo mawr roedd y gor-ganmol hwn wedi taro nerf bur dyner. Roedd rhai wrth eu bodd, a'r rhan fwyaf yn fy nghasau â chas perffaith. Roedd llythyrau a cherddi a darnau golygyddol yn ymddangos yn *Yr Herald*, y rhan fwyaf os nad y cwbl o law John Eilian neu wedi eu hannog ganddo, am wythnosau lawer, y cyfan yn fy nilorni mewn modd digon eithafol. Mae'n werth cyhoeddi rhai yma eto, nid er mwyn codi hen grach ond er mwyn ceisio deall beth oedd y tu ôl i'r fath ymosodiadau. Y ffaith syml yw ein bod ni, drwy ein gweithredoedd uniongyrchol dros yr iaith ac yn erbyn yr Arwisgo, wedi chwalu'r hen syniad o Gymreictod saff, parchus, lled-grefyddol ('iaith y Nefoedd' ac ati), neis-neis, meddal, oedd ar yr un pryd yn gallu cyd-fyw'n braf gyda Phrydeindod Seisnig ac addoli'r Teulu Brenhinol. Roedd peintio'r arwyddion a galw enw ci ar y Prins wedi chwythu'r cyfan yn chwilfriw, a fi oedd y dihiryn penna. Roeddwn yn nabod rhai o'r enwau wrth y darnau hyn ac nid wyf erioed wedi dal dig yn eu herbyn o gwbl; roedden nhw, fel finnau, yn gaeth i ddigwyddiadau'r dydd, er mewn ffordd wahanol iawn i'n gilydd, ac roedd rhaid chwalu'r hen os oeddem am greu'r newydd. Dyma flas o'r cyfnod.

Wna'i ddim cywilyddio'r person oedd a'i enw wrth y darn hwn o'r *Herald* gan mai prentis newyddiadurwr dibrofiad ydoedd yng nghysgod John Eilian ar y pryd, a bellach yn dal un o brif swyddi'r diwylliant Cymraeg:

> Dafydd Iwan, sydd wedi dwyn cywilydd arno'i hun ac ar bob Cymro hefo'i record olaf.

> 'Carlo' ydyw record ddiweddaraf Dafydd Iwan. Yr wythnos ddiwethaf yr oedd gan SL bwt amdani, ac er ein bod am ladd ein gilydd rhaid imi gytuno ag ef ar y pwnc hwn. Nid cân ddychan mo hon o gwbl, ond cân wedi ei seilio ar gasineb. Fel y gŵyr pawb nid yw casineb yn beth da o gwbl, ond eto i gyd y mae casineb yn sefyll allan wrth wrando ar y record yma.

> Y mae pobl yn condemnio'r lladd a'r bryntwch yn Vietnam a Biaffra, ac eto, yma yng Nghymru y mae un o sêr y pops Cymraeg yn pregethu casineb. Casineb sydd rhwng pobl Nigeria a'u brodyr yn Biaffra, a'r un modd rhwng pobl De Vietnam a Gogledd Vietnam.

> Efallai nad yw'n iawn i Sais fod yn dywysog ar Gymry, ond nid oes eisiau cael casineb rhwng y ddwy genedl. Brodyr

ydym, ond os bydd llawer mwy o ganeuon fel hyn ar y farchnad byddwn yn elynion.

(Fy narlleniad i o'r pwt rhyfeddol yma o Golofn Bop *Yr Herald Cymraeg* yw bod yr awdur ifanc, yn y bôn, am gytuno gyda'r ymgyrch yn erbyn yr Arwisgo ond bod y Golygydd gormesol wedi'i berswadio – neu ail-sgwennu'r erthygl – i gladdu hynny yn y ddadl ryfedd yma am 'gasineb' sy'n achosi rhyfeloedd! Rhaid imi gofio gofyn i'r awdur rhywbryd.)

DEG UCHAF Y DREF
Record na ddylai neb ei phrynu
(Trwy garedigrwydd tair o siopau recordiau yng Nghaernarfon)

Carlo – Dafydd Iwan
Please Don't Go – Donald Peers
Half as Nice – Amen Corner
Dancing in the Street – Martha and the Vandella
Where Do You Go To – Peter Starstedt
Blackberry Way – Move
Albatross – Fleetwood Mac
Tylluanod – Hogia'r Wyddfa
You Got Soul – Johnny Nash
The Way It Used To Be – Engelbert Humperdinck

Gyda chywilydd mawr, mae'n rhaid imi gyhoeddi bod Dafydd Iwan wedi cymryd trosodd safle un yn siart Caernarfon. Cywilydd sydd gennyf o'r gân. Cân ddychan ydyw, meddir wrthym, ond nid oes gronyn o ddychan yn perthyn iddi. Dyma gân sydd wedi'i seilio'n hollol ar gasineb, ac ni welaf ddim yn ddigrif ynddi. Gyda thafod miniog y mae Dafydd Iwan yn canu, ac nid gyda'i dafod yn ei foch.

Nid peth i ymfalchïo ynddo yw casineb, ond peth hollol wrthun. Gellir gweld y casineb yn ymdreiglo i'r wyneb bob tro y cenir 'Carlo' gan Dafydd Iwan. Credaf fod amryw sydd wedi prynu'r record hon yn hollol anymwybodol o'r casineb hwn pan oeddent yn ei phrynu.

Yn sicr, dyma record na fu ac na fydd ar fy rhestr prynu. Felly, da chwi, trowch eich cefnau arni, ac efallai gwelir defnydd gan y cantor addawol hwn sy'n deilwng i'w phrynu...

CYMRU FY NGWLAD

Gwlad Hywel Dda a Dewi
Gwlad y pregethwyr mawr,
Rhyw ganwr pop sydd heddiw'n
Dy dynnu di i lawr.
Nid ydyw Dafydd Iwan
A'i griw'n dy garu di,
Ond caru rhad boblogrwydd
A'r esgus ydwyt ti.

    Heb sylwedd yn eu canu
    I'w cyd-ddyn nid oes barch
    A dyma'r rhai sy'n brysur
    Rhoi'r hoelion yn dy arch.

A mawr yw c'wilydd Harlech
Am ei rhaglenni ffôl;
O'th fewn mae dy elynion
A'u harfau ar dy ddôl.
Duw a'n gwaredo rhagddynt,
Mae'r dewis wedi dod –
Os colli di dy grefydd
Fe beidi di a bod.

    Nid dyma'r ffordd i gadw
    Dy iaith, heb foes na pharch;
    Penboethion gwyllt a'u sgriwiau
    Dry'r hoelion yn dy arch.

Ann Hughes
Pentraeth, Môn

GWAE AM GANU MOR DDI-FANARS
(Cân brotest i Dafydd Iwan)

Mi wn am dy ffrind ym Muckingham Palace
Ond gwae fi weld canu cerdd-gân mor ddi-fanars,
Mae ffrind yn un teyrngar, yn onest fel dur –
Nid ffrind sydd yn canu rhyw sothach brwnt sur.

Rwyf finnau yn bybyr dros genedl ac iaith,
A bûm yn crochlefain am Iawn lawer gwaith;
Ond nid wyf yn credu fod protestio yn reit

Mewn record fel 'Carlo' sy'n llawn o hen sbeit.

Ni fynnwn gael bri ar draul unrhyw lanc
Na baeddu'r un person er elwa'n y banc;
Hawdd iawn ydyw canu cân brotest lawn gwres
('Sdim ots fod Pen y Frenhines ar bres!).

Mi wn fod na swyn mewn poblogrwydd a bri
Ond os ar draul bachgen, naw wfft ddweda i;
Pam raid iti Dafydd, dynnu'th ddawn trwy y llaid?
Yn siŵr nid fel hyn y pregethodd dy daid.

Fe wyddom yng Nghymru fod Carlo eisoes
Yn enw ar gi, pwy bynnag a'i rhoes;
Ond beth pe bawn i, mewn digrifwch fel ti,
Yn dweud 'Swydd dy dad hawlia goler fel ci'?

Mae digon o le i brotestio, reit siŵr,
Ond nid ar draul tynged o dras unrhyw ŵr,
Os protest yw'r ffasiwn, hei lwc, dyna fo,
Ond rho chwarae teg i'r llanc ifanc am dro.

Be waeth os mai polo yw gêm bles ei dad?
Mae'n gêm ddigon gonest, waeth be fyddo'i stad.
Onid gêm yw dy gerddi i ffynnu dy rawd?
Rho lonydd – a dysga roi parch i dy frawd.

Bessie Orwig, Y Felinheli
Ifan Hefin Williams, 10 Y Glyn, Caernarfon
Albert Jones, Craig-y-don, St.David's Rd., Caernarfon

O dudalennau'r *Herald Cymraeg* y daeth yr uchod, ond nid oedd y chwaer-bapur, y *Caernarvon and Denbigh Herald* yn ddistaw chwaith:

6,000 CHEER AS PRINCE MAKES SPEECH IN WELSH

Pop singer was hissed

A week-end crowd of 5,000 gave the Prince of Wales a standing ovation after his first public speech in Welsh at the Urdd National Eisteddfod. But while he was being announced from the stage at Aberystwyth, 100 people from the audience walked out. Fights and scuffles broke out as police and eisteddfod officials tried to eject some of the demonstrators who carried protest posters...

Welsh language experts agreed the Prince delivered his 250-word address accurately and with only a slight trace of an English accent. It had been completely understood by everyone...

Most were surprised he was able to speak Welsh so well after only five weeks at the University College of Wales, Aberystwyth...

Pop singer Dafydd Iwan, chairman of the Welsh Language Society, was hissed when he started singing at Aberystwyth later in the evening.

Ac mewn erthygl olygyddol, dyma John Eilian ar ei orau glas:

Boorish song

There is a young Welsh pop-singer by the name of Dafydd Iwan. His songs, like all Welsh pop-songs, are copies of the English, but Dafydd Iwan has been slanting some of them for political purposes (nationalist) though he does his cause no good by it.

He has certainly done himself great harm by his latest record – a series of insulting verses about the Prince – very poor stuff and in very bad taste. What surprises us most is the irresponsibility shown by a Welsh firm in issuing it and by the BBC and ITV in Wales in supporting the singer even when he utters things like this.

Note: he sings even this 'hymn of hate' in his usual tones – those of the love-agonies of a sick seal – which shows that he has no versatility as a singer. But though we have to put up with a lot of things in the name of 'pop', we should not have to put up with boorish manners, and with a mock patriotism which is a road to regular profit.

Cefais lythyron dienw niferus hefyd, a llawer o'r rheiny'n sglyfaethus o fudr a threisgar a hyll; doedd gen i ddim cydymdeimlad â'r rheiny o gwbl. Pobol drist iawn yw'r rhai sy'n anfon llythyron di-enw maleisus, ac y maen nhw i'w cael ym mhob gwlad ac ym mhob oes, am wn i. Rwyf wedi derbyn sawl un yn awr ac yn y man ar draws y blynyddoedd, fel pawb sydd yn llygad y cyhoedd yn ceisio sefyll dros ryw achos, ond welais i erioed y fath atgasedd ag a welais ym mlwyddyn yr Arwisgo. A dwi'n gobeithio na welaf y fath beth fyth eto.

Roedd rhai cenedlaetholwyr, fel y diweddar Jac L. Williams, er enghraifft, yn dadlau y dylid bod wedi cymryd mantais o'r achlysur a chroesawu'r ffaith bod Charles yn 'dysgu Cymraeg' fel arf i ddangos bod yr iaith Gymraeg bellach yn barchus a derbyniol gan bawb, hyd yn oed darparfrenin Lloegr! Ond roedd disgwyl i ni genedlaetholwyr ifanc y chwedegau i gofleidio'r fath gyfaddawd yn disgwyl gormod, ac ar ein pennau i wrthdrawiad gyda pheiriant propaganda'r sefydliad Prydeinig yr aethom, hoffi'r peth neu beidio. Fel y dynesai'r achlysur mawr roedd pawb yn dechrau mynd ar nerfau'i gilydd, a pharanoia wedi gafael yn rhengoedd y Gymdeithas bod yna heddlu cudd ac *agent provocateurs* yn llechu yn ein mysg. Roedd digon o sail i'r fath ofnau oherwydd daeth yn amlwg yn ddiweddarach bod y gwasanaethau cudd wedi bod yn weithgar iawn yn y cyfnod hwn, ac yn wir bod ambell un wedi cael ei rwydo i weithgarwch amheus gan rai o'r cymeriadau hyn er mwyn pardduo'r mudiad cenedlaethol Cymreig.

Penderfynodd yr Awdurdodau wylio symudiadau rhai cenedlaetholwyr – a ddewiswyd ar hap i bob pwrpas – yn ofalus am dri mis cyn yr Arwisgo. Roedd fy nghydgyfarwyddwr yn Sain, O. P. Huws, yn un o'r rhai dethol ac y mae ganddo lond trol o straeon am y cyfnod rhyfedd hwnnw. Doedd yr heddlu ddim yn cuddio'r ffaith eu bod yn ei wylio; parcio'u car ym mhen y lôn oedd eu tacteg ac eistedd ynddo drwy'r dydd, tri neu bedwar ohonyn nhw ar y tro. A phan âi O.P. allan, mi fydden nhw'n ei ddilyn yn hollol agored. Yn y diwedd daeth O.P. i ddealltwriaeth â nhw: os oedd am fynd i rywle go bell, roedd yn cael mynd yng nghar y plismyn. Saeson oedden nhw i gyd ac wedi hen alaru ar y gwaith, ac felly roedden nhw'n croesawu'r cyfle i gael sgwrs efo'r dihiryn ei hun! Roedd gan O.P. fan neu ddwy'n gwerthu cywion ieir a sglodion ar y pryd, ond daeth fan o Lerpwl i ddwyn ei le yng nghyffiniau Abersoch felly gofynnodd i'r heddlu fynd â fo un diwrnod i Ben Llŷn. Pan ddaethon nhw at y fan sglodion ddiarth, gofynnodd O.P. i'r heddlu dynnu i mewn dros y ffordd. Eglurodd ei fod am gael gair hefo dyn y fan a gadawodd y car, gosod sbectol dywyll ar ei drwyn, a dweud wrth y dieithryn ei fod yn cael dwy awr i bacio'i bethau a mynd yn ôl i Loegr neu mi fyddai'n galw ar ei ddynion i ddelio â fo – gan bwyntio dros ei ysgwydd at y tri phlismon yn y car y tu ôl iddo! Aeth yn ôl i'r car, a ffwrdd â nhw am adre. Welwyd byth mo'r fan sglodion honno wedyn.

Er mor ddigri yw straeon felly, roedd y profiad o gael eich dilyn am dri mis cyfan yn gallu distrywio bywyd rhywun ac mi wn ei fod wedi achosi poen meddwl a salwch i sawl un, ac wedi arwain i fwy nag un tor-priodas. Y cwestiwn yw beth oedd pwrpas yr holl beth a faint gostiodd y fath ffwlbri i'r wlad? Fy nehongliad i yw bod y wladwriaeth am wneud i genedlaetholwyr Cymru ymddangos yn eithafwyr peryglus, a bod y dilyn agored hwn ar unigolion yn weithred cwbl fwriadol er mwyn creu'r argraff ar y cyhoedd bod yna bobol beryglus yn byw yn eu mysg. Roedd y driniaeth eithafol a gafodd yr FWA yn enghraifft o'r un peth, gydag achos llys costfawr yn para am wythnosau, yn gorffen gyda dedfryd o garchar ar ddiwrnod yr Arwisgo ei hun a hynny ar sail tystiolaeth fregus a dweud y lleia. Doeddwn i erioed wedi cefnogi sioe filitaraidd yr FWA ond roeddwn yn eu nabod yn ddigon da i wybod nad oedden nhw'n fygythiad i neb. Cyfaddefodd Cayo wrthyf, pan gwrddais ag ef yn y carchar yn ddiweddarach, mai pwrpas yr holl beth oedd tynnu sylw'r wasg, yn enwedig y wasg dramor, at fodolaeth cenedlaetholdeb Cymreig a doedd neb yn mynd i gymryd hwnnw o ddifri os nad oedd yna ryw fath o fyddin! Mae hanes y rhan fwyaf a fu yn yr achos hwnnw'n hanes trist iawn, gyda nifer uchel o farwolaethau annhymig wedi digwydd ers hynny, a does gen i ddim amheuaeth nad oedd y driniaeth a gawsant yn 1969 yn gyfrifol am hynny i raddau helaeth iawn.

'Yr heddlu cudd'

Yng nghanol hyn i gyd, roeddwn yn dal i ganu mewn cyngherddau a nosweithiau o bob math. Canslwyd ambell un oherwydd helynt yr Arwisgo a dywedwyd wrthyf am beidio mynd i ambell un arall am fod aelodau'r pwyllgor yn credu y byddai fy mhresenoldeb yn tarfu ar y noson. Clywais wedyn fel y bu helynt mewn sawl pwyllgor wrth drafod a ddylwn gael dod ai peidio, ac ymddiswyddodd sawl un am na fynnent gysylltu eu hunain â mi mewn unrhyw fodd. Cofiaf un achlysur yn arbennig pan ges innau'r profiad o ddod wyneb yn wyneb ag *agent provocateur*. Roeddwn wedi cael gwahoddiad i ganu yng Nghyngerdd Eisteddfod Dyffryn Conwy, ym mhabell yr Ŵyl, a chwarae teg i'r pwyllgor, mi gadwon nhw at y trefniant. Ond pan gyrhaeddais yno roedd y lle'n ferw o blismyn a'r rheiny'n tyrru o 'nghwmpas wrth imi ddod allan o'r car, gan egluro eu bod yno i'm gwarchod rhag i neb ymosod arna i! Doedd dim arwydd hyd y gallwn i weld bod neb *am* ymosod arna i, ond cerdded at y babell gyda phlismyn bob ochr imi fu raid a chael fy mugeilio i gefn y llwyfan. Roedd rhyw fath o stafell fach ar un ochr o'r llwyfan lle gallwn dynnu'r gitâr o'i gês a pharatoi, tra sefai'r plismyn wrth y fynedfa. Pan oeddwn wrthi'n hel fy mhethau at ei gilydd daeth dyn diarth ata'i a dweud ein bod wedi cyfarfod unwaith o'r blaen mewn noson gyda'r Blaid yng Nghaergybi neu rywle, a'i fod am gael gair cyfrinachol â mi. Doeddwn i erioed wedi'i weld o'r blaen, a doedd o ddim yn siarad Cymraeg er ei fod yn ymddiheuro am hynny ac am fy argyhoeddi ei fod yn genedlaetholwr i'r carn, ac am wneud ei orau dros Gymru, ac mai fi oedd yr union un i'w helpu. Roedd rhywbeth amdano'n fy ngwneud i'n amheus o'r cychwyn. Roeddwn i wedi caledu cryn dipyn i bethau erbyn hyn, ac yn effro iawn i'r posibilrwydd y byddai rhywun yn ceisio fy nenu i sefyllfa beryglus. Ond yn sicr ddigon, doeddwn i ddim yn barod am hyn!

Roedd y dyn yn rhyfeddol o daer ac yn fy sicrhau y gallwn ei drystio i'r eithaf. Dywedais wrtho, beth bynnag oedd ei neges, nad y fan honno oedd y lle gorau i drafod dim byd a 'mod i ar fin cael fy ngalw i'r llwyfan. Roeddwn i'n dechrau mynd yn flin erbyn hyn ond doedd dim modd cael gwared arno, a datgelodd ei neges syfrdanol. Roedd ganddo, medde fo, gynllun i ladd y prins a dywedodd y gallai ymddiried yn llwyr ynof fi i'w helpu i wireddu ei gynllun! Pwyntiais at y fynedfa a dweud wrtho am fynd drwyddi cyn gynted ag y gallai ac nad oeddwn byth am ei weld o eto. Roeddwn wedi cynhyrfu'n lân ac yn methu credu 'mod i wedi clywed yr hyn a ddywedodd y dieithryn rhyfedd hwnnw. Gallaf weld ei wyneb yn glir yn fy meddwl yn awr, dri deg a thair mlynedd yn ddiweddarach, wyneb na welais erioed cyn y noson honno nac erioed wedi hynny chwaith. Pan gyrhaeddais y llwyfan, a thrydan y disgwyl mawr yn rhedeg drwy'r dorf, roedd fy meddwl yn un cawdel dryslyd a does gen i ddim cof am y perfformio o gwbwl.

Does gen i ddim amheuaeth yn fy meddwl mai cynllun i fy nal oedd hwnnw. Pe bawn i wedi dweud un gair anghywir y noson honno mi allai fod wedi darfod amdanaf, oherwydd roedd y lle'n amlwg yn glustiau i gyd. Ond, hyd y gwn i, dyna'r unig dro i'r peth ddigwydd ac y mae'n dal i yrru iasau i lawr fy nghefn. Flynyddoedd yn ddiweddarach roedd fy mab, Telor, yn gwneud ymchwil newyddiadurol ar gyfer erthygl am y cyfnod, a gofynnodd am gael gweld y ffeil oedd arnaf yn y Swyddfa Cofnodion Cyhoeddus yn Llundain. Dywedwyd wrtho, fel y mae wedi cael ei gadarnhau ers hynny'n gyhoeddus, bod gorchymyn wedi'i wneud i gloi ffeiliau'r cyfnod hwnnw am gyfnod pellach na'r 30 mlynedd arferol. Pwy sydd â rhywbeth i'w guddio, tybed?

Eisteddfod yr Urdd, Aberystwyth

Pan fydd pobol yn gofyn imi pa gyngerdd sy'n sefyll allan wrth edrych yn ôl dros y blynyddoedd, yr un sy'n dod i'r cof fel arfer yw noson Eisteddfod yr Urdd yn Aberystwyth yn 1969. Roedd Carlo yno fel llywydd y dydd a threfnwyd protest fyrfyfyr yn y pafiliwn wrth i nifer ohonom brynu tocynnau a cherdded allan, yn union cyn iddo wneud ei anerchiad, yn cario posteri gwrth-Arwisgo. Roedd y lle'n ferw a'r dorf yn cael ei rhwygo rhwng yr awydd i ddangos rhywfaint o gefnogaeth i ni ac ofn bod yn amharchus o'r prins. Roedd hon yn un o'r protestiadau anoddaf imi erioed gymryd rhan ynddi, a hynny am fy mod yn ofni yn fy nghalon i'r holl beth gael ei gam-ddehongli, neu hyd yn oed wneud niwed i ymgyrch yr iaith, – ymgyrch oedd yn dibynnu ar gefnogaeth yr union bobol oedd yn eistedd yn y pafiliwn y prynhawn hwnnw.

Efallai y bydd rhai ohonoch yn synnu clywed cyfaddefiad o'r fath, ond mae llinell denau i'w cherdded gyda phob protest gyhoeddus. Dyna pam y gellir yn hawdd danseilio effeithiolrwydd protest drwy blannu rhywun yn y dorf i gychwyn helynt; peth hawdd iawn i'w drefnu, a thacteg a ddefnyddiwyd yn aml iawn gan y gwasanaethau cudd i droi protest heddychlon yn ymladdfa. Hynny'n rhoi rheswm i'r heddlu ymyrryd, ac i arestio. Gwelwyd hyn adeg streic fawr y glowyr yn yr wythdegau ac fe'i gwelir heddiw yn y protestiadau gwrth-globaleiddio. Mae'n glod i ddisgyblaeth ryfeddol aelodau Cymdeithas yr Iaith na fu'n hawdd troi ei phrotestiadau torfol yn dreisiol, ond fe wnaed cynnig arni sawl tro. Yn achos protest Eisteddfod yr Urdd problem o ddehongli oedd hi, hefyd roedd targed y brotest ychydig yn aneglur. Beth bynnag am hynny fe ddigwyddodd, ac at ei gilydd rwy'n falch imi fod yn rhan ohoni pe na bai ond iddi osod y llwyfan ar gyfer y noson oedd i ddilyn. Digwyddiad arall a osododd y llwyfan ar gyfer y nos oedd defod y cadeirio, pan gadeiriwyd Gerallt Lloyd Owen am gasgliad o gerddi oedd yn cynnwys yr anfarwol 'Wylit, wylit Lywelyn...'

Yn ôl yr arfer y dyddiau hynny cynhelid Noson Lawen fawr ym mhafiliwn yr Eisteddfod ar y nos Sadwrn, a'r noson honno roedd y lle'n orlawn a'r disgwyliadau'n uchel. Pa ddisgwyliadau? Wel, ar yr union lwyfan hwnnw ychydig oriau ynghynt roedd Carlo wedi gwneud ei araith 'Gymraeg', a ninnau wedi cerdded allan. Roeddwn i'n un o'r rhai oedd i ganu yn y noson, ac fe wyddai'r dorf na fyddwn i'n gadael i'r achlysur fynd heibio heb imi ddweud, neu wneud, neu ganu rhywbeth perthnasol. Byddai swyddogion yr Urdd, yn enwedig y diweddar R. E. Griffith, wedi gwneud unrhyw beth i'm rhwystro rhag cymryd rhan ond roedd hynny'n amhosib heb iddyn nhw golli mwy o wyneb yn ngolwg llawer – ac yng ngolwg mwyafrif llethol aelodau'r mudiad ei hun. Felly, dyma'r awr yn dod a Peter Hughes Griffiths yn fy ngalw i'r llwyfan. Roedd y sŵn yn fyddarol pan gerddais at y meic; rhan helaeth o'r dorf yn uchel eu croeso ac am ddangos hynny'n glir, oherwydd roedd yn arwydd o rywbeth llawer mwy na chroeso i mi'n bersonol. Roedd canlyniad wythnosau maith o ddadlau brwd yn y bonllefau hynny, a gafaelais innau yn y cyfle. Roeddwn i wedi prynu copi o gerddi Gerallt yn y prynhawn a dechreuais ddarllen ei gerdd:

> Wylit, wylit Lywelyn,
> Wylit waed pe gwelit hyn.
> Ein calon gan estron ŵr,
> Ein coron gan goncwerwr,
> A gwerin o ffafrgarwyr
> Llariaidd eu gwên lle'r oedd gwŷr.
>
> Fe rown wên i'r Frenhiniaeth,
> Nid gwerin nad gwerin gaeth.
> Byddwn daeog ddiogel
> A dedwydd iawn, doed a ddêl,
> Heb wraidd na chadwynau bro,
> Heb ofal ond bihafio.
>
> Ni'n twyllir yn hir gan au
> Hanesion rhyw hen oesau,
> Y ni o gymhedrol nwyd
> Yw'r dynion a Brydeiniwyd,
> Ni yw'r claear wladgarwyr,
> Eithafol, ryngwladol wŷr.
>
> Fy ngwlad, fy ngwlad, cei fy nghledd
> Yn wridog dros d'anrhydedd.
> O, gallwn, gallwn golli
> Y gwaed hwn o'th blegid di.

Os ysgrifennwyd darn o farddoniaeth ar gyfer achlysur erioed, hwn oedd o! Wrth imi ei ddarllen, trodd y distawrwydd cychwynnol yn dwrw cynyddol; dechreuodd rhai o'r pwysigion yn y pen blaen, gan gynnwys y Cyfarwyddwr ei hun, guro'u dwylo'n araf i geisio boddi'r darlleniad, ac wrth glywed hynny dechreuodd y cefnogwyr gymeradwyo, a chodwn innau fy llais yn uwch ac yn uwch i gystadlu gyda'r sŵn. Ni allaf gredu i gerdd erioed gael y fath dderbyniad, ond yr oedd neges y bardd wedi cyrraedd adref, mae hynny'n sicr ddigon. Clywais Gerallt ei hun yn dweud flynyddoedd yn ddiweddarach sut y bu iddo oedi wrth un o ddrysau'r babell i'm clywed yn canu, ond wrth i'r sŵn gynyddu yn ystod y darlleniad o'i gerdd trodd am adre gyda chalon drom. Ond y noson honno, yr oedd bardd cadair Eisteddfod Genedlaethol Urdd Gobaith Cymru wedi profi ei fod yn lladmerydd ei genhedlaeth, ac wedi achosi sawl crac i ymddangos yng nghoncrid Philistia.

Wedi'r darlleniad mi es innau ymlaen i ganu, am y tro cyntaf erioed, y gân a gyfansoddais i ddilyn 'Carlo', sef 'Croeso Chwedeg-Nain'. Unwaith eto roedd hwyl a miri'r gymeradwyaeth a bloeddiadau'r gwrthwynebwyr yn gymysg oll i gyd, a'r cyfan yn gwneud canwr bach fel fi'n rhyfeddol o hapus. Hapus, meddech chi? Ie, yn rhyfedd iawn, ac yng nghanol yr holl wyntoedd croesion, gorfoleddus o hapus. Mi wyddwn fod Cymru a'r Urdd yn rhanedig dros yr holl sioe; doedd dim modd osgoi na gwadu hynny, ond dyma'r ffordd ddelfrydol i gael y cyfan allan yn agored ac i wneud hynny gyda dogn helaeth o hwyl a chwerthin. Roedd Carlo wedi cael ei awr fawr ar y llwyfan hwnnw yn y prynhawn ond roedd y noson yn perthyn i ni, ieuenctid Cymru a'r Urdd a Chymdeithas yr Iaith, a'r cyfan y gallai'r pwysigion a'r hynafgwyr wneud oedd curo'u dwylo a gweiddi eu cywilydd. Yr ifanc a gariodd y dydd y noson honno, diolch i gerdd Gerallt a 'dannedd gosod Taid ym myg y prins'.

Y Ralïau a'r Nosweithiau Llawen

Mae sawl atgof arall o'r ymgyrch wrth-Arwisgo yn aros. Y rali enfawr ar y Cei Llechi yng Nghaernarfon, yng nghysgod castell y concwerwr, ar Ddydd Gŵyl Ddewi – y rali dorfol fwyaf erioed a drefnwyd gan y Gymdeithas, mae'n debyg. Y rali ger carreg Llywelyn yng Nghilmeri ar Fehefin y chweched ar hugain, gyda D. J. Williams, Abergwaun a Waldo Williams yn bresennol, a W. H. Roberts, Niwbwrch, gyda'i lais cyfoethog soniarus yn darllen neges gryno a dderbyniais gan Saunders Lewis:

Gyfeillion,
Fe laddwyd Tywysog olaf Cymru yr unfed ar ddeg o fis Rhagfyr deuddeg cant wyth deg a dau. Claddwyd ef yn Abaty Cwm Hir. Ni bu gan Gymru dywysog ar ei ôl ef. Nid oes i

Gymru dywysog ar ei ôl ef. Cais i gladdu cenedl Cymru yw'r arwisgo yng Nghaernarfon. Y mae teulu brenhinol Lloegr yn dyfod i Gymru i glymu Cymru wrth lywodraeth Lafur Lloegr. Lleiafrif ydym ni sy'n condemnio hynny. Mae'r miloedd yn addoli'r sêr ffilmiau brenhinol. Ond ni piau traddodiad Llywelyn a Chymru.

Saunders Lewis
I Gymdeithas yr Iaith Gymraeg.

(Wrth imi sgrifennu hwn mae'r cyfryngau yng Nghymru'n ceisio'u gorau i wneud môr a mynydd o Jiwbilî'r frenhines; mor drist yw gweld Cymry da BBC Cymru, un ar ôl y llall, yn taflu pob gwrthrychedd newyddiadurol i'r gwynt ac yn dod yn rhan o beiriant propaganda'r Wladwriaeth Brydeinig. Does fawr ddim yn newid, ac y mae'r BBC yng Nghymru mor Brydeinig ag erioed yn y bôn).

Bu sawl noson lawen llawn miri a hwyl, a'r teulu brenhinol a George Thomas yn ei chael hi o bob cyfeiriad, a gwres y propaganda Prydeinig tu allan yn creu mwy o wreichion fyth yn y tyrfaoedd y tu mewn. Mae John Ogwen yn cyfeirio at un yn llyfr penigamp Gwilym Tudur, *Wyt Ti'n Cofio?* – llyfr sy'n croniclo'n ddifyr chwarter canrif cynta'r Gymdeithas – ac mae gen innau gof byw o'r noson honno yn Neuadd Pen-y-groes, Arfon. Roeddwn i'n gyrru ar wîb, fel arfer, o Benarth ac yn hwyr yn cyrraedd. Roedd y neuadd dan ei sang a bu'n rhaid imi fynd i mewn drwy fath o ffenast yn y cefn. Roedd John Ogwen yn cael cathod bach am nad oedd ganddo drefn rhaglen. Dywedais wrtho am gychwyn y noson gyda thipyn o straeon tra roeddwn innau'n llunio trefn y noson. O'r funud yr agorodd John ei geg, roedd hi'n amlwg ei bod yn mynd i fod yn chwip o noson dda. Gwelodd John res o blismyn yn eu dillad eu hunain yng nghefn y neuadd (roedden nhw mor amlwg y dyddiau hynny!) a hynny a thoiledau newydd Caernarfon ar gyfer yr arwisgo oedd testun y jôcs agoriadol. Ar noson fel honno, roedd gwres a hwyl a chyd-destun gwleidyddol yr achlysur yn creu'r rhaglen, fel petai, a'r straeon a'r caneuon yn codi o awyrgylch y dorf. Rwy'n argy-hoeddedig mai'r noson honno y dechreuodd Dyffryn Nantlle o ddifri droi o'i thraddodiad Llafur at genedlaetholdeb, ac mae'r broses yn parhau.

Erbyn y diwedd, doedd dim llawer o bobol lugoer ar ôl yng Nghymru – ar fater yr Arwisgo roeddech chi naill ai o blaid neu yn erbyn. Ar ddiwrnod y seremoni ei hun roedd criw ohonom ni mewn seremoni arall, sef priodas Gareth a Ceridwen, a honno'n briodas dan ofal neb llai na'r Parchedig Lewis Valentine. Roedd yntau'n falch o gael rhywbeth amgenach i'w wneud y diwrnod hwnnw, ac anghofia' i byth y profiad o wrando arno'n adrodd hynt a helynt llosgi'r Ysgol Fomio, yr achosion llys a'r carchariad yn Wormwood Scrubs. Hyn oll gyda hiwmor syber a heb arlliw o hunan-bwysigrwydd. Roedd Gorffennaf y cyntaf, 1969 yn ddiwrnod i'w gofio wedi'r cyfan.

O'm safbwynt i fel canwr, yr 'ôl-nodyn' mwyaf arwyddocaol i'r holl helynt oedd cyngerdd ym Mhafiliwn Eisteddfod Genedlaethol y Fflint ym mis Awst. Hwn oedd y tro cyntaf imi gael gwahoddiad i ganu yn un o gyngherddau 'swyddogol' y Steddfod, ond roedd awdurdodau'r Ŵyl yn bur nerfus erbyn i'r noson gyrraedd gan fod y maes wedi troi'n ffair o brotest a'r heddlu wedi arestio nifer o aelodau'r Gymdeithas am y nesa peth i ddim (fel yr ymddangosai i ni ar y pryd). Roedd y tyndra i'w glywed hyd yn oed yn yr honglaid mawr o Bafiliwn pren a gofynnodd I. B. Griffith, yr arweinydd (Maer Caernarfon ar y pryd ac un a chwaraeodd ran flaenllaw yn holl seremoni'r Arwisgo fis ynghynt) beth oeddwn i'n mynd i ganu. 'Wyt ti ddim am ganu "Carlo", nag wyt?' gofynnodd, yn ei ddull hanner cellweirus a hanner o ddifri; roedd o'n amlwg yn poeni am ymateb y dorf – a'i sefyllfa yntau, wrth gwrs. Fodd bynnag, roeddwn i wedi penderfynu canu cân dipyn mwy llosgawl, sef 'Yno yr Wylodd Efe', y gân am y ddau a laddwyd wrth geisio gosod bom ar lwybr y trên brenhinol:

Yno yr Wylodd Efe

Daeth heibio ar dro rhyw ddiwrnod
I grwydro hyd lwybrau ei wlad,
A gwelodd ymarfer y milwyr
Lle gynt y bu preiddiau ei dad,
Ac yno islaw yn y dyffryn
Lle bu'r cartref, yr ysgol a'r Llan,

Fe godai yr argae o goncrid
Ac amdo o ddŵr dros y fan.
    Yno yr oedodd, yno y gwelodd, yno yr wylodd efe.

Fe welodd y gwaed ar y muriau
Yn y dre lle bu farw'r ddau,
Ac âi pawb o'r tu arall heibio
Gan ddweud 'Arnyn nhw roedd y bai',
Gan na fuont farw mewn rhyfel,
Nid eiddynt anrhydedd na chlod,
Onid ffyliaid, dihirod oeddynt?
Onid ffôl ac annheilwng eu nod?
    Yno yr oedodd, yno y gwelodd, yno yr wylodd efe...

Gwelodd ddwy fam yn eu dagrau
Heb neb i'w cysuro hwy,
A gwelodd y plant bach diniwed
Na welai eu tad byth mwy.
Pan aed â'r gweddillion briwedig
I orwedd ym mynwent y plwy'
Dim ond dyrnaid o bobl yn unig
A fynnai eu harddel hwy.
    Yno yr oedodd, yno y gwelodd, yno yr wylodd efe...

Ond draw ar lan afon Menai
Y gwelodd y miloedd ynghyd,
Yn bloeddio taeogrwydd eu croeso
I'r drefn a'u caethiwodd cyhyd,
Ac yno fe welodd y milwyr
Gyda'r bidog a'r gwn ymhob llaw
Ac eco'u martsio'n atseinio
Rhwng creigiau Dinorwig draw.
    Yno yr oedodd, yno y gwelodd, yno yr wylodd efe.

Roedd fy safbwynt i ar ddefnyddio ffrwydron yn ddigon
hysbys, ac mi ro'n i wedi ennyn dicter nifer o genedlaethol-
wyr drwy siarad droeon yn erbyn y rhai a gredai mai dyna'r
ffordd i ennill rhyddid Cymru. Ond yr hyn sydd gen i yn y
gân hon, fel sawl un arall o'm heiddo, yw'r rhagrith sy'n
rhemp yn ein cymdeithas ni – bod y gwn a'r bom a'r tanc yn
bethau i'w clodfori os defnyddir nhw dros Brydain, ond yn
bethau i'w condemnio'n llwyr os defnyddir nhw gan
'elynion' Prydeindod. Adeiladwyd yr Ymerodraeth

Brydeinig ar drais a gwaed, a dysgwyd Saesneg i'r byd 'drwy faril y gwn', ond os cyfyd rhywrai arfau yn erbyn y drefn Brydeinig fe'u gwelir fel diawliaid diegwyddor. Nid gwyngalchu'r ddau oedd fy mwriad ond ceisio'u gweld fel pobol, fel gwŷr a thadau a meibion a gollodd eu bywydau mewn ymgais ofer i ddial am y gormes a fu ar ein cenedl. A phwy oedd yr ymwelydd yn y gân oedd yn bwrw golwg dros ein gwlad, yn gweld y milwyr yn martsio ar strydoedd Caernarfon i fonllefau'r dorf, ac yn gweld y tywysog ifanc yn cael ei arwisgo yn lifrai'r fyddin Brydeinig? Yng nghefn fy meddwl, credaf mai'r saer coed hwnnw gynt o Nasareth ydoedd; ac onid wylo y mae o heddiw o weld y diniwed rai yn disgyn o flaen y bom a'r gwn o hyd ac o hyd, i ddim ond i foddio chwant arglwyddi grym a chyfalafwyr rhyngwladol?

Aeth wyneb I.B. (ystyriaf ef yn gyfaill i mi, gyda llaw) yn wyn fel y galchen. 'Na, Dafydd, paid â chanu honna. Plîs, er fy mwyn i, paid â chanu honna'. Ond ei chanu a wnes, ac yn y pafiliwn mawr roedd yn anodd mesur beth yn union oedd yr ymateb; yr unig beth a gofiaf oedd bod yr awyrgylch yn rhyfeddol o ddistaw ac yn llawn tyndra. Cyn belled ag ro'n i'n y cwestiwn, dyna oedd cau pen y mwdwl ar helynt hyll a diangen yr Arwisgo a 'Chroeso 69'.

Peintio'r byd yn wyrdd

Y ffaith ryfedd yw bod 1969 yn flwyddyn ymgyrch llawer iawn pwysicach yma yng Nghymru – blwyddyn yr arwyddion ffyrdd a 'Peintio'r Byd yn Wyrdd'. Hon oedd ymgyrch fwyaf Cymdeithas yr Iaith am ei bod mor gyhoeddus, mor amlwg, ac mor syml ei neges. Doedd dim Cymraeg ar arwyddion ffordd swyddogol ac roedd cyfran helaeth o'n henwau lleoedd yn cael eu camsillafu. Roeddem wedi pwyso a phwyso, deisebu a ralïo, trafod hyd syrffed a chael gwag addewidion wrth y fil, ond heb fod ddim nes i'r lan. Felly, ar Ddydd Calan 1969, daeth rhai cannoedd ohonom ynghyd i wrando ar Dr Tudur Jones ac eraill yn annerch yn ymyl Tŷ Mawr, y Wybrnant ger Betws-y-coed. Dewiswyd y llecyn hwnnw am ei fod yn gartref i'r Esgob

William Morgan, cyfieithydd y Beibl i'r Gymraeg, un o'r gweithredoedd allweddol yn hanes parhad yr iaith. Roeddem yn awyddus iawn i gysylltu ein hymgyrchoedd gyda digwyddiadau hanesyddol yn y modd yma, fel y gwnaethom yn ddiweddarach gyda'r ymgyrch tynnu arwyddion, pan osodwyd posteri ar yr arwyddion oedd i gael eu tynnu ar ffurf y rhai a osodwyd gan Ferched Beca ar y giatiau oedd ar fin cael eu difrodi.

O'r rali, aethom yn fodurgad drefnus i'r pedwar cyfeiriad gan beintio pob arwydd Saesneg ar y ffordd. Cytunwyd i gydgyfarfod ymhen rhai oriau wrth orsaf yr heddlu ym Metws-y-coed. Nid am y tro cyntaf, gwelsom mor hawdd oedd bwrw'r heddlu oddi ar eu hechel; wedi'r cyfan, doedden nhw ddim yn arfer gweld dwsinau o bobol yn curo ar eu drws yn gofyn am gael eu harestio! Ceisiwyd dod allan ohoni trwy ddweud nad oedd unrhyw dystiolaeth ein bod wedi torri'r gyfraith, ond yr oedd un arwydd o'm blaen ar garreg drws yr orsaf yn dwyn yr enw 'Police', felly dyma beintio hwnnw o dan drwyn yr heddwas, ac yn llygad y camera, a chael fy arestio. O'r weithred honno y deilliodd sawl achos llys, dirwy a charchariad maes o law. Ac am i'r cyfan ddigwydd o flaen y camera, cefais innau fy nghysylltu â phaent gwyrdd ar arwyddion hyd y dydd heddiw. Mae'n siŵr fod llawer o bobol yn credu mai fi'n bersonol oedd yn gyfrifol am beintio holl arwyddion ffyrdd Cymru, ond gydag ychydig o gywilydd y cyfaddefaf mai ychydig iawn o beintio wnes i fy hun ar ôl y diwrnod hwnnw. Wrth lwc, roedd gan y Gymdeithas erbyn hynny gannoedd o aelodau triw ar hyd a lled y wlad, nad oedd arnyn nhw ofn na llys na charchar am eu bod yn gwybod bod y frwydr dros ddyfodol yr iaith wedi dechrau o ddifri. Nid am fod arwyddion ffordd yn mynd i achub unrhyw iaith, ond am fod arwyddocâd ymgyrch mor amlwg ac mor glir ei nod â hon yn ymestyn ymhell y tu hwnt i'r arwyddion eu hunain. Roedd hi'n ymgyrch i ddeffro Cymreictod pobol Cymru.

Y Saithdegau

Yn naturiol ddigon, dyw hanes ddim yn syrthio'n hollol daclus i ddegawdau, ac y mae'r rhyfeddod hwnnw y cyfeiriwn ni ato fel 'Y Chwedegau' mewn gwirionedd yn gorlifo i mewn i ddechrau'r saithdegau. Yn 1970 yr etholwyd Salvador Allende fel Arlywydd Chile, y cafodd Tonga annibyniaeth, y sefydlwyd mudiad iaith Comunn na Cànain Albannaich yn yr Alban, ac y saethwyd pedwar myfyriwr yn farw gan filwyr yn yr Unol Daleithiau am brotestio yn erbyn ymgais America i oresgyn Cambodia. Yma yng Nghymru roedd ysbryd y chwedegau'n pahau yn ei anterth a chwyldro yn yr awyr o hyd. Roedd Marion a minnau wedi symud i fflat yn nhŷ fy modryb Enid ym Mhenarth, ac yno ar y nawfed o Hydref, 1969, roeddem wedi lansio record gyntaf Cwmni Sain. Ar yr un noson ganwyd Llion Tegai yn Ysbyty Dewi Sant, Caerdydd, a chofiaf adael parti lawnsio Sain a thorri pob record wrth ei gwadnu hi am y brifddinas i weld y wraig a'r bychan newydd-anedig, heb gymryd gormod o sylw o olau coch na dim arall ar y ffordd. Cael tipyn o sioc hefyd o weld y nyrs yn mynd ar hyd y silffoedd hir cyn tynnu allan y bwndel bach oedd yn cario'r label 'L.T. Iwan'.

Carchar a geni Sain

Y tro cyntaf inni fynd a Llion allan am dro yn y goets ym Mhenarth oedd i fynd i orsaf yr heddlu i dalu dirwy Marion am beintio arwyddion ym Metws-y-coed. Roedd yn amhosib i'r ddau ohonom wynebu carchar felly cytunwyd mai fi fyddai'n peidio talu. Bûm o flaen sawl llys ond yn y diwedd dywedodd un o ffigyrau amlwg y Blaid Lafur, Cliff Protheroe, oedd yn digwydd bod yn Gadeirydd y fainc ym Mhenarth y byddwn yn cael fy ngharcharu am dri mis os na thalwn o fewn wythnos. Honno oedd wythnos hwyaf fy mywyd, ac aeth yn ddwy neu dair wythnos cyn i ddim ddigwydd. Yn y cyfamser cafwyd digon o gyfle imi gael fy nghyfweld ar y radio a'r teledu a chan y Wasg yn Gymraeg ac yn Saesneg, o Gymru a'r tu hwnt. Pan ddaeth y gnoc ar y drws yn y diwedd roedd y llwyfan wedi'i osod ar gyfer y ddrama.

Roeddwn yn sbecian trwy lenni ffenest y fflat un bore pan welais glamp o Black Maria yn stopio y tu allan, a gwyddwn fod yr awr wedi dod. Chwarae teg i'r plismyn fe roeson nhw ddigon o amser imi hel fy mhethau'n daclus, dweud ffarwel wrth Marion a Llion, Anti Enid ac Wncwl Ithel (roedd Ithel wedi cael ei garcharu am gyfnod hir am fod yn wrth-wynebydd cydwybodol yn ystod y Rhyfel Byd Cyntaf) ac yna cynnig fy mod yn eistedd yn nhu blaen y Black Maria, yn hytrach nag mewn cyffion yn y cefn. Dwn i ddim yn siŵr ai wedi cael gorchymyn i wneud hynny oedden nhw ai dyna oedd yr arferiad mewn lle posh fel Penarth, ond mi ges i'r fraint o gael fy nghludo trwy ddrysau carchar Caerdydd yn eistedd fel lord yn y sedd flaen rhwng dau blismon gwarchodol.

Er mai am fis yn unig y bûm i yng ngharchar roedd yn garchariad cyhoeddus iawn o'r eiliad yr es i trwy'r pyrth. Gwnaeth Cymdeithas yr Iaith y defnydd llawnaf posib o'r ffaith fy mod yn ffigwr gweddol amlwg, a'r cyfan yn dilyn ymgyrch mor ymfflamychol. Bu protestio cyson trwy Gymru benbaladr, a'r tu allan i Gymru hefyd. Carcharwyd pedwar ar ddeg o fyfyrwyr Abersytwyth am dorri ar draws yr Uchel Lys yn Llundain, a chafwyd cyhoeddusrwydd mawr i'r achos. Roedd rhywbeth yn digwydd yn rhywle bob dydd a chedwais innau mewn cysylltiad â'r cyfan, diolch i gymorth un o'm cyd-garcharorion. Roedd Julian Cayo Evans, arweinydd 'Byddin Rhyddid Cymru', wedi bod yno ers misoedd lawer yn dilyn yr achos rhyfedd a gynhaliwyd cyn yr Arwisgo. Erbyn hyn roedd yn dipyn o arweinydd y tu fewn i furiau'r carchar hefyd. Os oedd gan y dynion unrhyw gŵyn i'w dwyn i sylw'r Llywodraethwr, Cayo fel rheol oedd yn arwain y ddirprwyaeth. Fel newyddian, doedd gen i ddim hawl i weld na phrynu papur dyddiol ond gofalai Cayo ei fod yn smyglo copi imi wrth inni gerdded o amgylch yr iard ymarfer bob bore. Neidiai o un reng i'r llall wrth inni fartsio, a'r swyddogion yn gweiddi: *'If you do that again Evans, you've had it!'* Ond dal i neidio o reng i reng wnâi Cayo nes fy nghyrraedd i, ac o blygion ei siaced estynnai gopi o'r *Western Mail* gan gynnig sylw neu ddau go fachog ar brif ddigwyddiadau'r diwrnod cynt. Wedi sgwrs fer dan ein gwynt, yn ôl a fo i'w briod le. Cofiaf iddo unwaith, wrth i swyddog gyfarth un rhybudd olaf arall i'w gyfeiriad, ddweud wrth y swyddog yn ddigon uchel i bawb glywed: *'When we get a free Wales, I'll make sure you'll be the first before the firing squad!'*

Roedd hi'n amlwg, er gwaetha'r bygythion, bod gan y swyddogion (fel y carcharorion) dipyn o barch tuag at y cymeriad carismataidd, hanner cellweirus sy'n addurno arwydd un o dafarndai mwyaf poblogaidd ein prifddinas erbyn hyn.

Record gyntaf Sain oedd 'Dŵr', cân gref Huw Jones i Dryweryn. Yr ail record a ddilynodd yn fuan wedyn oedd y gân a gyfansoddais ar anogaeth fy nghefnder Emyr Llywelyn, 'Myn Duw, Mi a Wn y Daw', gyda'r ddwy gân wrthgyferbyniol 'Mari Fawr Trelech' ac 'Ai am fod Haul yn Machlud?' ar yr ochr arall. Mewn ffordd, roedd y caneuon hyn yn crynhoi beth oedd cynnwys fy mherfformiadau llwyfan i yr adeg honno: 'Myn Duw' yn cyfleu'r neges wleidyddol a'r gobaith am y Gymru Rydd, 'Mari Fawr' yn seiliedig ar un o straeon anfarwol y cyfarwydd Eurwyn Pont Siân ac yn cyfleu'r ochr ysgafn gellwirus oedd yn rhan annatod o'r nosweithiau, ac 'Ai am fod Haul' yn cynrychioli ochr fwy rhamantus y caneuon serch. Roedd y recordiau cynnar hyn yn cael eu recordio mewn stiwdios gwahanol. Mae Huw wedi sgrifennu hanes difyr recordio 'Dŵr' mewn stiwdio yn Llundain oedd yn perthyn i ffrind i ffrind Meic Stevens, a Huw ei hun yn casglu Meic, Geraint Jarman a Heather Jones yn ei gar ar y ffordd i Lundain bell. Mae'n bwysig nodi felly bod Meic a Geraint – dau o ffigyrau mawr y byd roc Cymraeg – yn gysylltiedig â Sain o'r dechrau, a da yw gallu dweud bod y ddau (a Heather hithau) yn dal i gyfrannu at gynnyrch y cwmni o hyd, dri deg a thair o flynyddoedd yn ddiweddarach. Ond nid perthynas hawdd fu'r berthynas â Meic Stevens, wrth gwrs! Hyd yn oed wrth recordio 'Myn Duw' cafwyd ambell i sesiwn ofer am fod Meic heb ymddangos, neu wedi ymddangos a heb fod mewn cyflwr i chwarae gitâr. Ond maddau'r cyfan yw fy agwedd i wedi bod gyda Meic o'r dechrau er gwaethaf ambell ymosodiad digon personol a di-alw-amdano, gan ei fod yn ei ffordd ei hun yn athrylith arbennig o brin a chan ei fod, eto yn ei ffordd od ei hun, yn gymeriad annwyl iawn yn y bôn.

Roedd Meic wedi dod o dan ddylanwadau cerddorol eang iawn, ac ar y pryd yn cyfansoddi ac yn chwarae'r gitâr mewn arddull oedd yn llawer mwy aeddfed a rhyngwladol-dderbyniol na mi. Pe bai ganddo'r ddisgyblaeth yr adeg honno, does dim dwywaith na allai Meic fod wedi bod yn artist rhyngwladol enwog iawn. Ar y llaw arall, efallai mai mantais i Gymru a'r Gymraeg yw hi mai yma y gwnaeth ei farc, ac nid trwy gyfrwng y Saesneg. Wrth ysgrifennu'r geiriau hyn rwyf wrthi'n paratoi casgliad o ganeuon cynnar Meic a recordiwyd i wahanol labeli ac y mae'n gasgliad gwrioneddol wych, gyda hyd yn oed y cam-dreigliadau nodweddiadol yn rhan o'r apêl mewn rhyw ffordd ryfedd. Ond i gael mynd yn ôl at fy stori, roedd recordio gyda Meic bob amser yn brofiad a hanner ond yn talu ar ei ganfed yn y diwedd gan ei fod yn ychwanegu rhywbeth arbennig at bob cân y chwaraeai arni. Ambell stiwdio yn Llundain, un ym Mryste, ac yna setlo yn stiwdio enwog y brodyr Ward, sef Rockfield ger Trefynwy. Roedd gan Huw y ddawn o ddarganfod y lleoedd iawn a bu cysylltiad Sain â Rockfield yn gysylltiad ffrwythlon iawn nes inni benderfynu sefydlu ein stiwdio ein hunain yng Ngwernafalau, Llandwrog, yn 1974.

Trydedd record Sain oedd *Paid Digalonni*, sef teyrnged Huw i'r 'Fandal bach' yng ngharchar Caerdydd. Canodd y gân am y tro cyntaf mewn rali y tu allan i furiau'r carchar ac mi gyflawnodd wyrthiau i gael y record allan ac i'r siopau o fewn ychydig ddyddiau wedi hynny. Unwaith eto roedd hyn yn nodweddiadol o drylwyredd ac effeithiolrwydd Huw wrth gael y maen i'r wal. Doedd bod yn ganwr protest neu'n ymgyrchwr gwleidyddol ddim yn dod yn hawdd i Huw, ac am hynny roedd i'w edmygu'n fwy. Fe'i cafodd ei hun mewn sefyllfa arbennig ac ymatebodd iddi gydag arddeliad a diff-uantrwydd, ond mi wn nad ar chwarae bach y gwnaeth hynny. Pe bai Sain yn cychwyn heddiw ni fyddai unrhyw gwmni PR yn y byd, nac am bris yn y byd, wedi gallu creu sefyllfa well i greu delwedd gadarn i'r cwmni ifanc. Yn ddiarwybod inni, fel petai, roedd cwmni recordio Sain yn cael ei eni yng nghanol berw go iawn sefyllfa wleidyddol go iawn, a byddai'r ddelwedd honno'n aros gyda'r cwmni am flynyddoedd i ddod. Roedd hyn yn wir i raddau am sawl cwmni a busnes arall a anwyd o'r ymgyrch iaith – megis Y Lolfa, Siop y Pethe a Gwasg Gwynedd, i enwi dim ond tri. Ac i mi, mae hon yn agwedd bwysig iawn ar chwyldro'r chwedegau a'r saithdegau yng Nghymru. Nid ymgyrchu mewn gwagle yr oeddem ond creu bywyd newydd i'r Gymraeg mewn cyd-destun gwleidyddol, cymdeithasol ac economaidd.

Yn y cyfamser, doedd gen i ddim i'w wneud ond ceisio dygymod gydag ambell i dderyn go frith oedd yn rhannu cell gyda mi. Cofiaf un yn arbennig o Bontlotyn ym mhen ucha Cwm Rhymni oedd yn gwlffyn o fachan ac yn hiraethu am ei beint a'i filgwn, heb lawer i'w ddweud wrth weddill y ddynoliaeth. Mi wnes rywbeth i'w groesi un noson a bu bron iddo â nharo drwy'r wal yn ei wylltineb; doeddwn i ddim llai nag ofn am fy mywyd ond, wrth lwc, mi gafodd ei symud i gell arall drannoeth a chefais gwmni lleidr bach cyffredin oedd yn hoffi chwarae gwyddbwyll yn ei le. Cawsom ambell gêm ddifyr o wyddbwyll wrth iddo, ar fy nghymhelliad i, geisio egluro pam y dechreuodd ddwyn i dalu'n ôl i gymdeithas am y cam a ddioddefodd yn blentyn. Yn y diwedd roeddwn yn credu 'mod i'n deall ei safbwynt yn dda, os nad yn cytuno'n llwyr â fo bob amser.

Ond yr hyn oedd yn digwydd y tu allan i'r muriau oedd yn bwysig, ac roedd rhyw dro annisgwyl yn yr hanes beunydd a nifer o Gymry blaenllaw yn dangos eu cefnogaeth mewn gwahanol ffyrdd. Daeth galwad i'r gweithdy, un dydd, lle'r ymlafniwn i wneud i'r gwaith di-fudd o ddatgymalu teliffonau ymddangos yn ddiddorol; roedd rhywun wedi galw i weld 'Jones 324562'. Roedd hyn yn achosi peth diddordeb ymhlith fy nghyd-garcharorion gan nad oedd yn amser ymweld arferol, ac ar y ffordd i swyddfa'r Llywodraethwr dywedodd y sgriw wrthyf mai'r ymwelydd oedd Glyn Simon, Archesgob Cymru. Roeddwn yn meddwl mai tynnu fy nghoes i oedd o, ond cadarnhawyd ei stori gan y Llywodraethwr oedd, yn sydyn, yn ymddwyn tuag ataf bron fel pe bawn yn fod dynol. Cefais gyfarfod â'r Archesgob yn swyddfa'r Llywodraethwr ei hun, ond does gen i fawr o gof am beth y bu'r sgwrs. Cofiaf yn iawn fod Glyn Simon yn ŵr annwyl a bonheddig, er nad oedd mewn iechyd rhy gryf, a'i fod yn dymuno mynegi ei gefnogaeth i'r egwyddor yr oeddwn yn sefyll drosti. O edrych yn ôl, mae'n siŵr ei fod am gyfarfod â mi wyneb yn wyneb cyn iddo fentro ymhellach i geisio dylanwadu ar y drefn wleidyddol. Mae'n anodd dweud i sicrwydd, ond mae'n siŵr i bwysau pobol fel yna gael dylanwad ac i bopeth gyfrannu yn y diwedd i symud pethau ymlaen tuag at ennill statws lawnach i'r Gymraeg, ac i newid agweddau styfnig rhai o arweinwyr gwleidyddol y dydd.

Roedd y gwres yn codi beunydd ac yr oedd yn dipyn esmwythach arnaf fi y tu mewn i furiau carchar Caerdydd nag ydoedd i sawl un y tu allan yn ystod yr wythnosau cythryblus hynny. Yna, ar ôl imi fod yno am ryw dair wythnos – hen ddigon o amser, gyda llaw, i ddysgu nad yw carchar yn gwneud dim lles i'r rhan fwyaf o garcharorion ac y byddai'n rheitiach eu cosbi mewn ffordd mwy adeiladol – roedd si ar led yn y Wasg bod nifer o Ynadon Heddwch ledled Cymru'n cyfrannu arian i dalu gweddill fy nirwy, fel arwydd o'u cefnogaeth i'r ymgyrch. Daeth fy nhad i'm gweld un diwrnod – fel gweinidog yr efengyl roedd ganddo hawl i ddod yno unrhyw adeg, ond doedd ganddo ddim hawl i siarad Cymraeg â mi! Am resymau 'diogelwch' roedd yn rhaid inni siarad yn Saesneg fel bod y giard yn deall pob gair. Eglurodd fy nhad a minnau nad oeddem erioed wedi siarad Saesneg â'n gilydd, ac y byddai'n gwbl annaturiol a chroes i'r graen, ond gwrthod ildio a wnaethon nhw a chyfarfod byr iawn gawson ni – jyst digon o amser i gadarnhau'r ffaith bod yr ynadon yn cynnig talu, a'u bod yn awyddus iawn imi dderbyn.

Gwyddwn fod yna benderfyniad tyngedfennol o'm blaen. A ddylwn i dderbyn yr arian i dalu fy nirwy, neu ei wrthod fel y gallai'r protestio fynd yn ei flaen i godi'r gwres am fis arall? Roeddwn yn gwegian y naill ffordd a'r llall, a'm cyd-letywyr yn methu'n lân a deall beth oedd achos fy mhenbleth! *'Take the bleeding money and get out of this stinking place!'* oedd swm a sylwedd eu cyngor doeth. Wrth gwrs, roedd yr awydd i weld fy ngwraig a'r bychan – roedd Llion yn bedwar mis oed erbyn hyn – yn gryf, ac mi wyddwn hefyd y byddai gweithred yr ynadon wrth dalu'r ddirwy yn weithred symbolaidd rymus iawn i ddangos bod cefnogaeth eang i ofynion y Gymdeithas. Ar y llaw arall, roedd fy ngharchariad yn symbyliad i ymgyrchu na welwyd ei debyg, ac mi wyddwn y byddai derbyn yr arian yn siomi nifer o'r ymgyrchwyr mwyaf brwd. Ar yr un pryd, roedd amheuaeth a ellid cadw'r momentwm i fynd am fis arall. Yn y diwedd, penderfynu derbyn y cynnig a wnes, ac aeth Jones 324562 yn Dafydd Iwan yn ôl, ac am Benarth â mi.

I'r gogledd

Roedd Huw Jones a minnau wedi gwneud penderfyniad tyngedfennol cyn imi fynd i garchar, sef y byddem yn symud cwmni Sain o Gaerdydd i ardal Gymraeg ei hiaith. Tyfodd hyn o awydd Marion a minnau i fagu'n plant mewn cymdeithas naturiol Gymraeg, ac er mai un o blant Caerdydd oedd Huw roedd yntau'n gweld y manteision o fyw a gweithio ymysg y bobol oedd yn fwya tebygol o brynu cynnyrch cwmni Sain. Buom yn ystyried symud i gyffiniau Aberystwyth er mwyn bod yn ganolog i Gymru gyfan ond, yn y diwedd, symud i Sir Gaernarfon a wnaethom. Yn fuan wedi imi ddod o'r carchar roedd Marion, Llion a minnau wedi troi trwyn y car i gyfeiriad Eryri. Neu, a bod yn fanwl gywir, Marion oedd yn gyrru'r car, a minnau yn y fan ddodrefn yn gwrando ar sgwrs ddifyr y gyrrwr, y diweddar Guto Roberts, Rhos-lan – y 'Fo' yn *Fo a Fe.* Roeddem wedi llogi fan at y gwaith o symud yr ychydig eiddo oedd gennym ar y pryd, ac wedi cael addewid cartre dros dro ar lawr ucha Plasdy Trefan, Llanystumdwy gan yr awdur James Morris (Jan erbyn hyn). Wil Sam, cymydog agos i Drefan, oedd wedi trefnu hyn ac ni allem fod wedi cael lle godidocach fel teulu bach i ddod atom ein hunain, ac y mae ein dyled i deulu'r Morysiaid yn fawr am eu caredigrwydd a'u haelioni di-lol.

Roedd y gwanwyn hwnnw'n un bendigedig yn y 'fro rhwng môr a mynydd', a chawsom gyfle i ymlacio tipyn wrth edrych o gwmpas am gartre parhaol a mynd a Llion Tegai am dro yn ei goets hyd lwybrau Eifionydd. Roedd Twm Morys yntau'n un bychan mewn coets yn Nhrefan yr adeg honno, bron i chwarter canrif cyn iddo ddod i Stiwdio Sain am y tro cyntaf fel Bob Delyn. Ond ni chawsom seibiant yn rhy hir, gan i'r frwydr i gadw Ysgol Bryncroes ar agor godi'n fuan, a minnau a'r Gymdeithas yno ar gais y Pwyllgor Amddiffyn a Marion yn teithio yno bob dydd fel athrawes ddi-dâl yn yr ysgol 'answyddogol' a drefnwyd am gyfnod. Methiant fu'r ymdrech i gadw'r ysgol, ond roedd yn ymgyrch bwysig gan i dynged ysgolion gwledig gael ei roi ar ganol yr agenda. Rhoddwyd taw ar gynlluniau Cyngor Sir Gaernarfon i gau rhagor o ysgolion, a dyma'r tro cyntaf hefyd i Gymdeithas yr Iaith sefyll ysgwydd-wrth-ysgwydd gyda chymuned leol. Cefais innau gyfle i fynd draw i Ddulyn i siarad mewn cyfarfod gorlawn yn y Mansion House fel rhan o'r frwydr i gadw ysgol Dun Quinn ar Benrhyn Dingle yn Swydd Kerry ar agor. Roedd yn brofiad gwych cael cysylltu brwydr Bryncroes â Dun Quinn fel hyn, gan wneud cwlwm arall rhwng Iwerddon a Chymru a chael rhannu llwyfan gyda phobol fel y diweddar Sean O'Riordan, un o gerddorion mawr Iwerddon, a wnaeth gymaint i boblogeiddio a chryfhau'r traddodiad gwerin cerddorol yn ei wlad.

Peintio a malu

Yr unig record a gyhoeddais i yn 1970 oedd *Peintio'r Byd yn Wyrdd*, gyda 'Mae 'Na Le yn Tŷ Ni', 'Yma Mae 'Nghalon' a 'Mr Tomos, Os Gwelwch yn Dda'. Unwaith eto mae'r caneuon hyn yn dweud cyfrolau am y cyfnod. Wedi blwyddyn bron o beintio arwyddion Saesneg Cymru'n wyrdd o Fynwy i Fôn, galwyd moratoriwm ar yr ymgyrch i roi cyfle i'r llywodraeth symud ar y mater, ac yr oedd y gân 'Mr

Tomos' yn rhoi rhybudd di-amwys i'r Ysgrifennydd Gwladol George Thomas i wneud rhywbeth ar fyrder:

Mr Tomos, Os Gwelwch yn Dda

Mi es am dro hyd ffyrdd y fro
Ar draws ac ar hyd, i bedwar ban byd,
I chwilio am bedair tre fach ddel
Rhai digon twt a fel a'r fel,
A dyma fel bu:
 Mi es i chwilio am
 Ddinbych a Chaergybi, Abertawe, Aberteifi,
 Ond ni weles i mohonyn nhw,
 Dim hyd yn oed na be na bw,
 Er craffu'n agos ar bob post
 A cherdded nes bo 'nhraed bach i'n dost,
 Ni welais i nhw.
Dim ond Cardigan a Swansea, Holyhead a Denbigh,
 Dim ond y rhain weles i,
 Rhain yw dy Gymru di.
 O, Mr Tomos, os gwelwch chi'n dda,
 Rhowch nhw lan cyn diwedd yr ha'
 Neu mi fydd yma le,
 Neu mi fydd yma le...

Oedd, roedd yma fygythiad cyhoeddus i'r Ysgrifennydd Gwladol, ar ffurf cân ysgafn oedd yn cael ei chanu ar hyd a lled Cymru a'i phrynu ar record ym mhob cwr o'r wlad – wel, o leiaf yn yr ardaloedd Cymraeg. Ac fe wyddai Mr Tomos yn iawn fod y bygythiad yn fygythiad go iawn, ac y byddai'r Gymdeithas yn gweithredu os na fyddai yna symud ar gwestiwn arwyddion dwyieithog. Ond nid un i ildio ar chwarae bach oedd George; yn wir, rwy'n amau erbyn hyn ei fod wedi dechrau cael blas ar herio'r Gymdeithas, ac ar styfnigo'n erbyn rhoi rhagor o statws i'r Gymraeg. Gan na wnaeth ddim i bob pwrpas, penderfynwyd yn yr hydref i ail-gychwyn yr ymgyrch arwyddion ond y tro hwn gyda sbaner a gordd yn lle'r brws paent. Roedd hwnnw'n Gyfarfod Cyffredinol pwysig yn hanes y Gymdeithas gan mai yno y sefydlwyd pum grwp gweithredol:

1. Statws
2. Adfywio ardaloedd Cymraeg
3. Tir ac ardaloedd di-Gymraeg
4. Addysg
5. Darlledu

Hyn hefyd, felly, oedd dechrau o ddifri ar yr ymgyrch dros Awdurdod Darlledu i Gymru, gyda Sianelau Teledu Cymraeg a Saesneg o dan reolaeth Cymreig. Ond, unwaith eto, yr arwyddion oedd i gael y flaenoriaeth yn y tymor byr.

Lawnsiwyd yr ymyrch ar groesffordd Post-mawr yng Ngheredigion, o fewn golwg i Ben Foel Gilie. O fewn dim o dro di-noethwyd arwyddbyst ar hyd a lled Cymru ond, unwaith eto, ofnaf fod yn rhaid imi ddatgan mai bychan iawn oedd fy nghyfraniad i. Roeddwn i'n awyddus iawn i bwysleisio'r ffaith bod yr ymgyrch yn nhraddodiad hir radicaliaeth Cymru, a'r gymhariaeth amlwg oedd yr un gydag ymgyrch Merched Beca yn erbyn y tollbyrth. Gyda chymorth Tegwyn Jones o'r Llyfrgell Genedlaethol, cawsom eiriad poster a osodwyd gan Ferched Beca yn ymyl un o'r clwydi oedd i gael eu malu, a lluniwyd geiriad tebyg ar gyfer y posteri oedd i'w glynu wrth arwyddion Saesneg:

HYN SYDD I HYSBYSU y bydd i'r arwydd hwn, sydd yn uniaith Saesneg a chan hynny yn sarhâd ar briod iaith ein gwlad, gael ei ddwyn ymaith yn y dyfodol agos gan GYMDEITHAS YR IAITH GYMRAEG fel na byddo mwyach.

Yn ei le bydded i'r Swyddfa Gymreig neu'r awdurdodau priodol osod arwydd yn dwyn geiriau Cymraeg uwchlaw unrhyw iaith arall, fel ag sy'n weddus i arwydd cyhoeddus yng Nghymru.

Canlyniad anochel yr ymgyrch drefnus ac effeithiol hon oedd i'r awdurdodau benderfynu dwyn cyhuddiad difrifol o gynllwyn yn erbyn arweinwyr Cymdeithas yr Iaith, ac ym mis Chwefror 1971 arestiwyd wyth ohonom yn hwyr y nos, ymhob cwr o Gymru, a'n dwyn i'r ddalfa yng nghelloedd yr heddlu yng Nghaerfyrddin. Roeddwn i'n cymryd rhan yn un o gynhyrchiadau Cwmni Theatr Cymru ar y pryd, a chefais ragrybudd bod yr heddlu ar fy ngwarthaf. Bu'r diweddar Wilbert Lloyd Roberts yn ddigon caredig i fynd â nifer o ffeiliau'r Gymdeithas o'm cartref yn Waunfawr rhag i'r heddlu gael gormod o dystiolaeth ar blât! Mae'r daith honno yng nghar yr heddlu o Waunfawr i Gaerfyrddin yn fyw iawn yn fy nghof, ac nid am y tro cyntaf yn fy hanes gwelais aelodau o'r heddlu'n mynd allan o'u ffordd i ddangos teimladau dros Gymru a'r Gymraeg. Byddai'r sinig yn dweud bod hyn yn dric ar eu rhan i geisio fy 'meddalu' ar gyfer yr hyn oedd i ddod, ond rwyf i'n hollol grediniol bod llawer o'r heddlu yr adeg honno – ac, i raddau, heddiw hefyd – yn ei chael hi'n anodd i'n trin ni fel dihirod a throseddwyr. Dyna, mi gredaf, oedd cryfder ein hymgyrchoedd yn y cyfnod hwnnw, sef bod cyfran helaeth o'r werin Gymraeg yn cydymdeimlo â'r Gymdeithas – ac efallai fod y caneuon wedi chwarae rhan bwysig yn hynny o beth.

Wedi cyrraedd pencadlys yr heddlu yng Nghaerfyrddin, pob un yn ei gar gwahanol, cawsom sioc bleserus o weld bod cynifer ohonom yn yr un cwch. Fe'n 'croesawyd' ni gan y diweddar Arolygydd Fisher (y plismon a ddaeth yn enwog wrth arwain y dorf i ganu cyn cyhoeddi buddugoliaeth Gwynfor yn 1966, ac y deuthum i'w nabod yn bur dda yn ddiweddarach gan ei fod yn aelod o Gôr Meibion Dyffryn Tywi). Fel 'ffafr' arbennig fe'n rhoddwyd mewn un gell i ddechrau fel y gallem gael sgwrs ymysg ein gilydd cyn cael ein gwahanu. Hyd y dydd heddiw ni allaf fod yn siŵr ai gwir weithred o garedigrwydd oedd hyn, ai ymgais glyfar i'n cael i ddweud rhywbeth a fyddai'n gymorth i'r heddlu wrth baratoi'r achos yn ein herbyn. Yr ail esboniad sydd debyca, wrth gwrs, a does gen i ddim amheuaeth nad oedd y cyfan a ddwedwyd gennym wedi'i recordio, yn enwedig gan fod Mr Fisher wedi ein hannog i drefnu rhyngom â'n gilydd sut y byddem yn ymateb yn y llys fore trannoeth i'r cyhuddiad yn ein herbyn! Fodd bynnag, roeddem erbyn hyn yn dechrau cynefino â dulliau'r heddlu ac ni ddywedwyd dim a fyddai o help iddyn nhw, ond dywedwyd digon (yn fwriadol, ac yn anfwriadol yng nghyffro'r funud) a fyddai'n eu drysu.

Wedi'r fath arestio dramatig a chostus cawsom fynd allan ar fechnïaeth i ddisgwyl yr achos ym Mrawdlys Abertawe

71

(wedi achosion a phrotestiadau yn Aberystwyth a Chaerfyrddin) ym mis Mai, achos a welodd benllanw protestiadau torfol y Gymdeithas yn y cyfnod hwn. Ond, cyn cyrraedd Abertawe, cynhaliwyd Ysgol Basg hwyliog iawn yng Nghricieth lle perfformiwyd sioe gan Gareth Miles a minnau, *I'r Gad!*, sioe ddigri a dychanol yn gorffen gyda chân enwog Hefin Elis o'r un enw. Dilynodd hon y sioe *Peintio'r Byd yn Wyrdd* a gynhyrchwyd gennyf yn Eisteddfod Genedlaethol Rhydaman y flwyddyn cynt. Unwaith eto rhaid pwysleisio mor bwysig oedd yr adloniant hwn i'r mudiad iaith; nid yn unig yr oedd yn fodd i ategu'r neges wleidyddol, ac i gyflwyno rhai o brif bwyntiau'r ymgyrchu i'r cyhoedd mewn ffordd ddifyr, ond yr oedd hefyd yn fodd i gryfhau'r berthynas glos oedd rhyngom â'n gilydd fel ymgyrchwyr. A phan fyddai rhaid treulio cyfnod mewn cell roedd pob un o'r profiadau hyn yn help mawr inni ddygymod â'r sefyllfa.

Achos yr Wyth

Am yr wythnosau nesaf, roedd 'Achos yr Wyth' yn hongian uwch ein pennau fel cwmwl du oherwydd roeddem yn gwirioneddol gredu y byddem yn cael dedfryd o garchar, a hynny o bosib am rai blynyddoedd. Mae cyhuddiad o gynllwyn yn mynd yn ôl ymhell iawn yn hanes y gyfraith Seisnig ac anaml iawn y defnyddir ef heddiw. Does dim angen profi dim yn bendant, dim ond bod y cyhuddiedig yn cytuno â'r weithred anghyfreithlon ac wedi cael rhyw gysylltiad â hi. Am nad oedd yr un ohonom yn gwadu bod yn aelodau o Senedd y Gymdeithas, ac am nad oeddem yn gwadu mai'r Gymdeithas oedd yn gyfrifol am yr ymgyrch arwyddion, doedd yna ddim i'w brofi mewn gwirionedd. Ein hunig amddiffyniad oedd fod yr arwyddion yn tramgwyddo hawliau sylfaenol y Cymry Cymraeg, eu bod yn anwybyddu bodolaeth y Gymraeg yn ei gwlad ei hun, ac yn cam-sillafu enwau Cymraeg. Roedd rhai ohonom yn amddiffyn ein hunain, ac eraill yn cael eu hamddiffyn gan fargyfreithwyr. Roeddwn i'n amddiffyn fy hun, a rhaid imi gyfaddef imi fwynhau'r pythefnos hwnnw oherwydd gwelwn y cyfan fel theatr, a'r achos fel drama real yn canolbwyntio ar hynt a dyfodol yr iaith Gymraeg. Roedd pawb yn y llys yn Gymry – gan gynnwys y Barnwr, William Mars Jones a'r erlynydd Emlyn Hooson, a'r heddlu. Ond ni'r wyth yn y doc oedd yr unig rai i siarad yn Gymraeg.

Roedd yna agweddau digon doniol i'r holl achos, megis pan gludwyd llwyth o arwyddion maluriedig yn domen ar lawr y llys fel *'exhibit A'*, a phan gyflwynodd Emlyn Hooson bentwr o rifynnau *Tafod y Ddraig* i'r Barnwr fel prawf o'n euogrwydd. Edrychodd Mars Jones dros ei sbectol ar y pentwr, ei gyflwyno'n ôl i'r erlynydd a gofyn iddo nodi'n union beth oedd y dystiolaeth. Roedd yn amlwg nad oedd Emlyn wedi gwneud ei waith cartref yn rhy drwyadl (gadawodd yr achos yn gynnar un diwrnod er mwyn bod yng Nghynhadledd y Rhyddfrydwyr), a dechreuodd fodio'r rhifynnau am sbel cyn penderfynu mai'r dystiolaeth fwyaf damniol oedd cartŵn o waith Elwyn Ioan ar glawr un o'r rhifynnau. Dangosai'r cartŵn ddau aelod yn cario sbaners ac ysgol hir, a chanent wrth fynd 'Mae arwyddion dwyieithog o'n blaenau... Ffwdl-la-la, ffwdl-la-la...'

Cymerodd Mars un cip ar y cartŵn, a thaflu'r 'dystiolaeth' yn ôl at yr erlynydd yn ddigon dirmygus.

Daeth plismon i roi tystiolaeth sut y darganfu arwydd 'Bryncir' wedi'i falu un noson, a bod yna le cryf i gredu mai aelodau o'r Gymdeithas fu wrthi. Bu'n rhoi ei dystiolaeth yn y Saesneg annaturiol a ddefnyddir gan blismyn mewn llys barn am dipyn, yna cefais innau gyfle i'w groesholi. Roeddwn yn gallu dweud wrth ei acen ei fod yn Gymro Cymraeg, a'i fod yn dod o Eifionydd. Gofynnais iddo yn Gymraeg, gan edrych i fyw ei lygaid,

'Ai 'c' neu 'k' oedd yn Bryncir ar yr arwydd a falwyd?'

'K', meddai yntau

'A sut y byddech chi'n sillafu Bryncir, efo 'c' neu 'k'?'

Atebodd ar ei ben, fel pe bai'n falch o gael dweud, mai 'C' y byddai ef yn ei ddefnyddio bob amser. Diolchais iddo, ac eistedd i lawr. 'O enau plant bychain a phlismyn...'; roeddwn wedi mentro ychydig, mi wn, ond roedd y plismon hwnnw wedi bod cystal â chant o dystion dros yr amddiffyniad!

Gan ein bod yn disgwyl carchar hir roeddem wedi gorfod

paratoi ar gyfer hynny. Yn un peth, roeddem wedi ffarwelio
â'n teuluoedd wrth fynd i'r llys ar gyfer y diwrnod olaf,
diwrnod y dyfarniad. Roedd y Gymdeithas wedi penodi
Emyr Llywelyn yn Gadeirydd yn fy lle i gymryd drosodd yn
fy absenoldeb, ac roeddwn innau wedi cyfansoddi a recordio
cân newydd o'r enw 'Pam Fod Eira yn Wyn', ynghyd â 'Weli
Di, Weli Di Gymru?' a 'Cân y Western Mail', i'w cyhoeddi yn
ystod fy ngharchariad. Roedd y brif gân yn ymateb i'r ffaith
ein bod yn gorfod cyfiawnhau byth a hefyd wrth y cyfryngau
barus ein teimladau tuag at ein gwlad a'n hiaith, teimladau
sy'n cael eu cymryd yn ganiataol mewn unrhyw wlad normal.
Yn y pen draw, roeddwn am ddweud ein bod yn y llys – ac yn
y carchar o bosib – dros rywbeth nad oes angen ei egluro,
rhywbeth mor naturiol â gweld yr haul ar fynydd, neu wynt
ar fôr, rhywbeth mor reddfol â chlywed hen alaw Gymreig a'r
teimlad o berthyn i bobol a darn o dir:

Pam Fod Eira yn Wyn

Pan fydd haul ar y mynydd,
Pan fydd gwynt ar y môr,
Pan fydd blodau yn y perthi
A'r goedwig yn gôr,
Pan fydd dagrau f'anwylyd
Fel gwlith ar y gwawn,
Rwy'n gwybod bryd hynny
Mai hyn sydd yn iawn.

Rwy'n gwybod beth yw rhyddid,
Rwy'n gwybod beth yw'r gwir,
Rwy'n gwybod beth yw cariad
At bobol ac at dir,
Felly peidiwch â gofyn eich cwestiynau dwl,
Peidiwch edrych arna'i mor syn,
Dim ond ffŵl sydd yn gofyn
Pam fod eira yn wyn.

Pan fydd geiriau fy nghyfeillion
Yn felys fel y gwin
A'r seiniau mwyn cynefin
Yn dawnsio ar eu min,
Pan fydd nodau hen alaw

Yn lleddfu fy nghlyw
Rwy'n gwybod beth yw perthyn
Ac rwy'n gwybod beth yw byw.

Pan welaf graith y glöwr
A'r gwaed ar y garreg las,
Pan welaf lle bu'r tyddynnwr
Yn cribo gwair i'w das,
Pan welaf bren y gorthrwm
Am wddf y bachgen tlawd
Rwy'n gwybod bod rhaid i minnau
Sefyll dros fy mrawd.

Ni chawn fyth wybod beth fyddai'r ymateb wedi bod i'r
gân hon pe baem i gyd wedi ein carcharu. Roedd y gwres
wedi codi'n gyson yn ystod yr achos yn Aberatwe a daeth tua
1500 o bobol, o bob oed, i rali fawr yn ystod y Sadwrn olaf.
Arestiwyd nifer o bobol, gan gynnwys rhai 'parchus' mewn
oed, am 'darfu ar yr heddwch'. Cafodd y Gymdeithas fil o
aelodau newydd dros y cyfnod ac yr oedd y gefnogaeth o sawl
cyfeiriad ar gynnydd. Ond chwaraeodd y sefydliad ei gerdyn
cryfaf posib – rhoi dedfryd o flwyddyn i'r rhan fwyaf
ohonom, ond wedi'i ohirio! Dymchwelwyd yr holl
gynlluniau. Yr oedd Ffred Ffransis am i ni i gyd droseddu'n
symbolaidd, er mwyn dod â'r carchariad i rym ar unwaith,
ond roedd gan y rhan fwyaf ohonom ymrwymiadau teuluol a
swyddi ac ni chredai nifer ohonom y byddai gweithredu yn
amlwg *er mwyn cael carchariad* yn cael ei ddeall gan y
cyhoedd. Sut bynnag, derbyn ein 'rhyddid' a wnaethom, ar
wahân i Ffred ei hun oedd eisoes yn y carchar am drosedd
arall, druan. (Treuliodd pob un ohonom y noson cyn yr
achos, a'r noson cyn y ddedfryd, gyda Ffred yng ngharchar
Abertawe, ac nid anghofiwn fyth y croeso a'r dymuniadau da
a gafodd gan ei gyd-garcharorion wrth inni ddod i mewn ac
allan o'r lle wedi ein cadwyno wrth blismyn; roedd y parch
tuag ato yn rhyfeddol.)

Roedd Gwilym Tudur yn un o'r wyth yn Achos Abertawe,
ac ef a greodd uchafbwynt yr achos i mi yn ei araith gloi pan
soniodd am yr 'hen, hen ddyled' yr oedd arno i'w gyndeidiau
yn Eifionydd, ac a'i gyrrodd i weithredu dros y Gymraeg. Yn

wir, rwy'n siŵr y byddai darllen yr wyth araith gloi'n amheuthun iawn y dyddiau hyn fel tystiolaeth o ymroddiad Cymry ifanc y chwedegau dros yr iaith. Mae Gwilym wedi crynhoi'r cyfnod yn ddisglair iawn yn ei lyfr *Wyt Ti'n Cofio?* a dywed am y flwyddyn 1971:

> Mae'n siŵr mai'r flwyddyn hon oedd penllanw cyfnod 'poblogaidd' y mudiad iaith... bu trichant gerbron llys, cannoedd o ddirwyon, 87 o garchariadau (ac 19 gohiriedig)... Yn gam neu'n gymwys, peidiodd Cymdeithas yr Iaith â bod yn gartref ysbrydol i lawer o'i hen gefnogwyr byth wedi hynny.

Efallai fod ychydig o or-ddweud yn fanna, gan i'r Gymdeithas barhau'n rym gwirioneddol yng ngwleidyddiaeth Cymru hyd y dydd heddiw. Ond efallai na welwyd y fath gefnogaeth eang o bob oed ar ôl y flwyddyn hynod honno, ac un rheswm am y cilio oedd y rhaniad a dyfodd rhwng Adfer a Chymdeithas yr Iaith. Does dim lle yma i geisio dadansoddi beth yn union a ddigwyddodd, ond yr oedd Emyr Llywelyn wedi penderfynu bod yn rhaid newid pwyslais y Gymdeithas i warchod y Fro Gymraeg, ac i anelu at ardal uniaith Gymraeg yn y Gorllewin. Barn y mwyafrif ohonom, fodd bynnag, oedd y dylem ymgyrchu dros y Gymraeg ym mhob rhan o Gymru, tra'n rhoi sylw arbennig i'r ardaloedd Cymraeg. Sefydlwyd Adfer fel mudiad o fewn y Gymdeithas i ddechrau, ac yna fel mudiad ar wahân. Roeddwn i'n un o'r rhai a sefydlodd Gymdeithas Tai Gwynedd yn 1971 i brynu tai i'w hadnewyddu a'u gosod i bobol leol – Cymdeithas wirfoddol sy'n parhau i wneud hynny hyd heddiw. Credem mai trwy gael nifer o Gymdeithasau lleol fel hyn y gellid gwneud y gwaith yn fwyaf effeithiol, ond gwelwyd hyn gan Adfer fel ymgais i'w tanseilio a pharhaodd y gwrthdaro i wanychu'r mudiad iaith am rai blynyddoedd, gwaetha'r modd. Wedi dweud hynny, gwnaed llawer gormod o'r ffrae rhwng Emyr a minnau, am ein bod yn gefndryd mae'n debyg. Er bod yna wahaniaeth barn eithaf sylfaenol rhyngom ynglyn â strategaeth y frwydr, yr ydym wedi parhau'n gyfeillion drwy'r cyfan; pobol eraill sydd wedi dehongli'r gwahaniaeth barn fel ffrae bersonol.

Roedd dros fil o bobol yn bresennol yng Nghyfarfod Cyffredinol Cymdeithas yr Iaith yn Hydref 1971, ac yno clywyd rhybuddion croch am effaith y mewnlifiad o Loegr i gymunedau cefn gwlad Cymru ar ddyfodol yr iaith. Yno hefyd y gosodwyd y seiliau ar gyfer un o ymgyrchoedd mwyaf llwyddiannus y Gymdeithas, sef y frwydr dros Sianel deledu Gymraeg – ymgyrch y talai i bob un sy'n gweithio i'r sianel heddiw ddarllen ei hanes bob nos cyn mynd i glwydo! Yno hefyd y deuthum i ben fy nhymor fel Cadeirydd, gan symud o'r neilltu i fod yn Is-Gadeirydd. Un o'r pethau a'm blinodd fyth ers hynny yw'r amheuaeth a wnes i'r peth iawn ai peidio wrth sefyll i lawr. Roedd hwn yn gyfnod tyngedfennol i'r Gymdeithas, ac yr oedd fy nhymor i fel Cadeirydd wedi bod yn un cyffrous a chymharol lwyddiannus, ond yr oedd yr ymgyrchoedd pwysicaf eto i'w hennill. A ddylwn i fod wedi dal ati? Dylwn, siŵr iawn! Ond dim ond hyn a hyn y gall dyn ei ddal cyn bod yna lais y tu mewn yn rhywle yn dweud 'Digon yw digon'. Ai llais y realydd yw hwnnw ai llais y cachgi, dwn i ddim. Ond tra byddaf byw, mi fydd yn fy mlino.

Tai Gwynedd

O'r adeg honno hyd heddiw, mae Cymdeithas Tai Gwynedd wedi bod yn rhan o'm bywyd; cymdeithas wirfoddol ac annibynnol sydd wedi bod yn darparu tai ar rent i bobol leol am dros 30 mlynedd. Cedwir hi i fynd gan fuddsoddwyr o bob rhan o Gymru a chan rai cyfeillion prin a werthodd dai iddi'n rhad, – ac un yn arbennig, sef y ddiweddar Mat Pritchard, a adawodd ei thŷ yng Nghaernarfon i'r Gymdeithas yn ei hewyllys. Roedd y syniad yn syml – prynu tai o'r sector breifat a chael grantiau gan y Cyngor lleol i'w hadnewyddu cyn eu gosod i denantiaid. Gwelem ein rôl fel un oedd yn ategu gwaith yr awdurdod tai lleol ond doedden ni ddim wedi rhagweld y byddai Thatcher yn cydio yn y mudiad Cymdeithasau Tai a'i droi yn arf i ddinistrio Awdurdodau Tai lleol, gan sianelu arian cyhoeddus ar gyfer codi tai i gyd i'r Cymdeithasau. Gwrthod cofrestru

Cymdeithas Tai Gwynedd wnaethom ni ond, yn y diwedd, sylweddolwyd y byddai'n rhaid sefydlu Cymdeithas Tai o dan reolaeth Gymreig ar gyfer y Gogledd-Orllewin, a dyna sut y ganwyd Cymdeithas Tai Eryri.

Mae un gân o'r cyfnod hwn yn cyfeirio at rai o'r pethau a ysgogodd y gweithgarwch hwn, wrth weld cefn gwlad Cymru'n troi'n chwaraele i Saeson, y Cymry'n gadael wrth y cannoedd a'r tai haf yn amlhau o ddydd i ddydd. O ystyried y sylw a gafodd Cymuned yn ddiweddar, a'r hyn a ddywedir gan y mudiad hwnnw, mae'n amlwg nad oes fawr ddim yn newid yng Nghymru ac nad ydym i bob golwg yn symud fawr ymlaen chwaith:

Gorau Cymro, Cymro Oddi Cartref

Mae'r 'ramblers' ar y llwybrau
Mae'r dringwyr ar y graig,
Dyw'r hen fwthyn bach gwyngalchog
Ddim yn clywed sŵn Cymraeg;
Fe brynwyd yr afon gan 'syndicate'
A'r llyn gan fois y cwch,
A lle bu tân ar aelwyd lân
Does heddiw ddim ond llwch.

    Gorau Cymro, Cymro oddi cartref
    Yn llawn hiraeth yn gwneud cân,
    A Saeson bach neis o Birmingham
    Yn byw yng Ngwlad y Gân.

Mae arwydd 'For Sale' ar yr ysgol
Ni welir y plant yno mwy,
Trowyd hen gapel bach Salem
Yn glwb dringo ers blwyddyn neu ddwy;
Mae nhad a mam wedi symud i'r garej
Er mwyn cael gosod y tŷ,
A mynd dros y ffin i Loegr draw
Yw'r unig ddyfodol i mi.

Fe werthwyd gwlad fy nhadau
Am ychydig ddarnau aur,
Fe werthwyd fy nhreftadaeth
Am ddyrnaid o gonffeti ffair,
Mae croeso yn y bryniau
I bawb ond fy mhlant fy hun,

78

Maes chwarae cenedlaethol
Sy'n ymestyn i ben draw Llŷn.

Ond mae cenhedlaeth newydd yn codi
I ennill y tir yn ôl,
I brynu'r maes a gollwyd
Ac i ail-gyfanheddu'r ddôl,
Fe ddaw seiri, fe ddaw towyr
A'u hoffer yn loyw lân
I godi'r muriau a chwalwyd
Ac ar yr aelwyd ailgynnau'r tân.
    Fe ddaw'r Cymro yntau adref
    I roi bywyd i'r hen gân,
    A ffydd yn nhinc ei forthwyl ef
    A gobaith yn fflamau'r tân.

Mae dyled dwsinau o deuluoedd Cymraeg yn fawr i'r rhai a
ddangosodd eu ffydd wrth fuddsoddi yng Nghymdeithas Tai
Gwynedd, a phe bai miloedd yn rhagor o Gymry wedi dangos
yr un parodrwydd i roi eu harian ar waith gallem fod wedi
sefydlu Cymdeithas Adeiladu Gymraeg hefyd. Fe drafodwyd
y syniad hwnnw droeon ond cadw at y llwybr cul a
wnaethom, a gwneud y pethau bach.

Y Waunfawr

Yn ystod 1972, tra cwynai George Thomas a rhai o'i gyd-aelodau Llafur fod rhaglen *Disg a Dawn* yn llawn o bropaganda Plaid Cymru a bod y BBC wedi'i feddiannu gan genedlaetholwyr, roedd Huw yn rhedeg Sain o fwthyn ym mhentre Llandwrog a minnau'n rhedeg Tai Gwynedd o gwt pren ar Stad Ddiwydiannol Pen-y-groes. O'r cwt hwnnw yr awn ar wib i ganu fan hyn ac i brotestio fan draw, o noson lawen i lys barn, o gyngerdd i rali, ac o gapel i glwb. Ffordd ardderchog i ddod i nabod Cymru! Roeddem fel teulu bach wedi symud i fyw i Waunfawr ger Caernarfon, a daeth Elliw Haf i gadw cwmni i Llion Tegai yn 1971, a Telor Hedd yntau yn 1973. Roedd eu mam erbyn hynny wedi sefydlu Ysgol Feithrin Gymraeg yn y pentre (*Playgroup* yn unig a fodolai cyn hynny, yn cael ei redeg gan fam ddi-Gymraeg a ddaethai i fyw i'r ardal), ac roedd eu tad oddi cartre'n amlach nag yr oedd gartre.

Lecsiyna

Ym mis Ionawr 1974 daeth dirprwyaeth o Sir Fôn i'm gweld yn Waunfawr. Roedd Etholiad Cyffredinol ar y trothwy ac roedd y Fam Ynys heb ymgeisydd i'r Blaid gan fod John Lasarus Williams wedi penderfynu peidio sefyll. Ychydig wythnosau oedd i fynd cyn y dyddiad tebygol ond gwnaethpwyd yn hollol glir eu bod yn chwilio am ymgeisydd sefydlog, nid ar gyfer yr etholiad hwnnw'n unig ond ar gyfer ennill a chadw'r sedd i'r dyfodol. Roeddwn innau'n dal i fod yn olygydd *Tafod y Ddraig* ac, o ran hynny, yn dal i fod ar ddedfryd o garchar gohiriedig. Cwta bedair blynedd oedd yna ers i'r Blaid yn Arfon ofyn yn garedig imi beidio canfasio yn etholiad 1970 rhag imi wneud drwg i'w hymgeisydd, Dafydd Wigley! A dyma fi'n awr yn cael y cyfle i fod yn

Aelod Seneddol dros Fôn Mam Cymru. Mi dderbyniais yr her.

Galwyd yr etholiad ar gyfer mis Chwefror, felly cefais fy hun yng nghanol yr ymgyrch heb ddim amser i baratoi. Fel gyda phob etholiad arall a sefais, roeddwn yn mwynhau mynd o gwmpas yn siarad efo pobol, ac yn eitha mwynhau paratoi'r taflenni etholiad a siarad yn y cyfarfodydd cyhoeddus. Roedd yr ymateb yn hynod o gynnes, a chawsom ambell gyfarfod – yn enwedig yn Amlwch a Llangefni – hwyliog iawn. Ond roedd nifer o ffactorau'n fy erbyn. Yn bennaf, canwr pop a pheintiwr arwyddion oeddwn i i'r rhan fwyaf o bobol (a doedd y rheiny ddim yn cael eu hystyried fel cymwysterau addas ar gyfer bod yn Aelod Seneddol), ac roedd fy nghysylltiad â Chymdeithas yr Iaith yn dal yn amlwg. Ar ben hynny, roedd teyrngarwch yr ynys i'r diweddar Cledwyn Hughes yn dal yn gryf a doedd gen i ddim affliw o gysylltiad â Sir Fôn. Mae pob ymgeisydd yn rhyw lun o berswadio'i hun y gallai ennill pe bai'r gwynt yn troi ond, yn fy nghalon, mi wyddwn nad oedd gen i ddim gobaith, a cholli fu fy hanes, wrth gwrs. Ond rwy'n credu i'r ymgyrch honno blannu rhywbeth ym meddyliau llawer o drigolion yr ynys – yn enwedig y genhedlaeth ifanc – a wnaeth ddwyn ffrwyth yn ddiweddarach i Ieuan Wyn.

Roedd pocedi o gefnogaeth cryf iawn i Lafur ym Môn yr adeg honno – yn enwedig yn ardal Caergybi ac ambell bentre fel Gwalchmai. Cofiaf fynd i gyfarfod cyhoeddus yng Ngwalchmai a chael cynulleidfa bur ymosodol, a phan adewais i fynd ymlaen i'r cyfarfod nesa daeth criw o hogia o rywle a sefyll yn rhes ar draws y ffordd o flaen y car, a chydag anel berffaith pob un yn taflu tywarchen nes oedd ffenest flaen y car wedi'i gorchuddio. Stopio'r car a mynd allan i glirio'r tyweirch, a run copa walltog yn y golwg! Ymhen rhai blynyddoedd wedyn trodd Gwalchmai yn un o'r pentrefi mwyaf eithafol dros y Blaid, ac oddi yno y dôi fy nghefnogwyr mwyaf brwd innau mewn cyngerdd a dawns hyd ddiwedd y nawdegau.

Cynhaliwyd ail etholiad cyffredinol yn 1974, ym mis Hydref, ond erbyn hynny roeddwn wedi colli mwy na hanner fy nhîm o weithwyr ym Môn. Am ryw reswm – efallai'n bennaf am fod John L. wedi dechrau ailystyried ei benderfyniad i beidio sefyll – roedd nifer o Bleidwyr yr ynys wedi penderfynu nad y fi oedd y dyn iddyn nhw, ac felly wedi penderfynu na fyddent yn gwneud llawer i'm helpu. Roedd rhai'n parhau'n ffyddlon, wrth gwrs, ond ymgyrch bur wantan a gafwyd fis Hydref, a minnau'n aml iawn yn troedio o dŷ i dŷ ar fy mhen fy hun pan nad oedd J. B. Hughes, fy asiant yn y ddau etholiad, ar gael. O ganlyniad, methwyd ag adeiladu ar y bleidlais a gafwyd yn Chwefror ac aeth canran y Blaid i lawr (7,610, sef 21.7% yn Chwefror a 6,410, sef 19.1% fis Hydref).

Er hynny, roeddwn wedi cael blas ar y busnes lecsiyna, mae'n rhaid, oherwydd pan ddaeth hi'n amser i Fôn ddewis ymgeisydd ar gyfer yr etholiad canlynol mi rois fy enw yn yr het. Roeddwn wedi gweld digon, yn enwedig ymhlith y genhedlaeth iau, i wybod bod Môn yn enilladwy i'r Blaid cyn gynted ag y byddai Cledwyn yn sefyll i lawr. Felly cefais fy hun yn wynebu cyfweliad torfol yng Ngholeg Pencraig yn 1975, gyda fy nghyd-ymgeiswyr John L. Williams a H. R. M. Hughes. Roedd Derec Llwyd Morgan a Meic Farmer hefyd wedi eu henwebu ond tynnodd y ddau o'r ras gan fynegi eu cefnogaeth i mi. Tynnwyd y dorch yn y diwedd rhwng John L. a minnau, a'r gŵr o'r ynys a orfu. Roedd hwn yn un o'r troeon cyntaf i'r dull newydd hwn o ddewis ymgeisydd gael ei ddefnyddio yn y Blaid, ac un canlyniad i'r dull hwnnw yw bod y cefnogwyr yn ffurfio carfannau pendant cyn dydd y dewis, a'r carfannau hynny'n tueddu i barhau am gyfnod wedyn. Cododd yr un broblem ym Môn flynyddoedd wedyn adeg Etholiad Cyffredinol 2001, rhwyg a olygodd fod y Blaid yn colli'r sedd i ymgeisydd gwan iawn Llafur Newydd.

Mae dysgu cael eich siomi'n rhan anorfod o'r profiad gwleidyddol ac mi ges i fwy na fy siâr ym Môn, ond eto rwy'n falch imi fod drwy'r profiad. Mi ddois i nabod yr ynys yn bur dda, gwnes nifer o gyfeillion yno a dod i sylweddoli bod yna wytnwch a dyfnder i Gymreictod Môn, yn ogystal â dogn helaeth o Seisnigrwydd rhonc (ac nid yn ieithyddol yn unig) mewn ardaloedd eraill. Mae nifer o atgofion yn dod yn ôl wrth imi gofio am y ddwy ymgyrch yn 1974:

- swyddog tollau yng Nghaergybi yn dweud wrth nifer o'i gydweithwyr ei fod wedi fy nal unwaith yn dod oddi ar y fferi yn Abergwaun gyda llond bag o gyffuriau. (Gan na fûm i erioed yn cymryd cyffuriau nac ar fferi Abergwaun roedd y gŵr yn palu clwyddau, neu wedi fy nghamgymryd am ganwr arall)

- canfasio ar fy mhen fy hun un diwrnod nes fy mod wedi blino'n rhacs, ac wrth annerch cyfarfod cyhoeddus yn Llangefni y noson honno fy meddwl yn mynd yn hollol blanc, a minnau'n gorfod eistedd i lawr heb fedru dweud dim (y tro cyntaf a'r olaf i hynny ddigwydd!)

- gŵr yn tyngu fy mod wedi gwerthu fy nhŷ i Sais, a'i fod wedi siarad efo'r Sais yn bersonol pan oedd mewn gwely drws nesa iddo yn yr ysbyty

- galwad ddienw un noson yn cynnig gwybodaeth ffrwydrol am fisdimanars o eiddo Harold Wilson ynglŷn â phrynu darn o dir yn Lerpwl. Roeddwn i'n barod i ddilyn y stori ond penderfynodd J.B. y byddai'n ddoethach peidio. (Flynyddoedd yn ddiweddarach daeth i'r amlwg fod MI5 wedi ceisio pardduo Wilson yn y cyfnod hwnnw drwy blannu stori amdano'n cael caniatâd cynllunio trwy dwyll, ac mae'n debyg bod ymgeisydd o ganwr pop a fu yng ngharchar yn apelio at yr MI5 ar y pryd fel un a fyddai'n siŵr o agor ei geg!)

Dal i ganu

Tra roeddwn i'n lecsiyna roedd y canu'n gorfod cymryd sedd gefn fel 'tae, ond cyn gynted ag y collais yr ail etholiad roedd y gwahoddiadau i ganu'n amlhau. Roedd 'Pinaclau Pop' y chwedegau wedi esgor ar fath newydd o gyngerdd neu 'Noson Lawen', sef rhes hir o gantorion a grwpiau, un ar ôl y llall. Aeth y noson 'amrywiaethol', lle ceid digrifwr ac adroddwr a cherdd-dantwr bob yn ail ag ambell sgetsh, allan o'r ffasiwn yn raddol ac fe'i disodlwyd gan y cantorion newydd. Roedd ambell grŵp fel Hogia Llandegai a Hogia'r Wyddfa yn perthyn i'r hen draddodiad, ac yn gallu cynnal noson gyfan ar eu pennau eu hunain, yn gymysgedd o ganu a sgetshus. Dyna oedd allwedd eu llwyddiant, yr amrywiaeth difyr o'r lleddf a'r llon, a'r newid sydyn o wisgo dillad gwirion i ganu caboledig. Ar un ystyr perthyn i'r traddodiad hwnnw yr wyf finnau – nid fy mod wedi gwneud llawer o wisgo dillad gwirion, ond 'mod i'n ymwybodol iawn o'r angen i gymysgu'r llon a'r lleddf ac o ddal sylw a diddordeb cynulleidfa drwy siarad â nhw, dod i'w nabod a bod ar yr un donfedd, fel petai. Alla'i ddim deall y cantorion yma sy'n edrych fel pe baen nhw ar lwyfan yn erbyn eu hewyllys ac sy'n ymddwyn fel pe bai'n ddyletswydd ar y gynulleidfa i'w gwerthfawrogi. Mae pawb sy'n mynd o flaen cynulleidfa, yn enwedig y rhai sy'n gwneud hynny'n 'broffesiynol', yn gorfod ennyn parch, sylw a diddordeb y gwrandawyr, ac nid ar chwarae bach y mae gwneud hynny.

Gwendid mawr y nosweithiau canu yn y cyfnod hwn oedd fod rhywun yn treulio oriau yng nghefn y llwyfan, mewn amgylchiadau digon anghyfforddus a llychlyd yn aml, yn disgwyl ei dro. Fel rheol, roeddwn i'n cloi'r hanner cyntaf ac yna, awr neu ddwy'n ddiweddarach, yn cloi'r noson. Erbyn hynny roedd y gynulleidfa'n aml wedi dechrau blino ac anesmwytho, a'u tinau wedi cyffio ar seddau caled. I wneud pethau'n waeth roeddwn i'n dal i ddiodde'n ddrwg oddi wrth y nerfau, a'r peth cyntaf a wnawn wedi cyrraedd y neuadd oedd anelu am y tŷ bach a gwagio fy stumog. Efallai fod hyn yn anodd i'w gredu am fy mod yn gallu ymddangos mor hamddenol ar y llwyfan, ond cyn ymddangos am y tro cyntaf roedd fy nhu mewn yn corddi. Fe barhaodd hyn ymhell i'r saithdegau nes, yn y diwedd, i'r holl beth ddod yn rhan o'r drefn, fel petai: cyrraedd a 'ngwynt yn fy nwrn, ras am y tŷ bach, taflu i fyny, molchi fy wyneb (os oedd yna dap wrth law) ac yna disgwyl fy nhro. Wedi'r gân gyntaf roedd y nerfau'n sadio ac, fel arfer, roeddwn yn gallu dechrau mwynhau fy hun. Wrth gwrs, roedd ambell gynulleidfa'n well na'i gilydd, ac ambell un yn gofyn tipyn mwy o berswâd na'r lleill. Roedd llawer yn dibynnu ar yr arweinydd ac os oedd Peter Hughes Griffiths, Glan Davies, Gari Williams neu Stewart Jones yn arwain, mi wyddwn y caem noson dda. Roedd llawer hefyd yn dibynnu ar yr ardal, gan fod ymateb torfeydd yn amrywio'n fawr o le i le. At ei gilydd, mae cynulleidfaoedd Sir Gaerfyrddin a Sir Fôn, er enghraifft, yn rhai hwyliog iawn o'r munud cynta, tra bod angen tipyn mwy o gynhesu ar dyrfaoedd Meirion ac Arfon. Yn rhyfedd iawn does a wnelo'r ymateb fawr ddim â mesur y mwynhad; mi wn am ambell ardal lle bydd pob perfformiwr yn cwyno am yr ymateb, ac eto lle mae sôn mawr yn yr ardal am wythnosau wedi'r perfformiad am yr hwyl a gafwyd!

Ond, heb os, yr arweinydd yw'r allwedd sy'n gallu datgloi calon cynulleidfa, ac o'r holl bobol y cefais y pleser o weithio gyda nhw, y diweddar Charles Williams oedd y pencampwr. Fel gyda phob digrifwr da, roedd Charles yn gallu'ch perswadio mai adrodd hanesion gwir yr oedd, nid 'dweud jôcs'. Mi wyddai i'r dim sut oedd mesur a phwyso cynulleidfa, a pha mor bell y gallai fynd heb groesi ffin gweddustra. Un gwahaniaeth mawr rhwng yr arweinydd da a'r heb-fod-cystal yw ei fod yn gwybod i'r dim beth yw ffiniau chwaeth y gynulleidfa. Efallai mai cyfrinach fawr athrylith Charles Williams oedd ei fod yn gallu mynd ymhellach na phobol eraill heb ymddangos yn ddi-chwaeth ac, wrth gwrs, yr oedd hiwmor yn rhan o'i bersonoliaeth fel 'tae. Mawr yw fy nyled i a'm tebyg i rai fel Charles, a choffa da ar ei ôl.

Cynhaeaf Sain

Yn y cyfamser, roedd Sain yn wynebu ar un o'r cyfnodau mwyaf cynhyrchiol yn ei hanes. Yn ystod y saithdegau, daeth y byd canu poblogaidd Cymraeg i oed, a chafwyd cynhaeaf cyfoethog o recordiau gan artistiaid newydd o bob rhan o Gymru: Ac Eraill, Tecwyn Ifan, Hergest, Brân, Plethyn, Y Tebot Piws, Delwyn Siôn, Sidan, Shwn, Edward H. Dafis a nifer o enwau o gyfnod cynt fel Geraint Jarman, Heather Jones, Meic Stevens, yr Hennessys, Edward, Huw Jones a minnau. At y rhain roedd toreth o grwpiau fel Y Pelydrau, Y Perlau, Y Tannau Tawela ac eraill rhy niferus i'w henwi, oedd yn recordio i Cambrian a'r Dryw gan mwyaf, ac, wrth gwrs, y bytholwyrdd Hogia (Bryngwran, Llandegai, Wyddfa, Deulyn, Bois y Felin) a'r ddeuawd ryfeddol o boblogaidd

Tony ac Aloma – oll yn cyfrannu i ddiwylliant byrlymus y llwyfan Cymraeg yn ystod y cyfnod hwn.

I gwmni Sain, roedd 1974 yn flwyddyn fawr gan i ni agor ein stiwdio recordio gyntaf ym meudy Gwernafalau, hen ffermdy ger Llandwrog. Trwy gyd-ddigwyddiad roedd Arthur, fy mrawd, a minnau wedi treulio wythnos Eisteddfod Genedlaethol Caernarfon yn 1959 mewn pabell ar un o gaeau Gwernafalau, a'r ddau beth a gofiaf am y Steddfod honno yw bod Stuart Burrows wedi ennill y Rhuban Glas, a bod Arthur a minnau wedi cael ein pryd cyntaf o fadarch gwyllt o gaeau Gwernafalau, wedi eu ffrio mewn menyn ar stof *Primus,* a byth oddi ar hynny rwyf wedi gwirioni 'mhen ar fadarch gwyllt. Ond i droi'n ôl at Sain, o'r stiwdio fach honno yn y beudy, diolch yn bennaf i lafur a thalent Hefin Elis fel cynhyrchydd a Selwyn Davies a Bryn Jones fel peirianwyr, y daeth rhai o recordiau disgleiriaf y dadeni canu Cymraeg yn y saithdegau. Roedd yn gyfnod cyffrous o greu ac o arbrofi ac o arloesi yn y byd recordio Cymraeg, ac ni chredaf ein bod wedi llwyr werthfawrogi eto gymaint o ganeuon ysbrydoledig a gyfansoddwyd yn Gymraeg rhwng canol y saithdegau a chanol yr wythdegau. Roedd yn rhan annatod o'r magu hyder a'r aeddfedu oedd yn digwydd i genedl y Cymry yn y cyfnod hwnnw, ac yn fynegiant gwych o ddyhead cenhedlaeth ifanc am ddyfodol amgenach i'n gwlad.

O'm rhan fy hun, cymharol ychydig o recordio a wnes i yn nechrau'r saithdegau gan fod Cymdeithas Tai Gwynedd, Cymdeithas yr Iaith, y Blaid a Sain yn llenwi cymaint o fy amser. A beth bynnag, doedd dim llawer o gyfle i recordio gan fod y stiwdio'n llawn o gantorion eraill! Ond, er mai bod yn drefnydd i Gymdeithas Tai Gwynedd oedd fy 'mhriod waith' yn ystod y saithdegau, mi lwyddais i gyfuno'r swydd honno â dogn helaeth o adloniant hefyd. Roedd cynnal gwahanol weithgareddau i godi arian yn rhan bwysig o'm swydd ac, am rai blynyddoedd, Tai Gwynedd oedd prif drefnwyr adloniant 'answyddogol' wythnos yr Eisteddfod Genedlaethol. Yr oeddwn wedi cael y syniad ers peth amser y dylid defnyddio'r pafiliwn ar gyfer nosweithiau llawen hwyrol – yn dechrau ar ôl i gynulleidfa'r cyngerdd fynd adre. Cynhaliwyd un neu ddwy gan Tai Gwynedd, ac yna Plaid

Cymru a'r Urdd, ond rhoddwyd y gorau iddi ar ôl ambell noson ddrafftiog gynddeiriog a phawb bron â fferru erbyn hanner nos! Ond cofiaf inni gael 'Cymanfa Werin' hynod o lwyddiannus ar y cyd gyda Merched y Wawr yn y pafiliwn adeg Steddfod Bro Myrddin yn 1974 – yr un flwyddyn â'r arbrawf arall arloesol hwnnw pan berfformiwyd 'Nia Ben Aur' yn y pafiliwn. Er gwaetha'r anhawsterau technegol roedd yn arbrawf gwerthfawr iawn, a hynny oedd dechrau'r gwaith o lusgo'r Eisteddfod Genedlaethol i mewn i ganol ein diwylliant cyfoes.

Wedi gweld nad oedd y pafiliwn yn gwbl addas ar gyfer adloniant hwyrol, penderfynwyd canolbwyntio ar fathau eraill o adloniant, ac ym Mro Dwyfor yn 1975 trefnais Ŵyl Roc ar blatfform Stesion Afonwen i godi arian i Gymdeithas Tai Gwynedd. Roedd gan y Gymdeithas dîm bach o adeiladwyr amser-llawn erbyn hynny, a buont wrthi'n codi sgaffaldiau a tharpolin fel cysgod dros y 'llwyfan' ar gyfer grwpiau fel Edward H. Dafis a Sidan a Hergest. Dewiswyd Afonwen am fod y tir, erbyn hynny, yn perthyn i Brian a Rona Morgan Edwards, dau o arloeswyr Sain a Thai Gwynedd, oedd yn byw yn y bwthyn gerllaw'r hen orsaf. Daeth wythnos yr Eisteddfod, a daeth y dilyw; roedd y glaw mor drwm fel y bu'n rhaid rhoi'r gorau iddi ac ail-gynnal yr Ŵyl drannoeth. Y tro hwn, er nad oedd y tywydd yn wych, cafwyd noson gofiadwy. Y flwyddyn ganlynol yn Aberteifi llogwyd Gwesty Llwydyrys yn Llechryd am wythnos o wahanol weithgareddau, o Ymryson y Beirdd (lle bu'r diweddar T. Arfon Williams yn cymryd rhan yn gyhoeddus am y tro cyntaf erioed), i noson gydag Edward H., i ddawns werin a noson o Ganu Gwlad. Bu'n wythnos ddifyr a llwyddiannus ryfeddol, ond fe'i difethwyd braidd gan i berchennog y gwesty anfon bil am filoedd o bunnau i'r Gymdeithas yn honni (ar sail go fregus) difrod i'r adeilad, i'r llawr dawnsio ac i wydrau yfed. Cafwyd achos llys a llusgodd y dadlau ymlaen am fisoedd, ond diolch i'r cyfreithiwr abal, W. R. P. George, y bu ei gwmni'n gefn mawr i'r Gymdeithas dros y blynyddoedd, doedd y dolc derfynol ddim yn farwol. Er gwaetha'r profiad hwnnw aethom ymlaen yn Wrecsam y flwyddyn ganlynol (1977) i drefnu clamp o noson roc yng

Nghae Clwb Pêl-droed Wrecsam, dan yr enw 'CRANI' (Cae Ras Ar Nos Iau). Unwaith eto ni fu'r tywydd yn rhy garedig, ond daeth tyrfa fawr ynghyd i wrando ar nifer o grwpiau gorau Cymru. Wedi'r holl lafur a'r paratoi, cymharol ychydig o elw a wnaethom i goffrau'r Gymdeithas, ond sefydlwyd patrwm o adloniant cyfoes yn ystod wythnos y Genedlaethol sydd bellach wedi'i gymryd drosodd gan fudiadau fel Cymdeithas yr Iaith, a threfniant mwy 'swyddogol' Maes B a'r Babell Roc ar y Maes ei hun. Roedd yn bwysig iawn fod hyn yn digwydd neu byddai'r Eisteddfod wedi colli'r ieuenctid yn llwyr erbyn hyn. Wedi dweud hynny, mae'n resyn nad yw'r adloniant 'ymylol' mwy traddodiadol wedi dal ei dir hefyd. Rwy'n berffaith sicr bod lle i o leiaf un 'Noson Lawen' mwy cyffredinol ei hapêl bob nos o'r wythnos, ond nid dyma'r lle i fynd ar ôl hynny.

Cwm-Rhyd-y-Rhosyn

Y gwaith pwysicaf a wnes i fel canwr yn y cyfnod hwnnw oedd y gyfres o ganeuon i blant gydag Edward. Cefais y syniad o weu'r cyfan gyda'i gilydd ar ffurf ymweliadau â chwm dychmygol o'r enw 'Cwm-Rhyd-y-Rhosyn', ac mi gawsom lawer o hwyl – ac ychydig o drafferth weithiau – wrth geisio ffitio'r caneuon i gyd i rediad y stori. Rhaid oedd creu rhyw reswm dros ganu pob un o'r 65 o ganeuon yng nghyd-destun y cwm, a minnau'n adrodd yr hanes rhwng pob cân. Y pedwar casgliad oedd *Fuoch Chi Rioed yn Morio, Yn Ôl i Gwm-Rhyd-y-Rhosyn, Gwyliau yng Nghwm-Rhyd-y-Rhosyn*, ac *Ar Ras i Gwm-Rhyd-y-Rhosyn*. Go brin y byddan nhw am gael eu hatgoffa o hyn ond daeth fy mhlant i, Llion, Elliw a Telor a phlant Edward, sef Rhun (y newyddiadurwr teledu erbyn hyn) ac Awen, i ganu gyda ni ar rai o ganeuon y trydydd casgliad. Cefais help mawr gan Edward i ddod o hyd i'r caneuon hyn, a chyfansoddi amryw ein hunain. Cafodd y ddau ohonom fodd i fyw wrth eu canu i blant ledled Cymru. Mae sawl cenhedlaeth o blant bellach wedi eu magu yn eu sŵn, ac mi gefais sawl rhiant yn fy niawlio dros y blynyddoedd am fod eu plant yn mynnu chwarae'r tapiau yn ddi-baid yn y car nes bron â gyrru Mam a Dad druan yn wallgo bost.

Pan oeddwn ym Mhatagonia yn 2001 yn gwneud y gyfres deledu, roeddwn yn cerdded ar hyd prif stryd y Gaiman un bore Sadwrn heulog pan stopiodd car yn fy ymyl. Daeth gwraig allan o'r car i'm cyfarch:

'Mae'n flin gen i eich poeni, ond croeso i'r Wladfa, Dafydd Iwan! Dwi am ddiolch ichi am yr holl bleser yr ydych chi wedi'i roi i'r ddwy eneth sydd gen i gyda'ch caneuon i Gwm-Rhyd-y-Rhosyn. Diolch yn fawr ichi drostyn nhw, a phob dymuniad da ichi!'

Gyda hynny, mi aeth yn ôl i'w char a gyrru i ffwrdd. Sefais yn syfrdan am funud: oedd hyn wedi digwydd mewn gwirionedd, filoedd o filltiroedd o Gymru? Ond roedd yr enwau Cymraeg ar y strydoedd a'r siopau o 'nghwmpas yn help imi gredu nad oeddwn yn breuddwydio. Y noson honno cafwyd cyngerdd i'w gofio yn y Tŷ Gwyn, ac ystyr newydd i'r geiriau 'yma o hyd' wrth i'r Archentwyr Cymreig ymuno yn y gytgan gydag afiaith.

Cofiaf am un tro y daeth y Cwm i achub fy nghroen. Roeddwn yn westai gwadd yn swper Nadolig gwyllt a gwallgo myfyrwyr Pantycelyn yn Aberystwyth ar droad y mileniwm. I unrhyw un sydd heb fod yn y fath achlysur, mae'n amhosib disgrifio'r sŵn a'r awyrgylch. Mae'n fyddarol ac yn peri ofn nid bychan i unrhyw westai diniwed. Roedden nhw wedi gofyn imi ganu, ond beth ar y ddaear fedrwn i ganu i griw rhyfedd cenhedlaeth Anweledig, Catatonia a'r Super Furries? Sibrydiodd y Warden yn fy nghlust: 'Cofia mai plant Cwm-Rhyd-y-Rhosyn yw'r rhain bron i gyd!' A dyna wnes i – canu cwpwl o ganeuon y Cwm, ac fe godwyd y to nes bod hen neuadd Carlo yn diasbedain. Roeddwn yn arwr y funud ar amrantiad, diolch i 'Ji Geffyl Bach' a 'Mam Wnaeth Got i Mi', a'r myfyrwyr anystywallt yn ôl yng nghanol eu plentyndod – a minnau i'w canlyn!

Yn 1972 roeddwn wedi cyhoeddi EP yn cynnwys 'Gorau Cymro, Cymro Oddi cartref' ac 'Yno yr Wylodd Efe', a hefyd fy LP gyntaf, sef ail-recordiad o dair-ar-ddeg o ganeuon a gyhoeddwyd gyntaf ar label Welsh Teldisc (y tro yma gyda chyfeiliant ychydig yn fwy soffistigedig). Fe'u recordiwyd yn stiwdio enwog Rockfield ger Trefynwy, ac yno'n byw ac yn gweithio ar y pryd roedd y canwr Dave Edmunds. Roeddem newydd recordio 'Cân yr Ysgol' pan gerddodd Dave drwy'r stiwdio gyda gitâr-bedal newydd dan ei gesail. Roedd yn greadur distaw iawn, yn byw yn ei fyd bach preifat ei hun, ac ni ddwedai air wrth neb. Mentrodd Huw ofyn iddo a garai drio'i gitâr newydd ar un neu ddwy o 'nghaneuon i. Er mawr syndod i ni cytunodd, dim ond iddo gael ychydig amser i weld sut oedd yr offeryn newydd yn gweithio! Ymhen dim, roedd wrthi'n rhoi sain ei gitâr ddur newydd ar ddau drac – 'Cân yr Ysgol' a 'Ji Geffyl Bach' – a ninnau'n cyfieithu'r geiriau iddo gael syniad sut gyfeiliant oedd ei angen. Eisteddai wrth y ddesg recordio'n chwarae'r offeryn a 'disgyn' y cyfeiliant i mewn fesul tamaid, gan beiriannu ei hun. Fel yna, mae'n debyg, yr hoffai weithio, gan adeiladu ei ganeuon bob yn dipyn a chwarae'r offerynnau i gyd ei hun, a chanu'r cefnleisiau hefyd. Tipyn o foi! Ond un peth sy'n sicr, go brin ei fod e'n dweud wrth neb iddo chwarae unwaith ar un o recordiau Dafydd Iwan.

Y caneuon eraill ar yr albym oedd 'Wrth Feddwl am fy Nghymru', 'Daw, Fe Ddaw yr Awr', 'Mae Geneth Fach yng Nghymru', 'Croeso 69', 'Beth yw'r Haf i Mi?', 'Cân y Medd', 'Hyn Sydd yn Ofid Im', 'Cân y Glöwr', 'Gad Fi'n Llonydd' a 'Rwy'n Gweld y Dydd'.

Y darnau yn disgyn i'w lle

Yr unig record a gyhoeddais yn ystod 1973 oedd EP bedair-cân, yn cynnwys 'Tywysog Tangnefedd', 'Mae Hiraeth yn fy Nghalon', 'Y Steddfod Beiling' ac 'Mae'r Llencyn yn y Jêl'. Yna bu gorffwys o recordio tra bu'r gwleidydd yn trio'i lwc am dair blynedd, ac yna yn 1976 cyhoeddwyd yr LP *Mae'r Darnau yn Disgyn i'w Lle*. Rhyw gymysgedd digon od o ganeuon yw'r albym yma, ond mae'n cynnwys un gân y bu cryn dipyn o ganu arni; roeddwn wedi sgrifennu'r geiriau i'w hadrodd mewn noson i Gymdeithas yr Iaith fel teyrnged i'r rhai a fu, ac oedd yn dal i fod, 'yn y carchar dros yr iaith', ac fel ymgais i ddadansoddi ymateb trwch y Cymry i'r carchar-iadau hynny. Gofynnais i Hefin Elis gyfansoddi alaw i'r geiriau, ac felly y ganwyd un o'i donau grymusaf, sef 'Mae Rhywun yn y Carchar Drosom Ni'. Ar wahân i honno, a 'Siarad â Ti a Mi' (a'r caneuon gwerin traddodiadol sydd arni), ychydig iawn o ganu a wneuthum wedyn ar weddill caneuon yr albym honno am ryw reswm.

Ond yn eu plith mae ambell un sy'n ymylu ar fod yn ganeuon da yn eu ffordd fach eu hunain, megis y deyrnged gellweirus (ond hollol ddiffuant) i Meinir Ffransis – er na wŷr hi hynny, os na ddigwydd iddi ddarllen hwn – 'Baled yr Eneth Eithafol'; y gân serch hen ffasiwn o ramantaidd, 'Merch y Mynydd', a'r prudd-glwyfus 'Dim ond Un Gân yn Awr Sydd ar Ol', cân sy'n lledawgrymu 'mod i ar y pryd yn ei chael hi'n anodd i gyfansoddi ac yn dechrau amau bod y ffynnon yn dechre sychu, fel petai. Ond efallai mai'r gân fwyaf arwyddocaol yw'r gân-deitl: mae hon yn awgrymu'n gryf fy mod yn falch o weld diwedd fy nghyfnod fel ymgeisydd seneddol, ac yn enwedig felly yr angen i draethu'n huawdl ar bynciau na wyddwn i affliw o ddim amdanyn nhw mewn gwirionedd! ('Mae celwydd y gwleidydd yn gadael cam-flas yn fy ngheg...'.) Mae hi'n awgrymu hefyd fy mod wedi diflasu ar sawl agwedd ar y byd fel y mae, fy mod yn mynd trwy ryw 'argyfwng gwacter ystyr', ac yn awgrymu (fel sawl cân arall o'm heiddo) mai yn y mynyddoedd a byd natur o'm cwmpas yn unig y caf ryw sicrwydd bod pethau'n gwneud synnwyr wedi'r cyfan, a'r darnau yn disgyn i'w lle:

Mae'r Darnau yn Disgyn i'w Lle

Beth ydi ystyr y geiriau sy'n llenwi 'nghaneuon?
Beth ydi ystyr y dagrau sy'n llosgi fy ngrudd?
Beth ydi rheswm y dychryn sy'n llenwi fy nghalon?
Beth ydi neges y cysgod sy'n t'wyllu fy ffydd?

Hiraetha fy enaid am ennyd o wybod
a sicrwydd y syml a'r glân,
Hiraetha fy enaid am harmoni'r lleisiau
a'r alaw sy'n burach na'r gân.

Mae eco'r cwestiynau yn boendod o hyd ar fy neall,
Mae pwysau'r amheuon yn fwrn ar f'ysbryd llesg,

A dianc wnaf eto trwy gaeau y crawcwellt a'r ysgall
At heddwch y mynydd i wrando doethineb yr hesg,

Ac yno caf sicrwydd yr oesau,
Mae'r darnau yn disgyn i'w lle,
Mae doe ac yfory i minnau,
Does dim angen gofyn,
Does dim angen gofyn 'paham' nac 'i be'.

Mae'r meddwl yn hurt wrth wrando tiwn gron y newyddion,
Mae celwydd y gwleidydd yn gadael cam-flas yn fy ngheg,
Fe'm dallwyd gan liwiau a sglein a sgrech hysbysebion –
Dyw cyngor yr holl arbenigwyr yn ddim namyn rheg.

Y dyn pwysig

Faint bynnag o ddadrithiad a achoswyd gan brofiadau
etholiadau 1974, a'r methiant i gael fy mabwysiadu fel
ymgeisydd wedyn ym Môn, roeddwn yn ffodus o fedru
ymdaflu i waith Tai Gwynedd, Sain, Cymdeithas yr Iaith a'r
cyngherddau. Ond yn 1976 daeth cyfle i ail-afael yn y byd
gwleidyddol – ar lefel lleol y tro hwn. Roedd y ddiweddar
Mary Vaughan Jones, un o golofnau'r achos yn y Waunfawr,
yn Gynghorydd Dosbarth ar Gyngor Arfon yn enw Plaid
Cymru, ond roedd hi'n dymuno rhoi'r gorau iddi.
Gofynnodd i mi a fyddai gen i ddiddordeb sefyll ac, wedi
ystyried am rai dyddiau, dwedais y byddwn yn barod i roi fy
enw ymlaen. Rwyf wedi credu erioed bod cymryd rhan mewn
llywodraeth leol yn bwysig dros ben, a thestun cryn siom yw
bod cyn lleied o'r rhai a fu ynglŷn ag ymgyrchoedd yr iaith
wedi symud ymlaen i'r gwaith hwn. I Saunders Lewis, yn ei
ddarlith *Tynged yr Iaith*, llywodraeth leol oedd prif faes y
frwydr. Y mae'n bosib cael dylanwad mawr ar y modd y mae
ein cymunedau'n gweithio drwy gynghorau lleol. Mae'n
bwysig mewn ffordd arall hefyd, i wrth-weithio'r duedd
gynyddol i dynnu grym i'r canol o hyd ac i lywodraeth
ymbellhau oddi wrth y gymuned leol. Os na wnaiff mwy o'n
pobol ifanc ymgymryd â'r gwaith hwn, fydd dim i rwystro
llywodraethau'r dyfodol rhag cerdded dros ein cymunedau
fel y mynnant. Ond rhag imi bregethu gormod, ac i dorri'r

stori'n fyr, mi gefais fy hun yn 1976 yn Gynghorydd Dosbarth dros y Waunfawr, Ceunant, Betws Garmon a Rhyd-Ddu ar Gyngor Arfon.

Cefais fy hun yn canolbwyntio ar faterion tai a chynllunio, ac roedd y gwaith a wnes gyda Chymdeithas yr Iaith a Thai Gwynedd, yn ogystal ag fel pensaer, yn gymorth mawr imi. Un o fuddugoliaethau pwysig y cyfnod hwnnw oedd perswadio'r Cyngor i roi mwy o bwyslais ar brynu tai o'r sector breifat i'w hadnewyddu fel tai i'w rhentu i bobol leol, yn hytrach na dibynnu'n unig ar godi tai cyngor newydd. Mantais hyn oedd galluogi tenantiaid i fyw yng nghanol pentrefi yn hytrach nac ar y cyrion, ac i arbed tai rhag mynd yn dai haf. Ond hwylio'n erbyn y gwynt oedd ein hanes o hyd, gan fod y Llywodraeth ganol yn gyndyn i dderbyn yr egwyddor. Hyd y dydd heddiw, rwy'n dal i gredu y dylid rhoi mwy o bwyslais gan Gymdeithasau Tai a Chynghorau ar adnewyddu tai sy'n bod yn barod, ar gyfer eu gosod a'u gwerthu i bobol leol. Buddugoliaeth fawr arall oedd y penderfyniad i gael offer cyfieithu yn siambr y Cyngor, fel y gallem siarad Cymraeg heb orfod ail-adrodd yn Saesneg. Y prif wrthwynebwyr oedd rhai Cymry Cymraeg oedd yn gweld eu hesgus dros beidio siarad Cymraeg yn diflannu. Torrwyd y ddadl yn y diwedd gan un o gynghorwyr di-Gymraeg Bangor pan ddywedodd, yn hollol gywir: *'It's not for you that we need translation, but for people like me who do not speak Welsh'*. Ac fe gariwyd y dydd. Wrth wrando ar drafodaethau Cyngor Gwynedd heddiw, chwarter canrif yn ddiweddarach, lle mae bron bopeth yn digwydd drwy'r Gymraeg, mae rhywun yn sylweddoli cymaint y mae rhai pethau wedi symud yn eu blaen.

1979 – brad a thor-calon

Erbyn diwedd y saithdegau, yn bennaf oherwydd buddugol-iaethau etholiadol Plaid Cymru, roedd y refferendwm cyntaf ar ddatganoli ar y gweill. Mae edrych yn ôl ar yr hunllef hwnnw yn gyrru ias drwy fy nghorff. Os bu twyll a brad erioed dyma ydoedd, a'r Blaid Lafur ar ei gwaethaf yn esgus rhoi ar y naill law ac yn stacio'r ffactorau yn erbyn unrhyw siawns o ennill ar y llaw arall. Roedd yna rai aelodau o'r Blaid Lafur yn ddiffuant yn eu cefnogaeth, ond yr oedden nhw'n gwbl ddiymadferth i wneud dim ynglŷn â gwrthwynebwyr datganoli megis Kinnock, Abse, George Thomas a thrwch aelodau Llafur Lloegr. Cafodd Plaid Cymru ei thynnu i mewn i'r trap a bûm i, fel nifer o aelodau eraill, yn mynd o dŷ i dŷ gyda phamffledi'r llywodraeth Lafur dros ddatganoli, tra oedd trwch aelodau Llafur naill ai'n gwneud dim neu'n agored wrthwynebus. Roedd y rhan fwyaf o aelodau Cyngor Arfon wedi pleidleisio o blaid datganoli ond, pan ddaeth ail gyfle i fynegi barn ychydig cyn y refferendwm ei hun, sylwais fod ambell aelod Llafur wedi newid eu tiwn. Mi es at un aelod, sy'n Aelod Seneddol uchel ei chloch erbyn hyn, a gofyn iddi pam yr oedd wedi newid ei barn ar ôl honni cyhyd ei bod o blaid sefydlu Cynulliad. 'Dwi'n cytuno â Neil Kinnock rwan, mae hyn yn mynd rhy bell.' Nodweddiadol o'r Blaid Lafur a'i hagwedd dila a mympwyol tuag at Gymru, er bod yr aelod hon yn gwadu heddiw ei bod wedi dweud y fath beth. Ond wna' i fyth anghofio.

Os oedd y chwedegau cyffrous yn cario 'mlaen i ddechrau'r saithdegau, roedd yr wythdegau du yn cychwyn yn 1979. Blwyddyn colli'r refferendwm ar ddatganoli, blwyddyn cychwyn teyrnasiad Thatcher, ac fel mae'n digwydd y flwyddyn y collais innau fy sedd ar Gyngor Arfon. Roedd yr wythdegau wedi cyrraedd.

Yr Wythdegau

Oedd, roedd 1979 yn flwyddyn drychinebus ac roedd hi'n ein paratoi, fel petai, am ddegawd pur ddigalon. O'r 59% a drafferthodd i bleidleisio yn y refferendwm ar Ddydd Gŵyl Ddewi roedd 80% yn erbyn creu Cynulliad i Gymru, a dim ond 20% o blaid. Yn yr Etholiad Cyffredinol ym mis Mai daeth llywodraeth Magi Thatcher i rym a chafodd y Torïaid eu pleidlais uchaf yng Nghymru ers canrif, a Keith Best yn cipio Ynys Môn. Ar yr un diwrnod cynhaliwyd yr etholiadau lleol, a chefais fy hun yn sefyll yn erbyn ymgeisydd 'Annibynnol' – blaenor yn y capel yr oeddwn yn aelod ynddo fel mae'n digwydd. Mi gefais i'n union yr un ganran o'r bleidlais ag a gafodd Dafydd Wigley y diwrnod hwnnw, sef 49%, ond gan i'r pleidiau eraill i gyd bleidleisio i'r 'Annibynnwr' mi gollais fy sedd ar Gyngor Arfon o 83 o bleidleisiau. Digwyddodd y cyfri drannoeth yr etholiad, a chan fod y teulu yn yr ysgol euthum adref i dŷ gwag i lyfu fy nghlwyfau, gan deimlo'n bur isel. Ond, yn fuan wedyn, roedd y newydd i eraill yng Nghymru'n llawer gwaeth; clywodd 15,000 o weithwyr dur Glyn Ebwy, Aberafan, Llanwern a Shotton eu bod yn colli eu swyddi; torrwyd ar gymorth rhanbarthol i Gymru; cododd TAW i 15% a chafwyd codiadau mawr yng nghyflogau haenau uchaf y sefydliad. Roedd Thatcher wedi cyrraedd, ac roedd hyd yn oed 'Oes Aur' tîm rygbi Cymru'n dirwyn i ben!

Un ffordd o ddod dros yr holl ddigalondid oedd trwy gyfansoddi caneuon. Mae cysgod y refferendwm yn drwm ar yr unig record a gyhoeddais yn ystod 1979, sef *Bod yn Rhydd*, a does dim rhaid edrych yn bell am arwyddion y digalondid:

'Weithiau bydd y fflam yn llosgi'n isel yn y lamp', 'Cân Victor Jara', 'Baled y Welsh Not', 'Peidiwch Gofyn imi Ddangos fy Ochr' (y gân sy'n un o ffefrynnau Ray Gravell, ac sy'n dychanu agwedd y Cymry hynny sy'n genedlaetholwyr brwd ar ddiwrnod gêm ryngwladol ond yn llugoer ar bob achlysur arall), 'Penillion i Gilmeri', 'Mae'n Disgwyl' (y gân sy'n dilyn y patrwm Gwyddelig ac sy'n gweld Cymru fel mam yn 'disgwyl i'w meibion a'i merched i godi eu pennau yn uchel ymysg gwledydd y byd'), a 'Hwyr Brynhawn', geiriau a luniais ar gyfer un o alawon hyfryd Hefin Elis. Erbyn hyn does gen i ddim llawer o amser i'r rhai sy'n rhygnu ar dant yr 'unfed-awr-ar-ddeg' o hyd, ac yn rhybuddio bod tranc y genedl a'r iaith Gymraeg gerllaw – rhaid inni ymagweddu'n llawer mwy cadarnhaol ac adeiladol os ydym am wneud rhywbeth ohoni fel Cymry. Ond, yn ôl yn 1979, gweld yr haul yn bygwth machlud yr oeddwn innau, er mai nodyn herfeiddiol o bositif sydd yn llinell olaf y trydydd pennill, ac fel y nodais wrth gyflwyno'r gân yn llyfr Y Lolfa: 'Os ydym am weld Cymru'n rhydd, rhaid inni fyw fel pe baem eisoes yn rhydd':

Hwyr Brynhawn

Braf yw medru chwarae mig â Chymru,
Braf yw medru chwerthin am ei phen,
Smalio nad yw bywyd ond Noson Lawen hir
Ac esgus nad oes cwmwl yn y nen.

    Ond cofia frawd nad oes amser gennyt bellach
    I din-droi yn feddw a di-hid,
    Hwn yw'r cyfle olaf gawn, eisoes mae yn hwyr brynhawn
    A'r haul yn bygwth machlud ar ein byd.

Hyfryd ydyw dringo ysgol gyrfa
A phluo'r nyth yn gynnes ac yn glyd,
Rhoi croes wrth enw Cymru, ac eistedd 'nôl yn braf
Ac esgus mai digysgod yw ein byd.

Chwalwyd ein breuddwydion glân rhamantus,
Maluriwyd holl obeithion Cymru Fydd,
Mae'r bradwr ar yr aelwyd a'r estron yn y nyth,
Rhaid sefyll nawr a byw fel Cymry rhydd!

Yr un nodyn positif a heriol sydd yng nghân-deitl yr albwm, 'Bod yn Rhydd', cân a ddaliodd i godi'r ysbryd ac i herio'r byd (fel na all ond roc-a-rôl wneud!) tan ddiwedd y ganrif, o leia:

Bod yn Rhydd

Rwyf wedi penderfynu, a da o beth yw hynny,
Rwyf wedi penderfynu bod yn rhydd,
Bod yn rhydd, bod yn rhydd,
Rwyf wedi penderfynu bod yn rhydd.
   Ac mi ddawnsiaf ddawns y Gymru Rydd,
   Mi ganaf gân y Gymru Rydd,
   Rwy'n yfed i doriad yr hyfryd ddydd,
   Y dydd y bydd pob Cymro'n rhydd!

Rwyf wedi cael llond bola ar fod yn Gymro tila,
Rwyf wedi penderfynu bod yn rhydd...

Rwyf wedi cael hen ddigon ar fod yn Gymro bodlon,
O hyn ymlaen rwyf eisiau bod yn rhydd...

Mae 'nghalon wedi blino ar fod yn hanner Cymro,
O hyn ymlaen rwy'n dechrau bod yn rhydd,
Bod yn rhydd, bod yn rhydd,
Rwyf wedi penderfynu bod yn rhydd!

Y Nant a'r Antur

Mi roedd yna ochr bositif i fywyd, hyd yn oed yng Nghymru 1979. Y flwyddyn cyn hynny roedd y Dr Carl Clowes wedi creu Ymddiriedolaeth i brynu hen bentre Nant Gwrtheyrn yn Llŷn, gyda'r bwriad o'i droi yn Ganolfan Iaith, ac unwaith eto mi gefais fy hun yn rhan o gynllun cyffrous a fyddai'n chwarae rhan bwysig yn y Gymru newydd oedd ymhell ar y gorwel. Drwy gydol yr wythdegau mi fyddai Nant Gwrtheyrn yn rhan annatod o'm bywyd. Ac, ar safle ger pentre Llandwrog, yr oeddem yn y broses o droi hen adeiladau'r RAF yn ganolfan newydd i gwmni Sain. Fe'i prynwyd rai blynyddoedd ynghynt am bris rhesymol iawn ac, erbyn 1980, roedd rhan o'r adeiladau wedi'i addasu'n stiwdio, stafell reoli a swyddfa neu ddwy. Ar y pryd yr oedd yn un o'r stiwdios gorau yng ngwledydd Prydain, yn ail yn unig i Rockfield yng Nghymru, ac fe'i cynlluniwyd yn fanwl ar gyfer y dechnoleg ddiweddara gyda desg newydd 24-trac. Roedd prif swyddfa'r cwmni'n dal ar Stad Ddiwydiannol Pen-y-groes, ond ymhen blwyddyn roedd y cyfan wedi symud i'r safle newydd, ac yno y mae Canolfan Sain hyd heddiw.

Ar ddechrau'r wythdegau, Huw oedd yn gweithredu fel rheolwr Sain ac ef oedd yn bennaf gyfrifol am lywio'r stiwdio newydd, gyda chymorth Hefin Elis fel prif gynhyrchydd a Selwyn Davies a Bryn Jones fel peirianwyr. Roedd Ifanwy Rhisiart o'r Waunfawr wedi ymuno â ni fel ysgrifenyddes weinyddol, a bu ei chyfraniad doeth yn bwysig iawn ym mlynyddoedd ffurfiannol y cwmni. Mae Ifanwy, ers blynyddoedd bellach, yn chwarae rhan allweddol yng ngwaith Antur Waunfawr, creadigaeth ryfeddol R. Gwynn Davies, cynllun arall y cefais y fraint o fod yn rhan ohono'n ystod yr wythdegau. Yn 1980 roeddwn i'n dal i weithio fel Trefnydd i Gymdeithas Tai Gwynedd, gwaith oedd yn caniatau digon o amser imi deithio o gwmpas Cymru'n canu a gwleidydda. Roeddwn yn Is-Gadeirydd Plaid Cymru ar y pryd, ond hefyd yn dal mewn cysylltiad â Chymdeithas yr Iaith o bryd i'w gilydd.

Y llosgi a'r Sianel

Ymgyrch fawr y dydd oedd yr ymgyrch am sianel deledu Gymraeg ond prif bwnc siarad y cyfryngau oedd yr 'ymgyrch' llosgi tai haf. Mae'r ymgyrch honno (y llosgi, hynny yw) yn dal yn destun tipyn o ryfeddod imi. Does dim dwywaith nad oedd y cynnydd mewn ail gartrefi'n bryder, ond go brin mai hynny oedd y bygythiad mwyaf i'r genedl Gymreig. Fodd bynnag, roedd ail gartref i Saeson mewn ardal Gymraeg lle'r oedd arian yn brin, swyddi'n brinnach a'r iaith ar drai yn symbol grymus o anghyfiawnder ac roedd ei losgi'n weithred hawdd ei deall. Ond, os mai cenedlaetholwyr oedd yn gyfrifol (yn hytrach na rhywrai'n gweithio ar ran y wladwriaeth Brydeinig er mwyn creu sefyllfa ansefydlog a brawychus yng Nghymru i ddychryn y boblogaeth), dwn i ar y ddaear sut y llwyddwyd i losgi cynifer o dai, ym mhob cwr o Gymru, heb i neb gael eu dal. Ar brydiau gosodwyd 'road blocks' ar ffyrdd gwledig lle digwyddodd y tanau. Cefais fy stopio sawl gwaith gan yr heddlu, fel llawer o bobol eraill, wrth imi ddychwelyd adre'n hwyr y nos o gyngerdd neu gyfarfod. Roedd yn gwbl amhosib teithio ar hyd y ffyrdd heb gael eich stopio, ac eto does neb wedi eu dal am y mwyafrif llethol o'r tanau hyn hyd y dydd heddiw.

Roeddwn i'n gweithio mewn cwt pren ar Stad Ddiwydiannol Pen-y-groes, drws nesa i swyddfa Sain, ac un peth a gofiaf yn dda ar ddechrau'r wythdegau oedd cyfres o ymweliadau gan 'newyddiadurwyr' a 'myfyrwyr ymchwil' – o Loegr yn bennaf, ond o wledydd eraill hefyd – oedd am fy nghyfweld am wahanol resymau. Gwneud rhyw waith ymchwil i sefyllfa'r Gymraeg a Chymru a'r mudiad cenedlaethol oedd yr esgus fel arfer, ond fedrwn i ddim llai na sylwi bod pob un yn y pen draw'n troi at y llosgi, a chredwn mai eisiau holi ynghylch hynny yr oedden nhw mewn gwirionedd. Mae'n siŵr fod ambell newyddiadurwr a myfyriwr go iawn yn eu plith, ond roedd yn hollol amlwg mai gweithio i'r heddlu (neu'r gwasanaethau cudd) yr oedd y rhan fwyaf. Roedd nifer o raglenni'n cael eu paratoi ar y pryd ond, fel rheol, ffonio fyddai'r ymchwilwyr ar gyfer y rheiny, gan arddangos y diffyg dealltwriaeth affwysol hwnnw sydd mor nodweddiadol o newyddiadurwyr Seisnig yn eu hymwneud â Chymru. Yr enghraifft fwyaf nodedig o hyn a gofiaf oedd un yn ffonio o Lundain, yn paratoi rhaglen deledu ar y llosgi. Wedi imi wrthod cymryd rhan, dyma ofyn imi:

'You don't happen to have the phone number for Mebion Glendower by any chance?'

Ond, erbyn canol 1980, roedd ymgyrch y Sianel Deledu'n ôl ar ganol y llwyfan gwleidyddol, diolch yn bennaf i Gwynfor Evans. Roedd y Torïaid wedi torri eu haddewid ac wedi cyhoeddi na fyddai sianel Gymraeg wedi'r cyfan, ac edrychai'n debyg fod yr holl ymgyrchu, y dirwyo a'r carchariadau wedi bod yn ofer, gan gynnwys gweithredoedd herfeiddiol gan ffigyrau amlwg fel Meredydd Evans, Pennar Davies a Ned Thomas. Yn sgil digalondid cyffredinol 1979, fodd bynnag, gwaith anodd oedd ail-godi stêm yr ymgyrch ac ymddangosai fel pe bai'r stwffin wedi'i gnocio allan o'r mudiad cenedlaethol. Yng Nghynhadledd Plaid Cymru yn Hydref '79 roeddwn yn cadeirio pan bleidleisiwyd i droi

HTV allan o'r neuadd oherwydd eu hagwedd tuag at y sianel, a phasiwyd cynnig gennyf i alw ar aelodau'r Blaid i wrthod talu am drwydded deledu. Erbyn y flwyddyn ganlynol, roedd y gwynt yn dechrau llenwi'r hwyliau unwaith eto ac aeth y Blaid a'r Gymdeithas ati o ddifri: erbyn y Pasg 1980, roedd mil o bobol yn barod i wrthod talu'r dreth. Y trobwynt mawr, fodd bynnag, oedd Mai'r chweched, pan gyhoeddodd Gwynfor Evans y byddai'n ymprydio i farwolaeth o Hydref y chweched ymlaen pe na bai'r Llywodraeth yn cadw at ei haddewid i sefydlu sianel. Cynhaliwyd protestiadau a chyfarfodydd ar hyd a lled y wlad, a thros y ffin, ac yn y diwedd roedd 2000 o bobol wedi ymdynghedu i wrthod talu'r dreth deledu.

Carchar eto

Roeddwn i eisoes wedi cael fy nirwyo am fod heb dreth ac, ym mis Awst 1980, daeth yr heddlu heibio i fynd â fi i garchar Walton yn Lerpwl am beidio talu'r ddirwy. Unwaith eto mi gefais y ddau heddwas yn ystyriol iawn wrth fy hebrwng yno, ac roedd hi'n hollol amlwg nad oedden nhw'n mwynhau'r gwaith. Y drefn arferol ar adegau o'r fath yw defnyddio gefynnau garddwrn, yn enwedig pan fyddem y tu allan i'r car, ond ni wnaed unrhyw ymdrech i'm gefynnu hyd nes yr oeddem yn barod i fynd trwy ddrws y carchar. Yn wir, aeth y ddau blismon mor bell â chynnig ein bod yn stopio am baned o de mewn caffi yn Queensferry ar y ffordd ac, i arbed cywilydd i mi, tynnodd y ddau eu cotiau rhag iddyn nhw fod yn rhy amlwg fel plismyn a minnau fel dihiryn dan eu gofal. Y peth rhyfeddaf i gyd oedd nad oedd yr un o'r ddau yn siŵr o'u ffordd i'r carchar, a chan imi fod yno rai troeon o'r blaen ar wylnos a phrotest bu'n rhaid imi ddangos y ffordd iddyn nhw!

Roedd deng mlynedd hir wedi mynd heibio ers imi fod yng ngharchar ac roedd cael fy nhrin fel dihiryn di-barch, cael tynnu fy nillad a'm harchwilio wedi'r gawod orfodol, cael bwndel o ddillad llwyd oedd ddim yn ffitio, a chael fy labelu â rhif unwaith eto'n dod â'r atgofion hyll i gyd yn ôl ac yn gwneud imi sylweddoli o'r newydd gymaint yr oedd aelodau'r Gymdeithas wedi'i ddioddef yn enw Cymru a'r Gymraeg. Nid yn gymaint y boen a'r anghysur corfforol ond y sen a'r sarhad a'r amarch. Yn Lerpwl, yn fwy felly na Chaerdydd ac Abertawe, does dim dwywaith fod Cymry'n cael eu sarhau'n waeth am eu bod yn Gymry. Mae hiliaeth gwrth-Gymreig, a gwrth-Gymraeg, yn fyw ac yn iach mewn llefydd fel Carchar Walton, fel y gŵyr y miloedd o Gymry a fu yno dros y cenedlaethau – ac sy'n dal i fod yno heddiw. Pan wnaeth Anne Robinson ei hymosodiad cwbl gywilyddus ar y Cymry – *'What are they for, the Welsh?'* – am Garchar Walton y cofiwn i. Ond, cofier hyn, o du'r swyddogion ac nid o du'r carcharorion eraill y ceir y casineb gwrth-Gymreig ar ei waethaf. Mae hiwmor carcharorion weithiau'n gallu eu hachub rhag casineb o'r fath. Wedi imi newid i ddillad y carchar, arhosem mewn stafell i ddisgwyl cael ein tywys i'r celloedd a'r cwestiwn i bawb oedd *'How long you in for mate?'*. Yn y gyfeillach honno, wrth gwrs, po hwyaf eich dedfryd, mwyaf o barch a deilyngech, ac wedi i'r dyn wrth fy ymyl ddweud ei fod i mewn am *'sixty days'*, dywedais innau fy mod i mewn am chwech. *'Hey!'* gwaeddodd yr holwr dros y lle gan bwyntio ata i – *'This geezer's in for six!'* – gan feddwl fy mod wedi cael chwe mlynedd. Trodd dwsinau o wynebau edmygus i edrych arnaf cyn i'r holwr, ar ôl ysbaid ddramatig wedi'i hamseru'n berffaith, orffen ei ddatganiad *'...days!!'*. Mawr fu'r hwyl a'r chwerthin, a minnau, am funud neu ddau, yn teimlo'n rhyfedd o annigonol.

Y peth a gofiaf am y carchariad hwnnw'n fwy na dim arall, fodd bynnag, oedd y llyfr. Clowyd fi mewn cell ar fy mhen fy hun, a'r unig gwmni oedd y gwely haearn, cadair, pot piso, yr oglau a llyfr. Llyfr clawr meddal trwchus am hanes arweinydd y frwydr dros annibyniaeth Corsica yn y ddeunawfed ganrif, Pasquale Paoli. Doeddwn i erioed wedi clywed amdano o'r blaen. Dydw i ddim fel rheol yn un am ddarllen llyfrau hanes ond, o dan yr amgylchiadau, roeddwn yn fwy na bodlon i setlo i lawr ar fy ngwely bach anghyffordddus yng ngharchar y Sais i ddarllen mwy am y gwron hwn. A dyna ichi un o'r nosweithiau mwyaf difyr a dreuliais yng nghwmni llyfr erioed! Roeddwn wedi llwyr ymgolli yn hanes cyffrous yr un a elwir yn 'dad y genedl' yng Nghorsica, ac un sy'n dal i ysbrydoli cendlaetholwyr yr ynys hyd heddiw. Mi ddarllenais yn frwd o'r munud y cyrhaeddais y gell i'r funud y diffoddwyd y golau, ac yna ail-gydio ynddi ar doriad gwawr, gan nad oedd cwsg yn dod yn hawdd mewn lle felly. Roedd rhaid codi i gario fy mhot i'r geudy ar ganiad y gloch, yna ciwio am frecwast o ryw fath a mynd â fo'n ôl i'r gell i barhau â'r darllen. Roedd yn ffordd ardderchog o ddygymod â'r lle ac o gau allan bob profiad annymunol, ond yna daeth y drychineb. Bangiwyd ar ddrws y gell, arthiwyd fy rhif a dwedwyd wrthyf bod y Pen-bandit am fy ngweld. Martsiwn innau'n ufudd i ganlyn y sgriw nes cyrraedd swyddfa'r pennaeth, a dyma hwnnw, heb ddim seremoni, yn cyhoeddi bod awr fy rhyddid wedi dod am fod rhywun wedi cynnig talu fy nirwy. O'r fath siom! Nid yn unig am fy mod am gwblhau fy nedfryd fel dyn, ond am fy mod am wybod beth oedd diwedd hanes gwrthryfel Paoli.

'But I don't want anyone to pay my fine, and I have the right to refuse!' dywedais wrtho yn fy Saesneg gorau, a thipyn o ysbryd gwrthryfel y Gors yn fy ngwaed.

'I beg to differ; your time is up, so collect your things, and get out of here. We'll have your train fare ready for you at the gate. Good-bye!'

Mi wnes fy ngorau i ddadlau, oherwydd gwyddwn yn iawn fod gen i hawl mewn cyfraith i ddewis gwrthod derbyn yr arian. Ond doedd dim troi ar yr awdurdodau a chael fy nhaflu allan fu fy hanes, heb gael cyfle i orffen fy llyfr, na gwybod beth ddaeth o Paoli. Wrth imi gasglu fy ychydig eiddo wrth y ddesg gofynnodd y swyddog yno oedd gen i unrhyw gŵyn. Oes, meddwn innau, mae gen i ddwy gwyn. Yn gyntaf fy mod yn gorfod gadael yn erbyn fy ewyllys, ac yn ail, gan mai hwn yw'r carchar sy'n gwasanaethu Gogledd Cymru, dylai'r arwyddion a'r ffurflenni yma fod yn Gymraeg. Os do fe! Ffrwydrodd y swyddog ac ymdaflu i un ymosodiad olaf ar genedl y Cymry, gan ddweud nad oeddem ni na'r Gwyddelod yn ddim ond llwyth o anwariaid yn da i ddim ond i greu trwbwl a bod yn dreth ar y wlad.

'You do what you f—ing well like in Wales, mate, but this is

England. So f— off back 'ome, and God help you if you come in 'ere again!'

'*Don't worry,*' meddwn innau'n gocyn i gyd, '*I'll be back!*'

Ond doeddwn i ddim ar feddwl twllu ei hen le fo byth eto, a dweud y gwir.

Ffoniais gartre a dal y trên yn Lerpwl am Fangor gyda'r arian a roddwyd imi gan awdurdodau'r carchar. Roedd yn dda gweld Marion a'r plant unwaith eto, a'r tri'n gofyn am y cynta oeddwn i wedi derbyn eu llythyrau. Eglurais wrthynt na chafodd y llythyrau gyfle i gyrraedd, ond y byddent yn siŵr o gael eu hanfon ymlaen. Roedd eu siom yn amlwg, ond pan gyrhaeddodd y pecyn o'r carchar ymhen rhai dyddiau roedd eu llythyrau'n werth eu darllen:

Llion Tegai (10 oed):
Ar ôl hanner dydd Ddydd Mercher yr oedd y ffôn yn canu'n ddi-baid drwy'r dydd. Yr oedd dy enw ar bob newyddion Cymraeg ar ôl hanner dydd. Fe ffoniodd Ray Gravell hefyd i ofyn sut oeddem ni a gofyn cyfeiriad y carchar. Mae'n siŵr y cei lythyr ganddo ef. Mae'n siŵr fod y carchar yn le diflas felly rwy'n anfon y croesair yma a'r cwestiynnau yma atat. Efallai y bydd rhai ychydig yn rhy hawdd ichdi, ond hefyd darllen y peth ar feicio o'r tu ôl i'r croesair. Efallai na fyddi di'n gallu ateb beth yw'r peth 'sbio'n gam'. Cei sgwennu atebion yr Atebwch ar gefn y llythyr yma. Wela'i chdi Ddydd Mercher.

Cofion, Llion.

Elliw Haf (9 oed):
Mae'r tywydd yn braf yma heddiw, ac mae mam yn mynd i dynnu ei ffwythau. Byddwn yn mynd i siopa heddiw hefyd. Euthum i dŷ nain neithiwr, ac yr oedden nhw wedi clywed ar y radio dy foti yn y carchar. Nid ydym wedi'n bwyta'n fudge eto, ond dwi'n meddwl fod Telor wedi cymeryd darn bach ohono! Byddaf yn edrych ymlaen i dy weld di eto.

Cofion cynnes, Elliw Haf.

Telor Hedd (7 oed):
Sut mae yn y carchar? Oherwydd fel arfer mae'r plismyn yn ryff. Sut mae'r tywydd yna? Achos heddiw ella rydyn yn mynd i lan y môr. Cofia paid a talu y ddirwy neu chei di

ddim y sianel. Rwyf yn dal i edrych ar y poster Dim Sianel
Dim Trwydded.

Cofion, Telor.

Oriau'n unig a gefais yng nghwmni'r teulu, fodd bynnag.
Drannoeth roedd y gwaith o godi pabell Cymdeithas Tai
Gwynedd ar faes Eisteddfod Genedlaethol Dyffryn Lliw yn
fy nisgwyl, a chyfarfod o weithgor ymgyrch y Sianel yn Ysgol
Haf Plaid Cymru. Roedd Gwynfor Evans wedi bwriadu rhoi'r
gorau i Lywyddiaeth y Blaid wrth iddo gychwyn ar ei
ympryd yn yr hydref: fe'i perswadiwyd i ddal ati, ond roedd
rhaid cael etholiad am Is-Lywydd. Wedi i nifer o enwau
dynnu'n ôl, roedd y ras yn y diwedd rhwng Dafydd Elis
Thomas a mi, a Dafydd Êl a orfu. Yn y cyfamser, roedd
crochan ymgyrch y sianel yn berwi drosodd, y protestiadau'n
ffyrnigo, Gwynfor yn cael croeso torfol a gwresog ym mhob
cwr o Gymru a'r parchusion yn trefnu ymweliadau pwysfawr
â'r Llywodraeth. Yna daeth cyhoeddiad hanesyddol Willie
Whitelaw y byddai yna Sianel Gymraeg wedi'r cwbl, a
llywodraeth Magi Thatcher yn cyflawni eu 'tro-pedol' cyntaf.
Roedd y penderfyniad hwn nid yn unig yn fuddugoliaeth o
bwys i'r mudiad cenedlaethol, ond hefyd i gael dylanwad
pellgyrhaeddol ar fywyd Cymru mewn sawl ffordd. Yr oedd
hefyd i gael cryn effaith ar fy sefyllfa i, a chwmni Sain, maes
o law.

Yr unig record a gyhoeddais i yn ystod 1980 oedd sengl i'r
'ddynes haearn' ei hun, gyda 'Sul y Blodau' – cân am gyrch yr
heddlu yn arestio hanner cant o genedlaetholwyr liw nos, heb
eu cyhuddo – ar yr ochr arall. Gwelodd Owen Edwards,
Rheolwr BBC Cymru ar y pryd, yn dda i wahardd y record
rhag cael ei chwarae ar donfeddi'r radio. Y rheswm
swyddogol a roddwyd oedd ei bod yn ymosodiad gan aelod
blaenllaw o un blaid wleidyddol ar arweinydd plaid arall, ac
nad oedd hynny o fewn canllawiau tegwch gwleidyddol y
Bîb. Onid oedd yn dda i'r hen Fagi fod ganddi bobol o'r fath
i'w gwarchod? Byddai edrych ar agwedd y BBC yng
Nghymru at genedlaetholdeb dros y blynyddoedd yn destun
traethawd MA digon diddorol, ddwedwn i. Un broblem
fyddai canfod myfyriwr go annibynnol ei farn na fyddai'n

coleddu unrhyw uchelgais i weithio i'r hen fodryb ei hunan wedi gadael coleg! Un peth sy'n sicr, beth bynnag yw barn breifat unigolion sy'n gweithio o'i mewn, y mae'r BBC yn dal i fod yn gorff sylfaenol Brydeinig ei naws sy'n gweld Cymru fel 'rhanbarth', neu ar y gorau yn *nation-region*, o Brydain Fawr. A dyna pam mai ymgyrchu am Sianel Gymraeg yr oedd Cymdeithas yr Iaith o'r dechrau, ochr-yn-ochr â Sianel Gymreig yn Saesneg – a'r ddwy, ynghyd â gwasanaethau radio Cymreig, yn cael eu rheoli gan Awdurdod Darlledu Cymreig. Mae gennym ffordd bell i fynd o hyd.

Dafydd Iwan ar dân – ac Ar Log

Roedd fy mherthynas i â stiwdio recordio – a stiwdio deledu o ran hynny – wedi bod yn berthynas anniddig erioed. Allwn i byth ddweud fy mod yn gwbl gartrefol yn perfformio mewn stiwdio gan nad oedd yno gynulleidfa. O flaen cynulleidfa roeddwn yn mwynhau fy hun fel rheol, ac yn darganfod rhyw ysbrydoliaeth nad oedd i'w gael mewn stiwdio amhersonol. I mi, perfformio i bobol oedd hanfod fy nghanu – siarad â nhw, cyfathrebu hefo nhw, dweud stori wrthyn nhw, a rhannu profiad efo nhw. Mewn stiwdio, roedd hynny'n anodd os nad yn amhosib. Naturiol ddigon felly oedd fy awydd cynyddol i wneud recordiad 'byw' o flaen cynulleidfa, ac yn ystod haf 1981 fe wireddwyd fy mwriad. Trefnwyd taith, yn cychwyn yn y ganolfan ryfeddol o greadigol a chymunedol honno, Theatr Felinfach, yna Neuadd Pontyberem; Theatr y Sherman, Caerdydd; Ysgol Preseli, Crymych; Theatr y Werin, Aberystwyth; Clwb Jolly's yng Nghaergwrle; Theatr Seilo, Caernarfon a Gwesty Dolbadarn, Llanberis. Fel y mae'r rhestr honno'n awgrymu, ein bwriad oedd cael pob math o awyrgylch, o'r theatr syber i'r clwb gweddol swnllyd, – a hynny ym mhob cwr o Gymru – a recordio pedair ohonyn nhw i'w golygu'n un albym ar gyfer Eisteddfod Genedlaethol Maldwyn. Cafwyd taith hynod o lwyddiannus yng nghwmni'r ddau offerynnwr amryddawn, Hefin Elis a Tudur Huws Jones, a hidlwyd y cyfan yn record ddigon difyr o'r enw *Dafydd Iwan ar Dân!*

Efallai fod y daith honno wedi hau hedyn pur bwysig oherwydd cynhaliwyd dwy daith arall yn ystod y ddwy flynedd ganlynol oedd yn mynd i newid cwrs fy mywyd mewn sawl ffordd. Ni chofiaf yr achlysur yn union, ond cofiaf gael sgwrs gydag aelodau'r grŵp gwerin Ar Log rywbryd yn ystod 1980, pan drafodwyd gyntaf y posibilrwydd o wneud taith gyda'n gilydd. Roedd aelodau Ar Log wedi bod yn gwneud cyfraniad nodedig i'r byd adloniant Cymraeg ers sawl blwyddyn – y brodyr Dafydd a Gwyndaf Roberts, i ddechrau, fel aelodau o fandiau roc fel Brân, Graham Pritchard fel aelod o Mynediad am Ddim, a Dave Burns a Iolo Jones fel aelodau o sawl grŵp gwerin, gan gynnwys Yr Hennessys. Erbyn dechrau'r wythdegau, nhw oedd prif ladmeryddion cerddoriaeth werin Cymru ar gyfandir Ewrop a Gogledd America, yn ogystal ag yng ngwledydd Prydain. Roedd eu doniau'n ddiamheuol ac roedden nhw'n gallu dal eu tir yn rhwydd ar yr un llwyfan â rhai o brif grwpiau gwerin Iwerddon, Yr Alban a Llydaw. Trodd ein sgwrs o gwmpas arwyddocâd y flwyddyn 1982, union saith canrif ers lladd Llywelyn ein Llyw Olaf yng Nghilmeri yn 1282. O'r funud honno fe wyddem fod y daith yn mynd i ddigwydd, ac y byddai Dafydd Iwan, am gyfnod o leiaf, yn ymuno mewn priodas ag Ar Log. Penderfynwyd bedyddio'r daith yn 'Taith 700'.

Un nodwedd o weithgarwch Ar Log yw trylwyredd eu paratoi, sydd wedi bod yn allwedd i'w llwyddiant yn ddiweddarach fel cynhyrchwyr a chyfarwyddwyr teledu a radio. Yn ystod gweddill 1980 nid oedd unrhyw fanylion ynglŷn â'r daith na chafodd sylw: y neuaddau, y posteri, y tocynnau, yr offer sain a golau, y trefniadau stiwardio, y cludo a'r llety, ac (wrth gwrs) y caneuon. Am y tro cyntaf yn fy mywyd roeddwn yn gorfod ymarfer! Trefnwyd sawl un o'm caneuon i weddu i arddull offerynnol Ar Log, ac yn y broses ail-grewyd rhai ohonynt fel caneuon newydd. Roedd yn brofiad newydd a chyffrous i mi i fod yn rhan o grŵp mor niferus, ac mae'n siŵr i minnau ddod ag arddull newydd i raglen Ar Log hefyd. Gweithiodd y briodas yn rhyfeddol ac roedd ymateb y torfeydd gorlawn yn ysgubol ym mhob man, yn enwedig felly i'r gân anthemaidd a gyfansoddais ar gyfer y daith, 'Cerddwn Ymlaen'. Cyhoeddwyd y gân ar record sengl, a gwerthodd fel slecs drwy gydol y daith.

Roedd y gân honno, fel Taith 700 ei hun, yn drobwynt pwysig yn fy hanes fel canwr. Mae'n amlwg beth oedd y sbardun i'w chyfansoddi, gan fod yr ail bennill yn canolbwyntio ar farwolaeth Llywelyn a'r modd y cludwyd ei ben mewn sarhad drwy heolydd Llundain yn 1282, a'r pennill cyntaf yn olrhain hynt mwy diweddar y werin Gymraeg yn crafu byw ar dyddyn, mewn pwll glo a chwarel. Ond y mae'r gytgan yn heriol ac yn fwriadol gadarnhaol, yn mynegi ein penderfyniad fel Cymry i ddal ati, costied a gostio:

Cerddwn Ymlaen

Bu'r Cymro yn cerdded y llwybrau cynefin drwy'r oesau,
Yn crafu bywoliaeth ddigysur o gaenen o bridd,
Yn gwarchod ei fywyd wrth warchod y noethlymun erwau,
Wrth ganlyn yr arad a dilyn yr og ar y ffridd;
Dringodd y creigiau a holltodd y llechfaen yn gywrain,
Turiodd i grombil y ddaear i geibio'r glo,
Gwnaeth gyfoeth i eraill a gwelodd gyfeillion yn gelain,
A chyfoeth hen ffydd a hen eiriau oedd ei gyfoeth o.
    A cherddwn ymlaen, cerddwn drwy ddŵr a thân,
    Cerddwn â ffydd yn ein cân, ymlaen,
    Cerddwn ymlaen!

Bu farw Llywelyn, Llyw olaf y Cymry 'Nghilmeri,
Saith canrif yn ôl ar yr eira diferodd ei waed,
Ar bicell fe gariwyd ei ben ar hyd heolydd Llundain
A'r dorf yn crochlefain wrth ddathlu'r fuddugoliaeth a gaed;
Saith canrif o ormes caethiwed a gafwyd ers hynny,
Saith canrif o ddiodde a brwydro dan gyfraith y Sais,
Ond er dichell pob bradwr a chynllwyn pob taeog a chachgi
Mae'r Cymry ar gerdded a'r bobol yn codi eu llais.
    A cherddwn ymlaen, cerddwn drwy ddŵr a thân,
    Cerddwn â ffydd yn ein cân, ymlaen,
    Cerddwn ymlaen!

Wrth sgrifennu'r geiriau hyn eto'n awr, mae'r cof yn dychwelyd am rai o'r perfformiadau cyntaf hynny o'r gân yn ystod y daith yn 1982, a'r cynnwrf rhyfedd oedd yn cyniwair yn y cynulleidfaoedd. Ond roedd ffactorau eraill hefyd yn cyfrannu tuag at lwyddiant y daith, megis ffolineb yr heddlu cudd yn ceisio gosod offer clustfeinio mewn ciosg teliffon ger Bro Silyn, Talysarn. Digwyddodd hyn yn union cyn cychwyn y daith a chefais gyfle i gyfansoddi cân i gofnodi'r achlysur, a drowyd yn eitem effeithiol iawn gan gyfeiliant hogia Ar Log. Un arall o ganeuon y daith oedd trefniant newydd o'r gân wrth-filitaraidd 'Mae Nhw'n Paratoi at Ryfel', i gyfeiliant tân gwyllt yn ffrwydro ar y llwyfan. (Ymhen ychydig wythnosau, roedd Prydain yng nghanol y dwymyn ryfela wrth i Thatcher anfon ei llynges a'i byddin i Ynysoedd y Malfinas ym mhen draw'r byd, lle lladdwyd 39 o filwyr y Gwarchodlu Cymreig ac anafu 79 yn ddifrifol ar long ddi-amddiffyn y *Syr Galahad*).

Elfen bwysig arall ar y daith oedd y trosiadau o ganeuon Gwyddelig a Cheltaidd, 'Y Pedwar Cae', 'Y Dref a Gerais i Cyd' a 'Dail y Teim', ynghyd â thipyn o serch ('Lleucu Llwyd') a thynnu coes ('Y Blewyn Gwyn'), a chân gref Gareth Glyn, 'Dechrau'r Dyfodol'. Rhoddwyd y cyfan, gyda thraciau offerynnol ychwanegol gan Ar Log, ar LP o'r enw *Rhwng Hwyl a Thaith*. Erbyn hynny roeddem eisoes wedi cychwyn ar y trefniadau ar gyfer taith arall yn 1983.

Hunllef Abertawe

Yn Awst 1982 roedd yr Eisteddfod Genedlaethol yn Abertawe. Roedd Huw Jones wedi gadael Sain i sefydlu Barcud a chwmni Teledu'r Tir Glas, er mwyn paratoi rhaglenni ar gyfer S4C (oedd i gychwyn darlledu ym mis Tachwedd). Un gwahaniaeth mawr rhwng Huw a minnau yw ei fod o'n canolbwyntio ar un peth ar y tro a'i wneud yn iawn, tra 'mod i'n debycach i löyn byw yn mynd o un peth i'r llall, yn ceisio gwneud sawl peth ar unwaith ac, yn aml, yn methu gwneud llwyr gyfiawnder â dim. Ta waeth, erbyn Steddfod Abertawe roeddwn yn gyfrifol mwy na heb am Gymdeithas Tai Gwynedd a Sain, yn ogystal â pherfformio mewn ambell noson yn ystod yr wythnos. Rhwng popeth, aeth pethau'n drech na mi, ac mae'n debyg imi gael y peth tebyca i *nervous breakdown* ges i erioed. Mi es oddi ar y rêls, hitio'r botel yn ormodol ac, un prynhawn heulog, mi dorrodd y llifddorau ac mi lefais fel babi am oriau. Roeddwn yn cuddio mewn cornel yng nghefn pabell Sain, yn methu wynebu neb na dweud dim. Wyddwn i ddim ar y ddaear pam oeddwn i'n crio, ond mi wyddwn na fedrwn i stopio, a bu'n rhaid fy smyglio allan o'r maes gan dynnu cyn lleied o sylw ag y medrem, ac yn ôl i'm llety ym mhentre Pendwylan ac i'r gwely dros fy mhen. Yr unig ddau gof arall sydd gen i am yr wythnos honno yw bod mewn noson yn gwrando ar Mynediad am Ddim a chantorion eraill yn canu, cael fy ngwadd i fyny i'r llwyfan i ganu 'Cerddwn Ymlaen' gyda nhw, a darganfod nad oeddwn yn gallu cofio'r geiriau o gwbl. Ac ar y nos Wener, roeddwn yn cynnal noson i'r Gymdeithas ar fy mhen fy hun mewn stafell orlawn ym mhentre'r myfyrwyr. Cofiaf yn iawn fel yr oedd pob nodyn yn boen, a phob cân yn hunllef, ac roeddwn yn dyheu am gael canu'r gân ola a diflannu o'r golwg. Mae canu'n wych pan fydd pethau'n mynd yn iawn ond, ar adegau fel hyn, mae'n gallu bod yn fwrn ar enaid dyn. Y noson honno, mi gredaf, yr heuwyd y syniad yn fy mhen na fedrwn bara i ganu am byth; yn wir, y byddai'n rhaid imi roi'r gorau iddi yn gynt yn hytrach nag yn hwyrach.

Ond, cyn hynny, roedd 1983 ar y gorwel. Yn gyfleus iawn roedd y flwyddyn honno yn union un ganrif ar bymtheg ers i wron o'r enw Magnus Maximus adael Cymru a dod â theyrnasiad Rhufain i ben yn ein gwlad. Roedd Gwynfor Evans yn awyddus inni ddathlu'r achlysur am mai 383, ym marn Gwynfor, oedd y flwyddyn y gellid hawlio i'r genedl Gymreig ddod i fod. Gadawodd Macsen Wledig (a rhoi iddo ei enw Cymraeg) ein gwlad yn uned wleidyddol weddol unedig ac annibynnol, ac o'r dyddiad hwnnw ymlaen buom yn ceisio rhoi rhyw drefn ar ein cenedl, ar waethaf ein tuedd ddinistriol i ymrwygo ac i ymrannu ymysg ein gilydd. Felly galwyd y daith yn 1983 yn 'Taith Macsen', ac ar gyfer y daith honno y cyfansoddwyd y gân a gysylltir â mi yn fwy na'r un arall erbyn hyn, 'Yma o Hyd'.

Unwaith eto fy mwriad oedd taro nodyn herfeiddiol a chadarnhaol, a dweud wrth y byd: 'Gwnewch eich gwaethaf, mae Cymru yma, ac yma i aros'. Mi wn am rai Cymry pybyr, sy'n tueddu tuag at wleidyddiaeth 'ymyl-y-bedd', sy'n casáu'r gân hon am ei bod mor bositif. Roedd ffrind imi unwaith yn sefyll yng nghefn y neuadd pan glywai rywun yn ei ymyl yn dweud: 'Pa hawl sy gan hwn i weiddi *yma o hyd* a'r iaith Gymraeg bron a marw!' Fel y dywedais eisoes, does gen i ddim i'w ddweud erbyn hyn wrth y math yna o ymagweddu. Mae rhai fel pe baent am siarad yr iaith Gymraeg i'w thranc, a'i hebrwng i'r bedd; maent fel pe baent yn ysu cael dweud 'Dyna fo, mi ddwedais i, on'd do?' yn y fynwent. Mae'n wir bod yn rhaid inni fod yn effro i'r peryglon, ond dim ond iaith â gwên ar ei hwyneb all fyw – does neb am siarad iaith y bedd. Ac rwy'n argyhoeddiedig fod digonedd o fywyd a rhuddin a hwyl yn yr iaith Gymraeg i sicrhau ei goroesiad – a goroesiad ein cenedl gyda hi. 'Er gwaetha pawb a phopeth, ryden ni yma o hyd', – ac yma i aros!

Yma o Hyd

Dwyt ti'm yn cofio Macsen,
Does neb yn ei nabod o,
Mae mil a chwe chant o flynyddoedd
Yn amser rhy hir i'r co;
Ond aeth Magnus Maximus o Gymru
Yn y flwyddyn tri chant wyth tri
A'n gadael yn genedl gyfan,
A heddiw – wele ni!
    Ry'n ni yma o hyd, ry'n ni yma o hyd,
    Er gwaetha pawb a phopeth
    Ry'n ni yma o hyd.

Chwythed y gwynt o'r Dwyrain,
Rhued y storm o'r môr,
Hollted y mellt yr wybren
A gwaedded y daran encôr;
Llifed dagrau'r gwangalon
A llyfed y taeog y llawr,
Er dued y fagddu o'n cwmpas
Ry'n ni'n barod am doriad y wawr.

Cofiwn i Facsen Wledig
Adael ein gwlad yn un darn
A bloeddiwn gerbron y gwledydd:
'Byddwn yma hyd Ddydd y Farn!
Er gwaetha pob Dic Siôn Dafydd,

Er gwaetha'r hen Fagi a'i chriw,
Byddwn yma hyd ddiwedd amser
A bydd yr iaith Gymraeg yn fyw!'

Mi gydiodd Taith Macsen yn y lle y gorffennodd Taith 700, a llenwi neuaddau ym mhob man. Roeddwn wrth fy modd yn y nosweithiau hyn, yn enwedig gan fod llawer llai o bwysau ar rywun na phan oeddwn yn ymddangos ar fy mhen fy hun. Yr adeg hynny, roedd cynnal yr hwyl a dal sylw'r dorf yn dibynnu arna i, ac ar neb arall, ond gydag Ar Log roeddwn yn cael eistedd yn ôl bob hyn a hyn, gwrando ar yr hogia'n perfformio ac yna'n ail-ymuno. Peth newydd i mi hefyd oedd canu i raglen hollol osodedig, ac roedd hyn hefyd yn ysgafnhau'r baich; dim gwaith meddwl a chwilio am y gân nesa, dim ond symud yn rhwydd a di-drafferth o'r naill i'r llall, a'r cyflwyniad offerynnol yn gwbl ddibynadwy bob tro. Yr help mwya, wrth gwrs, oedd cael pŵer a sain yr offerynnau yn cyfuno y tu cefn i rywun, ac yn creu uchafbwyntiau oedd yn gyrru iasau i lawr fy nghefn i, heb sôn am y gynulleidfa. Ac wedi i fonllefau'r dorf ddistewi ac wedi inni roi'r encôr ola, dim ond rhyw awr o lafur caled wrth bacio'r gêr a byddem yng nghanol noson arall yn y gwesty (neu lety neu garafán), ac os nad oedd raid cychwyn yn rhy fore drannoeth byddai'r offerynnau'n dod allan o'u cesus, a'r canu'n para hyd yr oriau mân.

Ond er gwaetha'r hwyl a llwyddiant y ddwy daith, roedd yna anniddigrwydd yn cyniwair, a hunllef Steddfod Abertawe yn mynnu dod i'r meddwl bob hyn a hyn. Erbyn i'r ail LP ar-y-cyd, sef *Yma o Hyd*, ddod allan, yr oeddwn eisoes wedi penderfynu y byddai'n rhaid imi roi'r gorau i'r canu. O'r pellter hwn, mae'n anodd bod yn gwbl sicr pam, ond roedd yn gyfuniad o sawl rheswm. Yn sicr ddigon roedd profiadau Abertawe wrth wraidd y cyfan ond, at hynny, doedd pethau ddim fel y dylen nhw fod ar yr aelwyd gartref, ac roedd yr arwyddion cyntaf yn ymddangos bod llwybrau Marion a minnau yn dechrau gwahanu. Fel sawl pâr priod o'n blaenau, ac ar ein holau ysywaeth, yn hytrach na hidio'r arwyddion hynny, fe adawyd i bethau fynd nes roedd hi'n rhy bell i droi'n ôl. Ond rwy'n mynd o flaen yr hanes braidd, ac efallai mai'r ffactor wleidyddol, yn y diwedd, oedd yn bennaf gyfrifol am fy mhenderfyniad i roi'r gorau i ganu. Ym Mehefin 1983 roeddwn yn ymgeisydd dros y Blaid yn etholaeth Conwy, gyda'r diweddar Dafydd Orwig yn asiant brwd a gwarcheidiol. Roedd hynny yn y dyddiau pan âi llawer o gefnogaeth y Blaid yng Nghonwy i gyfeiriad y Rhyddfrydwr, Roger Roberts, i geisio disodli Wyn Roberts y Tori ac, er i mi gael ambell ddiwrnod o ganfasio lle roedd yr ymateb mor dda nes imi ddechrau credu ein bod yn mynd i ennill, gofalai Dafydd Orwig fy nhynnu yn ôl i'r ddaear gyda sylw tebyg i: 'Na, rhyw bedair mil a hanner gawn ni, gewch chi weld'. Ac mi roedd yn llygad ei le.

Serch hynny, roedd llais y tu mewn imi yn dweud o hyd na fyddai neb yn fy nghymryd o ddifri fel gwleidydd hyd nes y byddwn yn diosg gwisg y 'canwr pop'. A beth bynnag, ar ôl Taith Macsen doedd dim caneuon newydd yn dod i'r fei, ac roeddwn yn dechrau colli'r awydd i berfformio. Mae'n wir i Ar Log a minnau gael sawl noson hwyliog a llwyddiannus gyda'n gilydd am flwyddyn neu ddwy, ond doedd hynny ddim yr un fath â'r teithiau gwreiddiol rhywsut. Ac, yn ben ar y cyfan, daeth 1984 – blwyddyn darogan George Orwell – fel caddug dros fy mywyd, a thros fywydau miloedd o Gymry eraill hefyd.

Tywyllwch 1984

1984 oedd blwyddyn fawr streic olaf y glowyr, a gwelwyd Thatcher ar ei gwaethaf yn benderfynol o drechu'r coliars a'r undebau, unwaith ac am byth. Cafwyd cydweithio bendigedig mewn sawl ardal o Gymru rhwng glowyr a'u gwragedd, rhwng glowyr a ffermwyr oedd yn ymgyrchu yn erbyn y cwotâu llaeth, a rhwng glowyr a chwarelwyr yn ystod y streic. Gwelwyd sawl ardal yn y Gogledd yn casglu arian a bwyd ar gyfer teuluoedd y streicwyr, a bu Plaid Cymru a Chymdeithas yr Iaith yn weithgar yn yr ymgyrch. Ond eto roedd yna rywbeth anorfod yn y diwedd pan ddaeth, gyda Thatcher yn fuddugoliaethus a gweithwyr Cymru unwaith eto dan draed, er gwaetha'r holl aberthu a chaledi.

O'r chwith i'r dde: Arthur Morus, fi a Huw Ceredig, tua 1947, cyn i Alun Ffred ddod i'r byd.

Gyda Mam ar draeth Llangrannog, tua 1948.

Y taniwr a'r pliciwr tatws yng Nglan-llyn, tua 1961.

Mam a Dad ar faes y 'Steddfod.
LLUN: JON MEIRION JONES

Yn actio'r Cybydd yn yr anterliwt Tri Chryfion Byd *gan* Twm o'r Nant, *dan gyfarwyddyd Norah Isaac, ar faes Eisteddfod 1963 yn Llandudno. John Hefin yn hedfan.*

Cefn llwyfan ar ddiwedd Noson Lawen yn Llanelli tua 1967, yng nghwmni Huw Jones, Tecwyn Ifan a Perlau Taf.

Ar ddiwrnod yr Arwisgo, 1969, mewn priodas gyda'r Parch Lewis Valentine. O'r chwith: Gwilym Tudur, Penri Jones, Robat Gruffydd, ?, fi, Geraint Hughes, Lewis Valentine, Gareth Gregory, Peter Cross, Hefin Elis.

Canu 'Carlo' am y tro cyntaf ym Mhafiliwn Pontrhydfendigaid.
LLUN: RAY DANIEL

Yn rali Cilmeri, Mehefin 26ain, 1969. Waldo'n gosod torch, a D. J. Williams yn ei wylio. LLUN: RAY DANIEL

Huw Jones a minnau ac Eirwyn Pont-siân yn Sain Ffagan yn cynllwynio ar gyfer sefydlu cwmni Sain, tua 1968.

Canu yn y Noson Lawen yn Eisteddfod yr Urdd Aberystwyth, 1969, yn dilyn protest y prins.

Siarad gyda DJ y tu allan i lys Aberteifi, pan gyhuddwyd Gwynn Jarvis, Morys Rhys a minnau o 'annog' Ffred Ffransis i dorri'r gyfraith! 'Os gollwn ni heddi,' meddai DJ, 'ma fory i ga'l 'to.'

Cael fy hebrwng i'r llys yn Aber gan yr heddlu, wedi f'arestio cyn 'Achos yr Wyth' yn 1971.

Nhad yn siarad mewn rali pan oeddwn yn y carchar, a Gareth Meils yn gwrando.

Pump o'r wyth: Gwil, Gronw, Ieu Wyn, Rhodri a minnau. LLUNIAU: RAY DANIEL

*Adnewyddu'r hen
bartneriaeth gydag
Edward yn 1975.*

*Annerch Rali'r Sianel ar
risiau Neuadd y Dref,
Caerfyrddin, 1978.*
Llun: D. Heath

Canu eto fyth ar y cwch wrth groesi i'r Iwerddon am gêm rygbi a chyngerdd. Yn canu gyda mi mae Dilwyn Pritchard, ac yn fy anwybyddu mae Owain Bebb, OP, Ieu Rhos a Gareth Beddgelert.
<small>LLUN: GERALLT LLEWELYN</small>

Ar daith hwylio i Groeg a Thwrci yn nechrau'r 80au – cân i gyfeiliant y drymiwr lleol, ac Alan 'Gwallt' yn gwrando'n astud.

Hefin a minnau yn Efrog Newydd yn 1979, gyda threfnydd y daith, Veronica Pugh.

*Gydag Ar Log, adeg recordio
'Cerddwn Ymlaen' yn 1982.*
LLUN: GERALLT LLEWELYN

Chwilio am y gân golledig?
LLUN: BRYN JONES

*Wrth y ddesg recordio newydd yn
Stiwdio Sain, tua 1985.*

Wedi noson 'Cyfeillion Chwarter Canrif' ym Mhafiliwn Corwen, 1988. O'r chwith: Telor, Anti Didi, Lowri Ceredig, Llion, Elliw, Ithel Davies, Mam, Anti Mari ac Anti Nest. LLUN: TEGWYN ROBERTS

Cael teyrnged gan fy hen ffrind Dafydd Êl yn ystod noson Corwen! LLUN: TEGWYN ROBERTS

Mam a'i chwaer Lilian yn edrych i lawr ar Gwm Nant Gwrtheyrn yn ystod yr adnewyddu mawr.

Diwrnod y briodas yng Ngarnfadryn, Medi 24ain, 1988, gyda Bethan, Gwawr y forwyn ac Alun Ffred y gwas. LLUN: DEWI WYN

Trafod ymgyrch etholiad yng ngardd Dafydd Wigley. LLUN: GERALLT LLEWELYN

Celt a Bethan ychydig ddyddiau cyn iddo gael ei daro'n wael. LLUN: TUDUR OWEN

Caio'n croesawu Celt adref o'r ysbyty.

Llun o'r teulu yng ngardd Carrog, Rhos-Bach cyn etholiadau'r Cyngor Sir yn 1995.

LLUN: GLYN DAVIES

Yn Slofenia fel Llys-gennad UNICEF, yn canu i blant ffoaduriaid o Bosnia adeg y rhyfel yno.

Gyda Caio a Celt yn Nyffryn Peris.
LLUN: GLYN DAVIES

Dathlu canlyniad y refferendwm ar ddatganoli, Medi 1997.

Gyda Pwyll, Gari a Charli, band sefydlog y Gogledd rhwng 1990 a 2000.
LLUN: GLYN DAVIES

Y Dyn Pwysig!

(Uchod): Mathew Maynard, capten tîm criced Morgannwg a minnau gyda Roy Evans, Is-Ganghellor Coleg Prifysgol Bangor pan dderbyniwyd ni'n dau yn Gymrodyr yng Ngorffennaf 1998.

(Chwith): Derbyn yr un anrhydedd yn Aberystwyth drannoeth, gyda'r Is-Ganghellor Derec Llwyd Morgan.

Gyda phlant ysgol llwyth crwydrol y Kurikyu yn Ethiopia.

Y Band a minnau gyda'n gilydd am y tro ola yn Sioe Llanddarog, 2001. O'r chwith: Fi, Pete, Charli, Tudur, Gari ac Euros.
LLUN: PATRICK ELLIS

Llongyfarch Gwynn Davies ar ennill medal T. H. Parry-Williams, Awst 2002.
LLUN: EMYR RHYS WILLIAMS

Gyda'r bechgyn yng Nghaerdydd, Hydref 2002. Roedd Elliw Haf (y llun bach) yn methu bod gyda ni ar y pryd.

Taid Garnfadryn, Caio, Celt, Bethan, Anti Maira, Glyn (brawd Bethan) a Macsen y ci yn nechrau haf 2000. Bu farw Taid ym mis Mehefin, a Maira yn niwedd Awst y flwyddyn honno, gan fylchu'r teulu – a chymuned y Garn – yn arw.

Sefais innau fel ymgeisydd y Blaid yn Etholiad Ewrop dros y Gogledd. Roedd yn etholiad galed a'r ardal i'w chanfasio yn anferthol, o Aberdaron i Queensferry, ac o Amlwch i Aberdyfi. Fel gyda phob etholiad arall, mi fwynheais rai agweddau ar y gwaith (a dysgu llawer), ond er imi gael y bleidlais uchaf a gafodd Plaid Cymru erioed tan hynny, siomedig fu'r canlyniad. Ac i wneud pethau'n waeth, yn seremoni cyhoeddi'r canlyniad roedd hi'n amlwg nad oedd Marion bellach yn rhy awyddus i gael ei gweld wrth fy ochr ar achlysur cyhoeddus o'r fath. Nid wyf am swnio fel pe bawn yn ei beio, dim ond dweud mai yn y funud honno o siom etholiadol y sylweddolais, mewn difri, fod ein priodas yn chwalu mewn gwirionedd. Ac roedd y daith adre'r noson honno, o'r Fflint i'r Waunfawr, yn hunllef o siwrne.

Ond roedd gwaeth i ddod. Ym mis Awst, wythnos wedi Eisteddfod Genedlaethol Llanbedr Pont Steffan, daeth galwad ffôn oddi wrth Mam yn dweud bod Dad wedi cael trawiad ar y galon a'i fod yn Ysbyty Bron-glais yn Aberystwyth. Aeth Marion a minnau i lawr i Gaerwedros i fod gyda Mam, a deall erbyn hynny bod Dad yn anymwybodol, a bod y drawiad wedi bod yn un drom iawn. Dywedwyd wrthym gan yr ysbyty nad oedd pwrpas inni fynd i mewn, y bydden nhw'n ein ffonio yn y bore. Pan ddaeth yr alwad, roedd popeth drosodd a Dad wedi'n gadael. Y tro diwethaf imi ei weld oedd yn arwain y rhaglen ar deulu'r Cilie ar faes y Steddfod, yn fawr ei ffwdan yn ceisio cael pawb ohonom ynghyd i ymarfer. Yn y cyflwyniad ei hun yn y Babell Lên, wrth i'r sleidiau gael eu cymysgu a'r rhaglen fynd braidd yn herciog, cofiaf iddo ddweud wrth y gynulleidfa:

'Peidiwch a chymryd sylw o'r camgymeriadau, *fory* ni'n cael y rihyrsal'.

Dywedodd rhywrai wrthyf wedyn ei fod wedi cael y drafferth arferol, flynyddol, wrth geisio tynnu'r adlen oddi wrth y garafán fechan oedd ganddo fe a Mam, ac eto wrth geisio bachu'r garafán wrth y car. Dywedodd rhywun arall ei fod wedi pregethu'n ysbrydoledig yng Nghapel Als, Llanelli y noson cyn iddo gael ei daro'n wael: 'Y gore glywes i e' erio'd!'. Yr unig gysur oedd mai fel hynny y byddai wedi dewis cael mynd, o ganol ei waith, gyda'i lyfr cyhoeddiadau'n

113

llawn am flynyddoedd i ddod. Er ein bod fel teulu wedi gorfod arfer byw a bodoli yn eithaf annibynnol ar ein gilydd, mawr yw fy nyled i Nhad am roi imi sylfaen gadarn i'm bywyd fel Cymro ac fel Cristion, a hefyd fel Cenedlaetholwr a Heddychwr.

Yr oedd teulu'r Cilie wedi'i fylchu'n arw iawn mewn cyfnod cymharol fyr, a chyda marw Jac Alun, Tydfor a Dad, roedd y cysylltiad agos ag ardal Cwm Tydu wedi darfod yn llwyr i bob pwrpas. Mae'r englyn a gyfansoddodd Gerallt Lloyd Owen i Nhad, ac a welir ar ei garreg fedd yng Nghapel y Wîg, yn gampwaith bach, ac yn drist o wir:

> Yn niwedd y cynhaeaf – chwi wŷr llên
> Ewch â'r llwyth yn araf;
> Heliwch i'r helm lwch yr haf,
> Hel i'r Cilie'r cae olaf.

Ond doedd 1984 ddim wedi cael y gair olaf eto. Fe'm perswadiwyd – neu mi berswadiais fy hun, dwi ddim yn cofio pa un erbyn hyn – i herio Dafydd Elis Thomas unwaith eto mewn etholiad cenedlaethol, y tro hwn am Lywyddiaeth Plaid Cymru, wedi i Dafydd Wigley benderfynu sefyll i lawr am resymau teuluol. Roeddwn yn gydwybodol gredu bod angen herio Dafydd Êl am ei fod yn llawer rhy barod i wadu'r traddodiad o genedlaetholdeb Cymraeg oedd mor greiddiol i hanes ac ethos y Blaid. Rwy'n ddigon o realydd i sylweddoli bod yn rhaid tynnu pob mudiad o ambell rigol rhy gyfforddus, ond os cyll y Blaid olwg ar yr hyn sy'n ei gwneud yn wahanol i bob plaid arall, sef cenedligrwydd Cymru a'r iaith Gymraeg, yna fe gyll y cyfan. Er fy mod yn gallu gwneud yn iawn gyda Dafydd fel person, ac er ei fod wedi cyfrannu llawer iawn i wleidyddiaeth Cymru, y mae'n ormod o gameleon gwleidyddol ac yn ormod o acrobat deallusol i fod yn arweinydd dibynadwy. Serch hynny, yn y frwydr arbennig honno yn 1984, doedd gen i ddim stumog na chalon iddi; roedd y flwyddyn wedi tynnu gormod allan ohonof a doedd gen i ddim awydd nac ewyllys i ennill. Mi enillodd Dafydd Êl fuddugoliaeth gymharol rwydd, er na welais erioed y ffigyrau manwl. Cefais innau fy mhenodi'n Is-lywydd, fel rhyw fath o wobr gysur. Credwn ei bod yn bwysig imi aros yn rhan o arweinyddiaeth y Blaid, pe na bai ond i gyd-bwyso tueddiadau llai cenedlaetholgar y Llywydd newydd, ac arhosais yn y swydd gydol teyrnasiad Dafydd Êl.

Erbyn 1985, rhaid fy mod wedi ad-ennill peth brwdfrydedd dros wleidyddiaeth, yn arbennig felly gwleidyddiaeth leol, gan imi sefyll fel ymgeisydd y Blaid ar gyfer y Cyngor Sir dros ward Waunfawr a'r Bontnewydd ym mis Mai'r flwyddyn honno. Fy ngwrthwynebydd oedd un o'r hen stejars, y diweddar Henry Owen ('Annibynnol') ac, er diwyd ganfasio a chodi gobeithion ar fy rhan i a'm cefnogwyr, ef a orfu, a daeth i ben un o'r cyfnodau lleiaf llewyrchus a fu yn hanes etholiadol unrhyw un mewn hanes! Roedd deng mlynedd o ddŵr i fynd o dan bont y Bontnewydd cyn imi gael dial am fethiant '85.

Cyn gadael 1985, fodd bynnag, mi ddylwn gyfeirio at Ŵyl Werin fechan a gynhaliwyd ar y trydydd ar ddeg o Orffennaf yng Nghanolfan Hamdden Drefach Felindre, ger Castell Newydd Emlyn. Ei henw oedd Gŵyl y Cnapan, a go brin y gallwn fod wedi dychmygu yr adeg honno fel yr oedd yr ŵyl honno am dyfu a datblygu dros y pymtheg mlynedd nesaf a dod yn un o brif wyliau gwerin Cymru, yn ysbrydoliaeth i nifer o wyliau eraill ac yn un o brif uchafbwyntiau blynyddol fy ngyrfa fel canwr. Wedi gorffen y sbot olaf y noson honno, fodd bynnag, roeddwn yn anelu trwyn y car yn ôl am y Waunfawr, oherwydd y bore trannoeth am ddeg y bore roedd gen i oedfa yng Nghapel Deunant, Aberdaron, capel hyfryd Uwchmynydd am ddau, a Rhydlïos am chwech.

Ysgariad

Ond roedd materion eraill yn ei gwneud yn anodd iawn imi gyflawni unrhyw orchwyl fel y dyliwn, ac yn gwneud bywyd yn ddiflastod llwyr. Mae unrhyw un a fu drwy ysgariad yn gwybod, a does dim diben yma imi ymhelaethu gormod. Yn sicr, does dim diben chwaith imi fwrw bai ar neb ond arnaf fi fy hun, ond pan fydd awyrgylch rhwng dau yn cyrraedd y pwynt ofnadwy hwnnw lle nad oes geiriau yn bosib, mae'n rhaid i rywbeth roi. Roedd Marion yn gymeriad cryf, ac wedi bod yn gefn imi drwy flynyddoedd hir ac anodd, ond bellach roedd am gael ei bywyd ei hun ac roedd wedi penderfynu mai gwahanu fyddai orau inni. Mae merched at ei gilydd yn well na ni'r dynion am wneud penderfyniadau anodd o'r fath. Roeddwn i'n dal i obeithio rhyw'fodd, rhyw'sut, y byddai modd inni gael cyfaddawd, ond eto roedd awyrgylch y cartref yn boen ar bawb, a'r plant yn gwybod yn iawn bod rhywbeth mawr o'i le. Roedd fy mywyd o ruthro di-stop o un pen i'r wlad i'r llall dros yr achos hwn a'r achos arall, o gyngerdd i rali, ac o bwyllgor i bwlpud, wedi bwrw'u draul, ac yr oedd y pris yn uchel.

Pan gyrhaeddodd y papurau ysgariad drwy'r post, mi wyddwn fod y cyfan ar ben. Dyna pryd y dechreuais sylweddoli o ddifri mai'r unig ateb ymarferol fyddai'r hyn yr oeddwn wedi gwrthod ei ystyried o gwbl tan hynny, sef y byddai'n rhaid imi symud allan a chael rhywle arall i fyw. Hwnnw oedd y rhwyg olaf a'r cam mwyaf anodd o'r cwbl, gan fod y berthynas rhyngof â Llion, Elliw a Telor yn un dda, ac yr oedd meddwl am eu 'gadael' yn torri fy nghalon. (Rwy'n ymddiheuro'n llaes i'r bobol hynny druain y bûm yn crio ar eu hysgwyddau yn ystod y cyfnod hwn – does dim babi gwaeth na dyn yn ei oed a'i amser). Yr oeddwn yn rhoi pas i'r plant un noson yn y car pan eglurais y sefyllfa wrthyn nhw, a thorri'r newydd y byddwn yn 'symud allan'. Roedd eu hymateb yn rhyfeddol o aeddfed a chall, ond gwn yn iawn fod yno graith hyd y dydd heddiw. Cefais loches dros dro yn nhŷ fy mrawd, Alun, nes imi brynu tŷ teras yn Heol Edward, Twtil yn nhre Caernarfon. Roedd hwnnw'n hwylus i'r plant alw heibio o Ysgol Syr Hugh Owen lle'r oedden nhw'n ddisgyblion ac, fel sy'n digwydd yn aml ar adegau fel hyn, adeiladwyd perthynas newydd, gryfach rhyngof a'r plant. Mae'n dda iawn gennyf ddweud bod y berthynas wedi cryfhau gyda'r blynyddoedd, a'r tri wedi dod trwy'r cyfnod anodd yn ddianaf. Mae'r tri, Llion Tegai, Elliw Haf a Telor Hedd yn blant y gallwn, fel rhieni, fod yn falch ohonyn nhw ac erbyn hyn maen nhw'n ffrindiau gwerthfawr ac annwyl i'w dau frawd bach, Caio a Celt.

Ers dechrau'r wythdegau, roeddwn wedi bod yn pregethu'n achlysurol ar y Sul. Eglwys Annibynnol y

Waunfawr (nad yw'n bod ers blynyddoedd bellach, fel cynifer o'r eglwysi lle bûm yn gwasanaethu) a ofynnodd imi i ddechrau i 'lenwi pulpud' wedi i rywun arall dynnu'n ôl. Roeddwn yn amharod iawn i ddechrau, gan mai prin iawn oedd fy nghysylltiad wedi bod â chapel ers peth amser, a phethau eraill wedi cael blaenoriaeth dros grefydd yn fy mywyd. Ond roeddwn yn dal i gredu, ac yn dal i wybod nad oedd achos pwysicach yn y pen draw na Christnogaeth. Gofynnais i Nhad am gyngor, a chefais ddwy neu dair cyfrol o bregethau William Barclay ganddo, a'r cyfrolau hynny fu'n sail i'm pregethu fyth ers hynny. Anodd iawn oedd hi am y flwyddyn neu ddwy gyntaf, ac ansicrwydd mawr yn bygwth fy llethu ar adegau. Ond, yn raddol, tyfodd fy hyder a daeth yr oedfaon ar y Sul yn fodd i sefydlogi fy mywyd ar adeg pan oedd gwir angen hynny. Ond yn awr, a'r cartre wedi chwalu a'n priodas ar ben, yr oeddwn mewn cyfyng-gyngor. Ar y diwrnod y cyrhaeddodd y papurau twrne, cofiaf fynd i Sain mewn cyflwr rhwng sioc ac anobaith. Wedi eistedd wrth fy nesg am sbel, mi wyddwn nad oedd gennyf ddewis ond ffonio pob un o'r eglwysi oedd wedi trefnu oedfaon – rhai ohonyn nhw flynyddoedd ymlaen llaw – i ganslo pob un. Hwnnw oedd y gwaith anoddaf a gefais erioed ar un wedd, a hwnnw hefyd oedd y gwaelod isaf mewn cyfnod uffernol o ddu.

Ail-gychwyn

Mewn ffordd ymarferol iawn, y pregethu a ddaeth â mi i gysylltiad â'r un a ddaeth yn ddiweddarach yn wraig imi, a'r un a fu'n fodd i wneud bywyd yn werth ei fyw unwaith eto. Ymddeoliad cymharol fyr, diolch i'r drefn, a gefais o bregethu, ac un o'r eglwysi cyntaf i'm perswadio i ail-afael ynddi oedd eglwys fach Garn Fadryn ym Mhen Llŷn. Roeddwn wedi dotio at y lle y tro y bûm yno o'r blaen am ei fod yn lle mor fendigedig, yn edrych draw ar Fynydd y Rhiw a Phorth Neigwl o lechweddau'r Garn, a chriw o bobol ifanc glandeg yn llenwi un o feinciau'r Ysgoldy bach. Maira Jones oedd yn cadw'r Llyfr Bach, yn codi'r canu ac yn Drysorydd, ac yn cadw siop y pentre. Hi a'm perswadiodd i ail-afael ynddi, a hi hefyd oedd yn gwneud te bach i'r pregethwr cyn iddo fynd ymlaen i'r Dinas am oedfa'r hwyr. Yn rhannu'r bwrdd te yng nghegin fach Tangrisiau y prynhawn Sul heulog hyfryd hwnnw roedd Bethan, ei nith, y ferch ifanc anwyla'n bod ac mi syrthiais mewn cariad â hi, dros fy mhen a 'nghlustiau.

O dipyn i beth, a minnau'n dechrau ymgynefino â bywyd ar fy mhen fy hun yn Nhwtil, yn ail-ddysgu gwneud pethau defnyddiol fel golchi dillad a smwddio, coginio a golchi llestri, roedd y negeseuon rhyngof â'r ferch o'r Garn yn amlhau. Wedyn magu plwc i drefnu cyfarfod yma ac acw, a cheisio cadw allan o olwg pobol yr un pryd. Wedi'r cyfan doedd proses araf yr ysgariad ddim wedi'i gwblhau, a doedd 'na ddim llawer o bobol wedi clywed am y gwahanu. Mae'n siŵr fy mod innau yn or-hunanymwybodol, felly cafwyd rhai misoedd o gyfarfod digon llechwraidd (a doniol, o edrych yn ôl o'r pellter hwn). Roedd Bethan wedi colli ei mam yn sydyn flwyddyn neu ddwy ynghynt, ac roedd yn cadw tŷ i'w thad a'i brawd yn Fron-deg yn ogystal â gweithio mewn banc ym Mhwllheli. Roedd ei thad, William Huw, yn saer coed yng ngwersyll Butlins, ac yn flaenor yn y capel. Er ei fod y mwyaf croesawgar o ddynion, roedd yn hollol bendant na chawn i roi troed yn y tŷ hyd nes y byddai'r ysgariad yn derfynol. Cyfnod anodd ar un wedd oedd hwnnw, ond eto mi wyddwn yn fy nghalon fy mod wedi cyfarfod â chymar gweddill fy mywyd. Pan benderfynodd y gyfraith fy mod yn ddyn di-briod drachefn, cefais groeso cynnes a diffuant iawn ar aelwydydd Fron-deg a Thangrisiau, a bydd gennyf le mawr i ddiolch i Maira a William Huw tra byddaf byw. Bu farw'r ddau o fewn wythnosau i'w gilydd yn haf 2000, blwyddyn a fylchodd y Garn yn ofnadwy gan i nifer o'u cyfoedion ddod i ben eu rhawd yr un pryd. Mae'r Garn yn sicr yn un o'r cymunedau hynny (etholaeth Seimon Glyn, gyda llaw) sy'n ymladd am ei hoedl y dyddiau hyn.

Twtil

Rhwng 1986 ac 1988 felly, 'Y Gilfach', 9 Heol Edward, Twtil, Caernarfon oedd fy nghyfeiriad. Roeddwn yn byw i weld y plant pan oedd hynny'n bosib, ac i weld Bethan pan oedd hynny'n ymarferol. Yr hyn sy'n syndod, o edrych ar ddyddiaduron y cyfnod, yw fod cynifer o bethau eraill wedi cario mlaen fel 'tae dim wedi digwydd yn fy mywyd personol. Roeddwn yn dal i fynd i Sain bob dydd ac yn dal i drefnu recordio pob math o artistiaid gwahanol; yn dal i fynychu Pwyllgorau Gwaith a Chyngor Cenedlaethol y Blaid; yn dal i dderbyn galwadau i siarad neu ganu mewn rali fan hyn a phrotest fan draw dros Ddeddf Iaith, dros CND, yn erbyn Apartheid, neu i ddathlu llosgi'r Ysgol Fomio ym Mhenyberth yn 1936. Beth bynnag sy'n digwydd i ddyn yn bersonol, mae'r byd yn mynd yn ei flaen. Dau ddigwyddiad a gymrodd lawer o f'amser yn 1986 oedd cefnogi streic chwarelwyr Blaenau Ffestiniog, a recordio gwaith cerddorol arbennig iawn o waith Tony Biggin, *The Gates of Greenham,* ar y cyd gyda'r Crynwyr fel teyrnged i ferched dewr Comin Greenham.

Trwy'r cyfan roedd y canu'n parhau – mewn cartre hen bobol fan hyn a neuadd gyngerdd fan draw – yr oedfaon pregethu wedi ail-gychwyn o ddifri ac yn amlhau, ambell raglen deledu i gadw'r blaidd rhag y drws, a Chymdeithas Tai Gwynedd, fel y tlodion, gyda ni o hyd. Yn wir, roedd Tai Gwynedd erbyn hyn wedi esgor ar chwaer fach, Cymdeithas Tai Eryri, oedd yn cael ei hariannu gan y llywodraeth ac felly i dyfu'n fuan yn llawer mwy na'i chwaer fawr. Ar ben hynny, roeddwn yn Gadeirydd Cwmni Cyhoeddi Gwynn a brynwyd ar y cyd gan Sain, Gwilym Tudur ac Eirug Wyn, yr awdur toreithiog. Roeddwn yn dal ar bwyllgor Antur Waunfawr ac yn aelod o dîm Talwrn y Beirdd y Waunfawr; roeddwn hefyd yn un o'r criw bychan a ddaeth ynghyd i sefydlu Arianrhod, sef cwmni i brynu eiddo masnachol i'w gosod i denantiaid a busnesau lleol er mwyn ceisio cadw perchnogaeth yr eiddo yn nwylo'r Cymry ac annog Cymry eraill i fentro mewn busnes. Haearn arall oedd gen i yn y tân oedd bod yn aelod o gwmni NaNog, cwmni teledu annibynnol a sefydlwyd i greu rhaglenni ar gyfer S4C, ond gan i'r rhan fwyaf o'r syniadau yr oedd gen i ddiddordeb ynddyn nhw ar gyfer rhaglenni gael eu gwrthod gan y comisiynwyr, cymharol ychydig o ran a chwaraeais i yng ngwaith y cwmni hwnnw.

Roedd 1987 yn flwyddyn blodeuo'r berthynas rhwng Bethan a minnau. Gyda'r ysgariad bellach yn swyddogol, a hunllef oeraidd y llys ysgariad y tu cefn i ni, roeddem yn gallu cyfarfod yn agored a chyhoeddus. Er imi fethu (yn ôl y disgwyl) i gael gwarchodaeth y plant gan y llys, cefais yr hawl i'w gweld fel y mynnwn a datblygodd perthynas gynnes rhyngddynt â Bethan yn fuan iawn. Roedd cwmni a chariad Bethan wedi gwneud dyn newydd ohonof a daeth asbri newydd yn ôl i'm canu, ac yn raddol daeth caneuon newydd hefyd i fod. Roedd pob awydd i roi'r gorau i ganu wedi diflannu ac yr oedd y bartneriaeth rhyngof fi ac Ar Log yn cael ei ail-greu yn achlysurol, megis yng Ngŵyl y Cnapan ac ar nos Wener Eisteddfod Genedlaethol Sir Benfro yn 1986, pan dynnwyd y lle i lawr mewn neuadd yn Hwlffordd. Roedd Bethan a mi wedi penderfynu y byddem yn priodi yn ystod tymor yr hydref, 1988, a threuliwyd y rhan fwyaf o 1987 yn chwilio am ein cartref newydd. Gan mai merch i dyddyn yn y wlad yw Bethan ni fedrai feddwl am fyw mewn tre, mewn stryd o dai nac mewn stad.

Yn y cyfamser, fodd bynnag, roeddwn wedi cartrefu'n braf yn Nhwtil ac wedi dod yn rhan o'r gymdeithas yno i raddau. Mae Twtil fel pentre bychan o fewn tre Caernarfon, pentre hollol Gymraeg a chymdogol, mor Gymraeg yn wir fel bod teulu o dras Pacistanaidd, yn eu dillad llaes traddodiadol, yn chwarae mewn Cymraeg gloyw ar waelod y stryd ar foreau Sadwrn. Bûm yn ffodus iawn o gael cymdoges ardderchog, sef Gwen Favretto, a wnaeth imi deimlo'n gartrefol cyn gynted ac y symudais yno i fyw. Y tro cyntaf imi roi dillad ar y lein i sychu deuthum adre i'w cael yn bentwr taclus, wedi eu smwddio'n ofalus, ar garreg fy nrws. Daethom yn gyfeillion mawr ac y mae'n chwith ar ei hôl; roedd yn un o deulu mawr yn yr ardal, ac y mae perthnasau iddi'n byw yn y Bontnewydd ac un o'i disgynyddion, Jac, yn un o gyfeillion agosaf Celt, y mab, yn Ysgol y Bont. Cofiaf yn dda fy mod yn cyfansoddi cân newydd un noson ar gyfer rhaglen *Noson*

Lawen oedd i gael ei ffilmio ar fferm Lleuar Bach, cartre Alan Jones y pencampwr cŵn defaid, a Gwen yn curo ar y drws drannoeth yn dweud ei bod 'yn leicio'r gân newydd yn fawr iawn'. 'Pam, oeddech chi'n gallu ei chlywed?' meddwn innau. 'Bob gair. Ro'n i'n ista ar waelod y grisia a 'nghlust ar y parad am oria!' Hon oedd y gân a anwyd y noson honno yn Heol Edward ac a gyflwynais ar record yn ddiweddarach i Gwen Favretto, i ddiolch iddi am ei charedigrwydd ar adeg anodd:

Yr Hen, Hen Hiraeth

Mae'r dyddiau'n gwibio heibio ar fy ngwaetha
Ac mae'r rhod yn dal i droi yn gynt na chynt,
Mae hen wlad fach fy nhadau yn diodde'r newidiadau
Ac mae'r goeden dderwen ddewra yn gwyro yn y gwynt,
    Ond mae'r hen, hen atgofion yn dal i dorri 'nghalon,
    Ac mae'r hen, hen hiraeth yn dod yn ôl,
    Ac mae'r hen, hen ddagrau yn dal i losgi 'ngruddiau
    Wrth im gerdded ar hyd hen, hen lwybrau y ddôl.

Mae arwyddion mawr Cymraeg ar hyd y draffordd,
Y draffordd sydd yn mynd i Loeger draw,
Ac mae'r traffig gwyllt diderfyn yn mynd â phlant y dyffryn,
Ymhell o fro'u cynefin yr ânt dan godi llaw.

Mae bwthyn bach fy Nain yn fwthyn gwyliau
A'r teledu sydd yn llenwi cornel Taid,
Ac mae iaith y Cwrdd a'r Sasiwn yn newid gyda'r ffasiwn
Ac yn llifo ar hyd y gwifrau yn garnifal di-baid.

Un arall oedd yn byw yn Nhwtil ar y pryd oedd y diweddar Arthur Williams, y newyddiadurwr rhadlon a fu'n golofnydd Cymreig gyda'r *Daily Post* am flynyddoedd. Roedd yn ŵr difyr a diwylliedig a chafwyd sawl seiat hyfryd dros whisgi bach yn y Twtil Vaults, a'r ddau ohonom, ar un adeg, yn dechrau cynllunio ymgyrch i gael canolfan gymunedol i'r pentre. Ysywaeth, symudodd y ddau ohonom ymlaen i drigfan arall cyn i'r cynllun ddechrau cael ei wireddu, ond melys y cof amdano. Tenantiaid croesawus y Vaults ar y pryd oedd Olwen a Ieuan, sydd bellach wedi ymddeol i'r Bontnewydd, a'u mab Chris yn rhedeg un o'r siopau sglodion gorau yng Nghymru yn y pentre – Y Penfras Aur.

Gwinllan a Roddwyd

Wedi'r ddwy LP a gyhoeddais ar y cyd gydag Ar Log yn '82 ac '83, aeth tair mlynedd heibio cyn imi gyhoeddi un arall ar fy mhen fy hun. Roedd *Gwinllan a Roddwyd,* a ddaeth i olau dydd yn 1986, yn fwriadol wleidyddol a chenedlaethol ei naws. Nid damwain oedd y ffaith iddi gael ei chyhoeddi ar hanner-canmlwyddiant y 'Tân yn Llŷn', ac fe'i cyflwynais 'i gofio'r Tri' a losgodd yr Ysgol Fomio ym Mhenyberth yn 1936. Wedi siom fawr 1979, a sawl ergyd wedi hynny, roeddwn yn teimlo'n gryf bod angen cadarnhau ein cenedlaetholdeb yma yng Nghymru. Yr oedd hynny'n fwyfwy amlwg yn natur ac awyrgylch y nosweithiau gyda'r Band yn niwedd yr 80au a thrwy gydol y 90au.

Roedd nifer o ganeuon yr albym yn 1986 yn cysylltu'n uniongyrchol gyda Saunders Lewis (roedd ef wedi marw y flwyddyn cyn hynny, a minnau wedi cael y fraint o fod yn un o gludwyr ei arch), D. J. Williams a Lewis Valentine. Cyfansoddais 'Cân Goffa Lewis Valentine' ar gyfer y cyfarfod coffa a gynhaliwyd yn Llandudno ar Fai'r trydydd ac roeddwn wedi meddwl ers tro y carwn recordio 'Gweddi Dros Gymru' ar alaw 'Ffinlandia'. Roedd 'Cân i D.J.' yn deyrnged i'r gŵr llawn hiwmor a diddordeb byw mewn pobol a'u hachau y cefais y fraint o'i gyfarfod droeon – yn hytrach na rhyw sant arallfydol – ac yr oedd y gân-deitl, 'Gwinllan a Roddwyd', yn galw i gof yr araith enwocaf o ddramâu Saunders Lewis, 'Gwinllan a roddwyd i'm gofal yw Cymru fy ngwlad...':

Gwinllan a Roddwyd

O'r gorwel mae gair y gŵr yn herio
A breuddwyd y proffwyd praff yn herio,
A'r gwyliwr ar y tŵr yn herio
Gwlad mor llywaeth, gwlad mor saff.
Ai yn ofer ei eiriau ef?
Oni chlywi di'r alwad gref
Inni sefyll yn gadarn yn awr
Dros Gymru, dros ryddid yn awr?

Gwinllan a roddwyd i'n gofal,
Gwinllan a roddwyd i ni,

Ie, gwinllan a roddwyd i'n gofal,
Meddiannwn hi!
Meddiannwn hi!

Mae'r niwl ar y tipie glo yn cofio,
Mae'r llwyni rhwng y llechi llwyd yn cofio,
A'r beddau yn y gro yn cofio
Gwres y frwydr a thân y nwyd.
Nid yn ofer eu haberth hwy,
Yn ein dwylo mae'n tynged mwy,
Fe safwn gyda'n gilydd yn awr
Dros Gymru, dros ryddid yn awr!

Mae nifer o ganeuon eraill ar yr albym sydd wedi dod yn adnabyddus am wahanol resymau. Yn ail i 'Yma o Hyd', mae'n debyg mai 'Hawl i Fyw' yw'r gân yr oedd pobol o bob oed yn tueddu i ofyn am ei chlywed yn fy nghyngherddau drwy'r 90au. Cyfansoddais hon ar gyfer cyngerdd yn Neuadd Dewi Sant, Caerdydd, i godi arian ar gyfer y newyn yn Ethiopia ond, gwaetha'r modd, gellir ei chymhwyso ar gyfer plentyn mewn sawl rhan o'r byd wrth i newyn neu drychineb naturiol neu ryfeloedd fygwth eu hawl i fywyd a rhyddid a heddwch. Wrth imi sgrifennu hwn, mae rhywun yn gweddïo na fyddwn yn gorfod ei chymhwyso i blentyn yn Irac am fod dyn bach â grym mawr fel George Bush am warchod buddiannau cyfalafiaeth y Gorllewin drwy fomio gwlad arall eto yn yfflon rhacs:

Hawl i Fyw

Rwyt ti'n edrych ar fy llun mewn cydymdeimlad,
Rwyt ti'n gofyn pam mae hyn yn gorfod bod,
Rwyt ti'n colli ambell ddeigryn o dosturi
Ac rwyf finnau'n ofni gweld yfory'n dod.
    Ond fe'm ganwyd innau'n fab i fy rhieni
    Ac mi glywais ddweud fod pawb yn blant i Dduw,
    Rwy'n frawd i ti, a thithau'n frawd i minnau,
    O pam na chaf fi hefyd hawl i fyw?

Do, mi welais y gwleidyddion yn mynd heibio
A phob un yn ysgwyd pen mor ddoeth, mor ddwys,
Ac mi welais yr offeiriad yn penlinio
Cyn fy mhasio am nad wyf fi'n neb o bwys.

Fe fûm i'n chwarae unwaith gyda'm ffrindie
Ond fe'u gwelais nhw yn mynd o un i un,
Mi gollais fy nhad un nos a mam un bore
A'm gadael innau ar fy mhen fy hun.

Ond mi glywais rai yn sôn am fynydd menyn,
Ac mi glywais rai yn sôn am lynnoedd llaeth,
Ond mi wn na fyddech chi, sy'n Gristionogion,
Yn caniatau gwastraffu bwyd a maeth,
    Ac fe'm ganwyd innau'n fab i fy rhieni,
    Ac mi glywais ddweud fod pawb yn blant i Dduw,
    Rwy'n frawd i ti, a thithau'n frawd i minnau,
O pam na chaf fi hefyd,
pam na chaf fi hefyd,
pam na chaf fi hefyd hawl i fyw?

Cân arall o'r record honno sy'n rhyfeddol o boblogaidd, yn enwedig gan rai a fu ar wyliau yng Ngwlad Groeg, yw 'Draw Dros y Don' y caf gyfle i sôn mwy amdani yn y bennod nesaf, a hefyd 'Yr Hen, Hen Hiraeth' y cyfeiriais ati eisoes. Roedd dogn helaeth o ddychan ar y record hefyd – 'Cwyngan y Sais', sy'n cwyno ar ran y Saeson am nad ydyn nhw'n cael y diolch maen nhw'n ei haeddu am wneud cymaint o gymwynasau i gymaint o wledydd ar draws y byd. Arni hefyd mae 'Mae'r Saesneg yn Esensial', y gân a ysbrydolwyd gan y ddwy wraig o Fôn a aeth â Chyngor Gwynedd i dribiwnlys diwydiannol am fynnu bod angen y Gymraeg fel cymhwyster i weithio mewn cartre hen bobol ar yr ynys. Os oeddwn i'n teimlo'n wirioneddol gryf am rywbeth, fe'i cawn yn aml yn haws i gyfansoddi cân ddychan ar y pwnc, yn hytrach na phregeth ar gân, ac rwy'n siŵr fod hynny'n cael y neges drosodd yn fwy effeithiol hefyd yn y pen draw. Elfen arall oedd yn yr albym oedd yr elfen grefyddol, yn bennaf mewn caneuon fel 'Mi Glywaf y Llais', cân a gyfansoddais yn wreiddiol i Trebor Edwards, 'Cân Goffa Lewis Valentine' a 'Hawl i Fyw'.

Ond, uwchlaw popeth, albym wleidyddol genedlatholgar oedd *Gwinllan a Roddwyd*, ac yr oedd 1986 yn flwyddyn o ralïau torfol ar sawl pwnc a minnau yn cymryd rhan, fel canwr ac fel siaradwr, yn y rhan fwyaf ohonyn nhw. Cofiwyd am Benyberth ar ddau achlysur, gan Blaid Cymru ar

Orffennaf y pumed yn 'Rali'r Deffro', pan gyplyswyd llosgi'r Ysgol Fomio yn 1936 gyda buddugoliaeth Gwynfor yng Nghaerfyrddin yn 1966, ac yna ar Fedi'r chweched, Rali 'Cofio Penyberth', eto ym Mhwllheli a Phenrhos. Ar nos Sadwrn, Mawrth yr wythfed roeddwn yn canu mewn noson Gŵyl Ddewi yng Nghlwb yr Atomfa yn Nhrawsfynydd i gefnogi chwarelwyr Blaenau Ffestiniog oedd ar streic. Ar Fawrth y nawfed ar hugain roedd rali a chyngerdd mawr gan CND yng Nghaerfyrddin, ac ar Fehefin yr wythfed ar hugain roeddwn yn canu i dorf luosog mewn rali yn erbyn Apartheid ym Mharc Cathays, Caerdydd. Ar Orffennaf y deuddegfed, rali arall yng Nghaerfyrddin i nodi ugeinfed pen-blwydd buddugoliaeth Gwynfor, yna yn ôl i Erddi Soffia, Caerdydd ym mis Hydref i Ŵyl CND Cymru, heb sôn am sawl cyfarfod protest a rali gan Gymdeithas yr Iaith hwnt ac yma. Os oedd Magi Thatcher ar ei gorsedd ac yn ei phreim roedd hadau gwrthryfel mawr yn y gwynt, a'i gwrthwynebwyr lluosog yn hogi eu harfau.

Carrog, 1988

Ffrwyth y chwilio dyfal a fu am gartref i Bethan a minnau oedd bocs o dŷ, tua deng mlwydd oed, ar gyrion Caernarfon, mewn treflan fechan o'r enw Rhos-bach, bron union hanner ffordd rhwng y Bontnewydd a Chaeathro. Galwaf ef yn 'focs' am nad oedd dim arbenigrwydd iddo o gwbl yn bensaernïol, ond yr oedd mewn lleoliad delfrydol ac roedd digon o bosibiliadau i'w wneud yn adeilad mwy diddorol maes o law. Roedd yn gyfleus i Sain ac i dre Caernarfon, ac eto mewn lleoliad hollol wledig i bob golwg gyda golygfa fendigedig i bob cyfeiriad – draw am fynyddoedd yr Eifl dros fôr Dinas Dinlle i'r de-orllewin, i fyny am Rosgadfan, mynydd y Cilgwyn a gwlad Kate Roberts i'r de, Moel Eilio a gweddill Eryri i'r dwyrain, draw dros Gaeathro i gyfeiriad Bangor i'r gogledd-ddwyrain, a thros dre'r Cofi a'r castell a'r Fenai i Ynys Môn i'r gogledd-orllewin. Ar ddiwrnod braf, mae'r safle yn llygad yr haul drwy'r dydd crwn, a'r machlud fel pelen o dân dros Fôr Iwerddon. Ymserchodd y ddau ohonom yn y llecyn ar unwaith a symudais innau i'r cartre newydd dros y Pasg, 1988, a phenderfynwyd ar Fedi'r pedwerydd ar hugain ar gyfer ein priodas.

Roedd 1988 yn wir yn drobwynt yn fy mywyd; cyfle i roi holl siomedigaethau a thorcalon yr wythdegau y tu cefn imi ac i ddechrau ar gyfnod newydd yn fy hanes. Y digwyddiad o fyd y canu sy'n symbol o'r trobwynt hwn oedd y noson 'Dathlu Chwarter Canrif' a gynhaliwyd ym Mhafiliwn Corwen ar Orffennaf yr unfed ar bymtheg, ac a deledwyd gan HTV ar S4C, gyda Dafydd Williams yn cynhyrchu. Yn rhannu llwyfan gyda mi ar y noson arbennig honno yr oedd Ray Gravell, Ar Log, Côr Penyberth dan arweiniad Nan Elis, a Hefin Elis a'r Band. Roeddwn wedi dewis caneuon i gynrychioli'r ystod cyfan o flynyddoedd rhwng 1963 ac 1988, ac wedi gorfod tyrchu ambell un o dwll go ddwfn yn y cof. Ar ben hynny, roeddwn wedi cael ambell syniad newydd – un yn arbennig, sef math o barodi ar 'My Way', 'Dal i Gredu'. Yr unig broblem efo honno oedd nad oeddwn yn rhy siŵr o'r alaw wreiddiol a chofiaf gael panic-munud-ola a gofyn i Hefin redeg drwy'r alaw, funudau yn unig cyn mynd ar y llwyfan. Mae'r fideo a gyhoeddwyd o'r noson yn 1989 yn tystio i'r ffaith mai ymbalfalu fy ffordd drwyddi a wnes i ac, onibai am Hefin, mae'n siŵr na fyddwn fyth wedi cyrraedd y pen draw. Ond efallai fod hynny'n ddarlun digon addas o f'agwedd tuag at fyd y canu ar hyd yr adeg, gydag elfen gref o fentro ffwrdd-â-hi ac o ddiffyg paratoi yn rhoi min ar bob perfformiad!

Roedd y noson honno yn donic imi, ac yn gyfle i ddiolch i bawb am eu cefnogaeth ar hyd y blynyddoedd tan hynny – ac nid yn lleiaf i'r gynulleidfa a heidiodd i Gorwen o bob cwr o Gymru. Roedd hefyd yn gyfle i'r teulu gasglu ynghyd. Daeth Mam yno gyda nifer o deulu'r Cilie; hwnnw hefyd oedd y cyfle cyntaf gafodd Llion, Elliw a Telor i weld eu tad yn perfformio'n fyw ar lwyfan 'mawr', ac roedd yn hyfryd imi eu cael yno. Roedd yn gyfle i ail-ymuno ag Ar Log a'r hen bartner ffyddlon a diffuant Ray Gravell, a hefyd y criw o ferched ifanc cenedlatholgar a thalentog a fowldiwyd yn gôr heb ei ail gan Nan Elis. Bu'r noson hefyd yn gyfle i Blaid Cymru gyflwyno peintiad olew o Lyn Tegid a'r Arennig imi fel arwydd o werthfawrogiad, gyda neb llai na fy hen gyfaill Dafydd Êl yn ei gyflwyno. Ond efallai mai'r peth pwysicaf a ddaeth allan o'r cyngerdd hwnnw oedd ffurfio'r 'Band' a fu'n gefn imi am y deuddeng mlynedd nesaf o berfformio.

O hynny 'mlaen trodd y 'nosweithiau llawen' a'r perfformio unigol yn fwy o ddawnsfeydd torfol; daeth mwy o bobol ifanc i ymuno â rhengoedd y ffans. Daeth mwy a mwy o alwadau gan Glybiau Ffermwyr Ifanc, a fu'n dueddol o gynnal nosweithiau Saesneg cyn hynny, ac yn arbennig daeth y ddawns ar y nos Sul cyn y Sioe yn Llanelwedd yn un o nosweithiau mwyaf ein calendr. Y tro diwethaf inni berfformio yno, yng Ngorffennaf 2000, roedd dros dair mil a hanner yn y gynulleidfa, a'r DJ rhadlon o'r Drenewydd yn fy nghyflwyno gyda *'Put your hands together, and give your warmest welcome yet to the star of tonight's bill, Daffyd Ewan – top geezer!!'* (Mi feddyliais am funud na fyddai Charli yn llwyddo i gyrraedd y llwyfan am ei fod yn chwerthin gymaint.) Hefin Elis ar yr allweddellau, Gari Williams ar y gitâr fâs a Charli Britton ar y drymiau oedd cnewyllyn gwreiddiol y Band, gyda Tudur Morgan yn ymuno'n ddiweddarach gyda'i gitâr a'i lais cefndir.

Ymhen rhai blynyddoedd pellach o deithio di-baid, penderfynodd Hefin fod ei waith gyda chwmni teledu Tonfedd yn ei gwneud yn amhosib iddo ddal ati, a chymerwyd ei le gan Pwyll ap Siôn, Euros Rhys ac, yn ddiweddarach, Peter Williams. Felly y daeth i ben bartneriaeth gerddorol gyda Hefin oedd yn ymestyn yn ôl i'r saithdegau cynnar, pan ddaeth i weithio i Sain fel cynhyrchydd. Am dros ugain mlynedd bu'n gefn ac yn gyfaill imi mewn cannoedd o gyngherddau mawr a bach, ar deithiau tramor ac mewn rhaglenni teledu. Roedd ei ddawn fel cerddor yn gwneud yn iawn am fy niffygion amlwg i yn y cyfeiriad hwnnw, a bu'n gymorth amhrisiadwy imi fel cyfeilydd, fel cyfansoddwr ac fel cyfaill i'm tywys yn ôl i ganol y llwybr cerddorol pan oeddwn yn tueddu i grwydro rhyw fymryn. Yn ei le cefais gymorth dau gerddor arall penigamp – Pwyll, yn y Gogledd fel rheol, ac Euros yn y De, a'r ddau yn ymuno ar gyfer achlysuron arbennig fel y Cnapan a'r Steddfod, a Peter o Abertawe yn gymorth parod gyda'i ddawn naturiol a'i bersonoliaeth ddi-ffys yn ystod y cyfnod olaf yma. Problem pob casgliad o gerddorion, yn hwyr neu'n hwyrach, yw eu bod yn methu cyd-dynnu ond gallaf ddweud â llaw ar fy nghalon na chefais i ddim trafferth o gwbl gyda'r criw talentog yma, mwy nag ambell i ffrae arwynebol o dro i dro. Fel y cefais gyfle i fynegi ar glawr y CD *Dafydd Iwan a'r Band - yn Fyw!* a gyhoeddwyd yn 2001, mawr yw fy nyled a'm diolch iddyn nhw, a hefyd i Huw Evans (Huw Llambed) a'i griw o beirianwyr ffyddlon a fu'n darparu'r offer sain inni dros y degawd olaf o deithio. Wedi degawdau o lusgo fy offer sain fy hun o le i le, roedd cael Huw a'i griw i gario'r baich – ac i wneud job llawer iawn gwell ohoni – yn gaffaeliad enfawr. Go brin bod pobol bwysicach yn y byd adloniant na phobol y sain, a go brin bod yna waith mwy di-ddiolch nac oriau gwaith mwy anghymdeithasol chwaith.

Priodi

Ym mis Medi 1988 roedd Plaid Cymru wedi trefnu Gŵyl Glyndŵr ym Machynlleth, a bu Bethan a minnau ar yr orymdaith drwy'r dre ar y prynhawn Sadwrn. Roedd criw teledu o'r Unol Daleithiau yno yn paratoi 'portread o Gymru' ar gyfer Teledu Turner, a chefais gyfweliad hir am bob agwedd o fywyd Cymru a'i hanes a'i chenedligrwydd. Gyda'r nos roedden nhw yng Nghapel y Tabernacl yn ffilmio Ar Log a minnau'n gwneud un o'n cyngherddau achlysurol i ddathlu'r Ŵyl. Roedd yr hen afiaith yn ei ôl a'r adrenalin yn pwmpio drwy 'ngwythiennau fel na wnaeth ers blynyddoedd. Pan glywodd y criw teledu fod Bethan a minnau'n priodi'r penwythnos canlynol, a deall y byddai'r seremoni yn Gymraeg, fe ofynson a fyddai modd dod yno i ffilmio. Dywedwyd wrthyn nhw y byddai hynny'n iawn, ar yr amod na fydden nhw'n tarfu ar y gwasanaeth mewn unrhyw fodd. Felly, pan ddaeth Medi'r pedwerydd ar hugain, i ganol niwl Garn Fadryn daeth y gwahoddedigion a Theledu Turner, er na fyddech prin yn gwybod hynny gan iddyn nhw gadw at y fargen a chuddio bron mewn cornel ddi-sylw o gapel y Garn. Cafwyd diwrnod i'w gofio, ar waetha'r niwl, a'r unig beth a amharodd ar y gweithgareddau oedd fod Llion druan wedi gorfod mynd i'r ysbyty o ganol y wledd briodas i gael tynnu ei 'bendics'.

Mae ôl-nodyn bach diddorol i stori'r rhaglen deledu. Gwelsom gopi ohoni ar fideo ac roedd y portread o Gymru yn llawn mwy diddorol a swmpus na'r gweddill, sef portreadau arwynebol iawn o Loegr a'r Alban. Yn ei chyflwyno roedd yr actor John Forsyth, yn crwydro ar fynydd-dir Celtaidd yn edrych i lawr ar wawr a niwlen Geltaidd gan sôn yn wlanog am dderwyddon a hud a lledrith. Ond roedd ei gyflwyniad i hanes Cymru yn syndod o gyfoes a bachog, yn pwysleisio gwyrth goroesiad yr iaith Gymraeg yn wyneb pob math o anawsterau, a phenderfyniad y Cymry i barhau mewn bod, a hynny fel cenedl rydd. Ac yna, gyda fy nghyfweliad i fel sylwebaeth yn y cefndir, plethwyd darnau o'r cyngerdd, y briodas a seremoni'r Arwisgo yn '69 i'w gilydd i ddarlunio'r sylwadau. Roedd y canlyniad yn hynod o effeithiol ac yn sicr yn rhoi achos Cymru yn gadarn iawn. Fe welwyd y rhaglen gan Sais o'r enw Keith Hart, a fu'n byw yn Bermuda ers blynyddoedd lawer. Penderfynodd yn y fan a'r lle y byddai'n dysgu Cymraeg, yn mynd i Gymru i gyfarfod y canwr yn y rhaglen, yn ymuno â Phlaid Cymru, ac yn symud i Gymru i fyw. Ac, ymhen rhyw saith mlynedd, roedd wedi cyflawni'r cyfan hyn; mae Keith a'i briod Linda, sydd yn Americanes o dras Eidalaidd, bellach yn byw'n hapus yn Llanfaglan ger y Bontnewydd, ac wrth eu bodd yng Nghymru.

Teithiau Tramor

Mae'r canu wedi mynd â mi ar sawl taith i wledydd tramor. Fel arfer, cael fy ngwahodd i fynd ar daith neu i gynnal ambell gyngerdd yr oeddwn, neu i gymryd rhan mewn Gŵyl ryngwladol. Ond hyd yn oed pan oeddwn yn mynd ar wyliau roedd y gitâr a'r canu yn amlach na pheidio yn rhan o'r profiad. Mae'n rhyfedd fel y mae canu – hyd yn oed mewn iaith nad oes fawr neb yn ei deall – yn medru gwneud ffrindiau, a thorri i lawr unrhyw ragfuriau rhwng pobol o wahanol genhedloedd a'i gilydd.

Ynysoedd Groeg

Yn achos gwlad Groeg, mynd ar wyliau yr oeddwn, a'r gitâr yn gwmni. Am flynyddoedd, rhwng y saithdegau cynnar a chanol yr wythdegau, Ynysoedd Groeg oedd ein hoff le gwyliau haf, yn wir ein hunig le. Dechreuodd yr arfer o fynd yn griw bob haf i ynys fach Symi, taith llong ddwyawr o Rodos, nes i'r lle ddod yn fath o Gymru oddi cartref. Roedd hi'n ddigon cyntefig yno pan aethom i ddechrau; ychydig iawn o gyfleusterau modern, ac roedd yr ynys yn aml heb ddŵr tap yng nghanol yr haf gan fod y cyflenwad dŵr yn cael ei gario yno ar long, a dyw llongau Ynysoedd Groeg ddim ymhlith y mwyaf dibynadwy o longau'r byd. Os oedd y llong ddŵr yn hwyr – neu'r llong yr oeddech am fynd adref arni heb ymddangos o gwbl – dim ots, 'Avrio' (yfory) oedd hi bob cynnig. Un pentre i bob pwrpas sydd ar Ynys Symi, a daeth y lle yn fath o ail gartre i nifer o Gymry am gyfnod. Daeth y trigolion yn gyfarwydd â chlywed yr iaith Gymraeg, a chaneuon Cymraeg, a chlywid tapiau Cymraeg yn cael eu chwarae'n aml mewn sawl *taverna*.

'Ein tad ni oll' o blith y trigolion oedd Kyriakos, sydd mewn gwth o oedran erbyn hyn, a mawr oedd ei groeso i'r

Cymry. Fel sawl un arall o'r pentre, mae o wedi dysgu nifer o ymadroddion Cymraeg ac yn barod iawn i'w defnyddio wrth bawb sy'n galw heibio. Bob dydd, yn anterth gwres canol dydd, daw'r cychod mawr o Rodos a'u llwyth o ymwelwyr am awr neu ddwy. Cofiaf Kyriakos yn croesawu rhai ohonyn nhw i'w daferna un diwrnod â llond ceg o 'Bore da! Sut dach chi? Bara?' Edrychodd y Saeson yn hurt arno, ac egluro *'We don't speak Greek'*.

'I no speak Greek, I speak Welsh, Cymraeg!'

'We're English.'

'How far you live from Caernarfon?'

Ar ôl iddyn nhw gael eu gwynt atynt ac ystyried rhyw fymryn, eglurodd yr ymwelwyr eu bod yn byw rhyw daith teirawr o Gaernarfon.

'You see?' meddai Kyriakos, a gwên fawr lydan ar ei wyneb garw, *'I live a thousand miles from Caernarfon, but I can say "Bore Da, sut dach chi!"'*

Chwarddodd, fel mae'r Groegwyr yn medru chwerthin, a gadael y Saeson druain yn syfrdan, wedi cael gwers fach syml mewn cysylltiadau rhyngwladol, ac anwybodaeth.

Mae agwedd y Groegwyr – yn enwedig yr Ynyswyr – tuag at fywyd yn apelio'n fawr ataf fi, a hynny a'r tywydd a'r golygfeydd yw'r atynfa fawr er bod Ynysoedd Groeg, fel pobman arall sy'n boblogaidd gydag ymwelwyr, yn newid yn gyflym. Mae rhywbeth trist ac eironig yn y ffaith ein bod ni oll yn chwilio am y llecynnau diarffordd hynny yn yr haul 'sydd heb gael eu difetha', ac eto ryden ninnau'n rhan o'r broses sy'n mynd i'w difetha i gyd yn eu tro. Serch hynny, rwy'n gobeithio ail-gynnau'r cysylltiad â Symi un o'r dyddiau yma. Mae Huw fy mrawd a'i wraig, Margaret, yn dal i fynd yno'n selog bob haf, a hynny ers deng mlynedd ar hugain. Un arall a fu yno droeon yw Dewi Pws, ac y mae bod ar wyliau gyda Dewi, fel y gallech ddyfalu, yn brofiad a hanner, gan ei fod yn treulio pob awr o bob dydd yn meddwl am ffordd newydd o ddifyrru ei gyd-fforddolion.

Cofiaf unwaith iddi ddod yn gawod o law – ac ar yr adegau prin y bydd hi'n glawio mewn lle fel Symi mae hi'n ei thywallt hi o ddifri, a hynny am sbel go dda, cyn i'r haul adennill ei briod le. Roedd pawb wedi heidio i'r taferna agosa i fochel, a Dewi yn ein plith. Roedd pobol yno o bob rhan o'r byd, ac o bob iaith. Penderfynodd Dewi y byddai cynnal Noson Lawen yn ffordd dda o basio'r amser. A dyna fu. Dewi'n perswadio pob gwlad yn ei thro i roi cân yn ei hiaith ei hunan, a Dewi'n cadw pethe i fynd gyda'i hiwmor gwallgo. Pan ddechreuodd pethe dawelu diflannodd i'r tŷ bach a dod yn ôl gyda chynffon hir o bapur-sychu-tîn yn dod allan o'i drowsus – roedd y sioe yn ôl ar ei thraed! Dro arall roeddem i gyd ar y 'Traeth Bach' (fel y galwem yr unig lecyn wrth y pentre'i hun lle y gall rhywun ymdrochi, er bod sawl traeth o dywod bendigedig ar yr ynys), a Dewi yn ei elfen. Wedi iddo sicrhau bod pawb yn ei weld, cerddodd yn araf i'r môr mewn gwisg nofio a chap gwyn. Cerdded nes oedd y dŵr dros ei ben, a'r cap gwyn yn nofio'n braf ar yr wyneb, a dim golwg o Dewi. Erbyn hyn roedd pawb ar y traeth yn eistedd i fyny, yn disgwyl iddo ailymddangos. Fel yr âi'r amser heibio, safodd rhai ar eu traed, a phawb yn rhyw ddechrau sibrwd yn bryderus ymysg ei gilydd. Wrth gwrs, erbyn hynny, roedd Dewi wedi nofio dan y dŵr i gilfach gyfagos a chyn pen dim roedd yn ôl ar y traeth, yn syllu'n bryderus ar y cap gwyn gyda phawb arall.

Yn Symi y clywais gyntaf ganeuon Mikis Theodorakis, a sylweddoli gymaint yr oedd ei ganeuon yn ei olygu, yn enwedig i'r bobol ifanc mwy gwleidyddol eu hanian. Carcharwyd Theodorakis gan y Llywodraeth Filitaraidd yn 1968 ac fe'i halltudiwyd yn 1970. Daeth y dyn a'i ganeuon yn symbol rhyngwladol dros ddemocratiaeth a heddwch, ac yn ystod ei alltudiaeth bu'n arwain yr ymgyrch yn erbyn y *junta*. Dychwelodd i wlad Groeg yn arwr wedi diorseddu'r fyddin yn 1974, ac fe'i hetholwyd droeon i'r Senedd wedi hynny. Pan ddes i roi geiriau ar un o'i ganeuon enwocaf, heb wybod beth oedd ystyr y geiriau gwreiddiol, mi gyfunais fy mhrofiad i o 'wlad yr haul' â dychweliad democratiaeth i wlad Groeg:

Draw Dros y Don

Fe glywsom su y draethell wen
A chloch yr afr o'r bryn,
Y môr yn las dan lasach nen
A'r gwynt yn llenwi'r hwyliau gwyn.

Draw dros y don mae gwlad yr haul,
Lle bu y gwaed yn llifo c'yd,
Lle bu y teyrn a'i ddwrn o ddur
A sŵn y tanc a'r gwn yn llenwi'r stryd.

Ond fe ddaeth gwawr i wlad yr haul,
A gwên i ruddiau'r fam fu'n wylo c'yd.

Fe welsom gampau'r doethion gynt
Ym more cyntaf dyn,
Fe welsom deml ar y bryn
A'r delwau maen mor deg eu llun.
Draw dros y don mae gwlad yr haul
Lle bu'r diodde'n para c'yd,
Sgrech y ferch o'i chell yn hollti'r nos
A sŵn y sodlau dur yn llenwi'r stryd.

Agorwyd drysau'r carchar led y pen,
A sain y ddawns a'r gân sy'n llenwi'r stryd.

Gyda'r teulu, pan oedd y plant yn fychan, yr aem i Symi
fynychaf, ond aeth criw ohonom ni'r dynion – Huw Ceredig
a fi; Dafydd Lewis, Craftcentre Cymru; Alan 'Gwallt'
Williams ac Erfyl a'r diweddar Dei 'Cem' o Gorwen – ar
wyliau hwylio unwaith neu ddwy, o gwmpas yr ynysoedd ac
ar hyd arfordir Twrci. Dyna, am wn i, yw'r ffordd ddelfrydol
o weld gwlad newydd, gan fod rhywun yn teithio ar y môr a
galw i mewn i'r tir fel y mynnoch, a glanio weithiau mewn
llecynnau na fyddai rhywun byth yn eu cyrraedd o'r tir.
Byddai hanesion y gwyliau hwylio hynny yn llenwi cyfrol yn
hawdd, yn bennaf am mai morwyr tir sych oedd y rhan fwyaf
ohonom. Ond cofiaf yn arbennig fy unig ymweliad â Thwrci,
gwlad na fyddwn yn mynd ar ei chyfyl heddiw oherwydd eu
hagwedd farbaraidd tuag at y Cwrdiaid. Yno y gwelsom
amffitheatr ac olion tai rhyfeddol Effesus – tai oedd yn
defnyddio dŵr fel y defnyddiwn ni drydan heddiw, i droi
peiriannau, i weithio baddondai ac i gynhesu dan loriau. Yno
y cawsom groeso dinesig gan y maer a ninnau'n talu am ein
croeso drwy ganu i gyfeiliant y gitâr holl-bresennol, a'r
canu'n gwaethygu'n felys wrth i'r gwin lifo.
Yno hefyd y glaniwyd un diwrnod mewn cilfach o aber
ddiarffordd, a chyfarfod teulu o Gwrdiaid yn byw men cwt

pridd a pheipen blastig yn dod i lawr y cwm i ddyfrhau hances poced o ardd. Yn yr ardd honno, y prif blanhigyn oedd planhigyn ciwcymbar ac, heb oedi dim, tynnwyd yr unig ffrwyth aeddfed a'i rannu rhyngom fel arwydd o groeso. Rhaid dweud na wnes i erioed, cyn hynny, werthfawrogi fel y gall ciwcymbar dorri syched. Dangoswyd y cwch i'r plant ac yr oedd eu llygaid yn pefrio wrth weld y fath ryfeddod, a phan welodd y bachgen hynaf lyfr log y cwch ymbiliodd arnom amdano. Mi fyddem wedi rhoi unrhyw beth i'r teulu hwnnw, o fewn ein gallu, – a chynigiwyd sawl peth iddyn nhw – ond i'r bachgen ifanc, bod yn berchen ar lyfr oedd y peth pwysicaf yn ei fywyd. Ond gwyddem, pe baem yn dychwelyd y cwch heb y llyfr log, y byddai dirwy drom yn ein disgwyl. Anghofiaf fi byth y siom ar wyneb y bachgen wrth inni droi am adre, a'r llyfr log yn dal ar y cwch. Synnwn i fawr nad oedd hynny'n rhan o'r rheswm pam imi'n ddiwedd-arach ymuno yn yr ymgyrch dros hawliau'r bobol Gwrdaidd, yn enwedig y miliynau ohonyn nhw a erlidiwyd yn Nhwrci ac a rwystrwyd rhag arddel eu hiaith eu hunain yn eu gwlad eu hunain. Wrth imi sgrifennu hwn, a hithau'n Awst 2002, mae arwyddion fod Twrci o'r diwedd yn dechrau symud i gydnabod iaith y Cwrdiaid, a hynny am eu bod am geisio dangos eu bod yn haeddu dod yn aelodau llawn o'r Gymuned Ewropeaidd. Ond cyn y dylid derbyn Twrci i'r Gymuned, mae ganddyn nhw ffordd bell iawn i fynd eto.

Llydaw

Dros y blynyddoedd, bûm ar sawl ymweliad â Llydaw. Y tro cyntaf oedd yn 1968, pan gynhaliwyd Y Gyngres Geltaidd yn Fougéres, ac mi es yno gydag Edward a nifer o Gymry eraill. Buom yn canu mewn sawl noson a chael croeso mawr gan y Llydawyr o bob oed. Yno y cyfarfum am y tro cyntaf â Per Denez, cyfaill mawr i Gwynfor Evans, un o arweinwyr y frwydr dros hunaniaeth ac iaith Llydaw, a'r cantorion Glenmor (y diweddar, ysywaeth, erbyn hyn) ac Alan Stivell. Hwnnw oedd y tro cyntaf o lawer tro y cefais rannu llwyfan â'r ddau yma – y ddau mor wahanol ac eto'n rhan bwysig o'r adfywiad Llydewig yn ail hanner yr ugeinfed ganrif. Glenmor a'i lais – fel ei wedd – yn arw a chynhyrfus, ac Alan a'i delyn fechan yn addfwynach a thynerach ei arddull. Roedd hyn cyn i Alan ddod yn ffigwr rhyngwladol ac, erbyn yr wythdegau, yn eicon Celtaidd ac yn fawr ei ddylanwad ar gerddoriaeth y gwledydd Celtaidd a thu hwnt. Mae'n dal i greu recordiau ardderchog ac yn dal i arbrofi gyda phob math o arddulliau gwahanol. Bu yng Nghymru droeon a recordiodd nifer o alawon a chaneuon gwerin Cymru dros y blynyddoedd.

Mi fûm yn ôl i Lydaw fwy nag unwaith, ar drywydd cerddorol, ond y ddwy brif daith oedd un gofiadwy iawn yng nghwmni Mynediad am Ddim, ac un arall yng nghwmni Mabsant. Roedd ymateb y cynulleidfaoedd i ganu Mynediad yn frwd iawn a chofiaf un noson arbennig yn fyw iawn, sef cyngerdd yn eglwys Landunvez, a chynghanedd lleisiau'r bechgyn ar un o'r caneuon di-gyfeiliant yn atseinio rhwng muriau carreg yr hen eglwys, yn esgyn i'r entrychion fry ac allan i'r nos nes oedd dagrau yn cronni ac ias yn cerdded eich corff. Adegau fel hynny sy'n gwneud y busnes canu yma'n werth y byd. Atgof arall o'r daith honno oedd cyfarfod yr ysbrydoliaeth i'r gân a recordiais yn ddiweddarach fel 'Mari Malŵ'; dim mwy na hynny, dim ond merch hardd, lot o win, ac ysbrydoliaeth; dim mwy, a dim llai.

Iwerddon

Mae gen i edmygedd mawr o Iwerddon, ac y mae'r Gwyddelod yn sicr yn un o genhedloedd mwyaf talentog y byd. Byddaf yn teimlo'n aml mai math o jôc am ben y Saeson (a ninnau'r Cymry yn eu sgil, gwaetha'r modd) yw'r 'jôcs Gwyddelig' a fu mor boblogaidd ers cyhyd, ond sy'n graddol ddiflannu bellach fel mae'r Gwyddel yn ein curo ar bopeth. Yn arbennig felly am eu bod wedi gallu troi eu haelodaeth o'r Gymuned Ewropeaidd yn ddŵr i'w melin eu hunain. Yr unig le sydd gan y Gwyddelod i edrych i fyny ar Gymru yw ar fater ein tirlun (a does dim diolch i ni am hynny), ac ar fater yr iaith. Mi ddylai'r modd y mae hunanlywodraeth wedi trawsnewid Iwerddon, yn gymdeithasol ac yn economaidd, fod yn esiampl i ni yng Nghymru, ond mi ddylai'r ffordd y mae hunanlywodraeth wedi arwain at ymylu'r iaith Wyddeleg i gyrion eu bywyd cenedlaethol fod yn wers ac yn rhybudd inni. Ar fater y tirlun, anghofia'i byth eiriau'r Gwyddel a brynodd Westy'r Celt yng Nghaernarfon wrthyf: 'Y cyfan sydd gynnon ni yn Lindoosvarna yw milltiroedd o wastadedd mawnoglyd, ac eto mae'r gwesty acw'n llawn rownd y flwyddyn; mae gynnoch chi fôr a mynyddoedd, traethau, llynnoedd a chastell ac y mae gynnoch chi westy fel hwn yn mynd â'i ben iddo!'

Ychydig iawn o gyngherddau fel y cyfryw a wnes yn Iwerddon, am y rheswm syml nad oes raid iddyn nhw wrth gerddorion o'r tu allan. Mae bob yn ail gwesty a thafarn yno yn llawn cantorion ac offerynwyr penigamp, a rhyw gario glo i Fflint braidd yw mentro yno i ganu, yn enwedig mewn iaith nad ydyn nhw'n ei deall. Eto, wedi dweud hynny, bu'r gitâr yn fy nghanlyn ar sawl taith i'r Ynys Werdd, ac mi gafwyd sawl seiat felys mewn sawl tafarn ddifyr yma ac acw dros y blynyddoedd. Rwyf eisoes wedi cyfeirio at un achlysur arbennig lle'r oedd cyfarfod yn y Mansion House yn Nulyn fel rhan o'r ymgyrch i gadw Ysgol Dun Quinn ar agor ar benrhyn Dingle. Cefais i'r cyfle i gario neges oddi wrth ymgyrch Ysgol Bryncroes i'w cefnogi, a chyfle hefyd i roi cân neu ddwy o gyfarch. Ar Benrhyn Dingle ei hun y cefais y profiadau cyntaf o fywyd y Gaeltacht, a chanu mewn ambell i *ceilidh*, un ohonyn nhw adeg yr oedd y ffilm Ryan's Daughter yn cael ei ffilmio yno, a John Mills a'i briod yn mwynhau'r gwmnïaeth gyda ni. Un o ryfeddodau'r ymweliad hwnnw oedd gweld y pentre smalio a adeiladwyd ar fryncyn ar gyfer y ffilm. O gerdded i lawr y stryd gallech dyngu eich bod mewn hen bentre go iawn, gyda mwsog ar y cerrig a ieir yn crafu yma ac acw, ond y tu cefn i'r cyfan doedd dim ond ffrâm o bren a sgaffaldiau. Fy mhrofiad cyntaf o dwyll byd y ffilm – a realiti'r Unol Daleithiau, mae'n beryg!

Yn rhyfedd ddigon, mae'r cyngherddau mwyaf llwyddian-nus a ges i yn Iwerddon yn rhai lle'r oedd y rhan fwyaf o'r gynulleidfa yn Gymry. Bûm yn canu droeon adeg yr Ŵyl Ban-Geltaidd, a diolch i frwdfrydedd a dyfalbarhad Tegwyn

Williams, Llanelwy, ei briod Marged a'u cyfeillion, y fintai enfawr o Gymry sy'n cadw'r Ŵyl honno i fynd bob blwyddyn. Llond dwrn yn unig sy'n dod o'r gwledydd eraill, a gallech feddwl nad yw'r rhan fwyaf o Wyddelod wedi clywed amdani. Wedi dweud hynny i gyd, mae'n dal i fod yn achlysur difyr iawn.

Y cyngherddau mawr a gefais ar dir Iwerddon oedd y rhai cyn ac ar ôl y gêm rygbi ryngwladol, bob dwy flynedd, drwy gydol yr wythdegau a'r nawdegau. Fel rheol, byddai un cyngerdd ar y nos Wener a'r llall ar y prynhawn Sul (cyn dal y cwch am Gaergybi), ac yn cychwyn gyda sesiwn gweddol anffurfiol pan fyddwn yn canu ychydig ganeuon i ategu perfformiad gan grŵp Gwyddelig. Tyfodd y rhain i fod yn rhai o'r perfformiadau mawr i mi a'r Band. Rhywsut, am ein bod i gyd ar dir tramor, a phawb yn hwyl y trip a'r gêm a'r Guinness, a phawb wrth eu bodd yn Iwerddon beth bynnag a chroeso'r Gwyddelod mor wych, roedd afiaith ac asbri'r cyngherddau hyn yn curo popeth bron. Mi wn am rai Cymry di-Gymraeg a ddaeth yno a chyfaddef imi wedyn eu bod wedi teimlo rhyw fath o ofn o weld y fath afiaith yn berwi o'u cwmpas, a nhwthe heb ddeall yn iawn beth oedd yr achos. Ar adegau felly mae rhywun yn sylweddoli bod grym cenedlaetholdeb yn rym aruthrol, y gellir ei harneisio er lles neu er drwg. Cred rhai bod hynny'n ddigon o reswm dros geisio'i ddiffodd, neu ei osgoi, ond fy argyhoeddiad i yw y dylem ei gydnabod a'i gynnal, a'i gyfeirio i gyfeiriad cadarnhaol ac adeiladol, oherwydd yn y grym hwnnw y mae'r gyfrinach a all greu Cymru ar ei newydd wedd.

Efallai mai yn yr hen Wexford Inn, cyn iddo gael ei foderneiddio a'i droi yn Mean Fiddler, y cafwyd y sesiynau mwyaf gwefreiddiol o holl gyngherddau'r tripiau rygbi, ac allwedd eu cyfrinach oedd agwedd y perchennog. Doedd dim angen ond un alwad ffôn o flaen llaw ac un siec am £100 o flaendal, rhag ofn. Cofiaf y tro cyntaf imi wneud hynny ac, wedi oedfa wallgo a gwych ar y prynhawn Sul a'r lle dan ei sang, chwe chant a mwy wedi bod ar ben y byrddau yn gweiddi canu nerth esgyrn eu pennau drwy'r prynhawn, gwagiodd y lle mewn deng munud heb na thwrw mawr na bach. Ac, wrth i'r perchennog rhadlon sgubo'r mynydd

gwydr i ganol y llawr, edrychodd arnaf a gwên fach ar ei
wyneb a dweud:

'*You Welsh shure know how to enjoy yourselves!*'

Cyn inni ymadael am y cwch, aeth y tu ôl i'r bar ac
estynnodd y siec flaendal o'r silff a'i dychwelyd i ni: '*Here,
this is yours. We enjoyed ourselves too*'.

Mewn sawl lle yng Nghymru, mae'n beryg y byddem wedi
cael bil ychwanegol am y mynydd gwydr, heb sôn am bryd o
dafod am faeddu'r seddi. Ond dyna pam mae Iwerddon ar y
blaen i ni, debyg.

Y Ffindir

Yn 1973 cefais wahoddiad, gan un a weithiai i radio'r wlad, i
ddarlithio am Gymru ac i ganu fy nghaneuon ym mhrifysgol-
ion y Ffindir. O safbwynt adfer iaith ac ennill ymreolaeth,
dyma'n sicr wlad y dylem fod yn llawer mwy ymwybodol
ohoni, ac y mae dolen gyswllt o ryw fath wedi'i chreu gan yr
emyn o waith y cenedlaetholwr Lewis Valentine, 'Dros
Gymru'n Gwlad', a genir gennym ar alaw o waith y cened-
laetholwr Ffineg, Jean Sibelius. Bu'r Ffindir dan ddylanwad
a llywodraeth Sweden am ganrifoedd ond tyfodd y mudiad
cenedlaethol yn ystod y ddeunawfed ganrif. Yn 1809
gorfodwyd Sweden i drosglwyddo'r wlad i Rwsia, ac fe'i
gwnaed yn Ddugiaeth annibynnol mewn cynghrair â'r wlad
honno. Er hynny, parhaodd yr iaith Swedeg i fod yr unig
iaith swyddogol hyd 1863, pan wnaed y Ffineg yn gydradd
swyddogol. Ffindir oedd y wlad gyntaf yn Ewrop i roi
pleidlais i ferched – hynny yn 1906 – ac, yn 1917,
cyhoeddodd ei hannibyniaeth oddi wrth Rwsia. Bu'n rhyfel
cartref gwaedlyd yno, gyda Rwsia a'r Almaen yn cymryd rhan
ynddo hefyd. Bu rhyfel arall yno ar drothwy'r Ail Ryfel Byd
pryd y bu'n rhaid iddi drosglwyddo tiroedd helaeth i Rwsia.
Yn 1948 gwnaed Cytundeb Cyfeillgarwch rhyngddi â Rwsia,
ond polisi cwbl niwtral sydd ganddi, fel sydd gan Sweden a'r
Swisdir.

Gwers fawr y Ffiniaid i ni yng Nghymru yw sut y
gwnaethon nhw lwyddo i orseddu'r iaith Ffineg ym mhob

cylch o fywyd, mewn amser cymharol fyr, ac adeiladu gwlad ac economi lewyrchus ar adnoddau prin – yn wir, eu hunig adnodd o bwys yw coed. Mae Cymru, o gymharu, yn wlad llawer cyfoethocach o ran adnoddau naturiol. Y Ffineg erbyn hyn yw iaith llywodraeth, addysg a masnach, a thri-chwarter y rhaglenni teledu; mae'r chwarter arall mewn Swedeg. Mae'r iaith Swedeg yn dal yn iaith swyddogol er mai dim ond tua 6% o'r boblogaeth heddiw sy'n ei siarad fel mamiaith. Gwers arall i ni yng Nghymru yw statws y theatr yn eu diwylliant, – 4.6 miliwn yw poblogaeth y Ffindir, ond mae ganddi 32 o theatrau proffesiynol (4 ohonynt yn perfformio yn Swedeg, a 28 mewn Ffineg). Yr iaith Ffineg yw cyfrwng addysg pob un o'i phrifysgolion ond un. Ac er mai cynnyrch coed yw prif sail yr economi, mae'n wlad lewyrchus, heb dlodi amlwg a heb gyfoeth gormodol chwaith. Yn y celfyddydau, mae ei chyfraniad ymhell y tu hwnt i'w maintioli, yn arbennig felly ym maes cerddoriaeth a phensaernïaeth.

Profiad hynod o ddiddorol oedd ceisio cyflwyno Cymru i fyfyrwyr y Ffindir, gan na wydden nhw am ei bodolaeth cyn hynny, ond roedd eu diddordeb yn fawr. Ffordd draddodiadol y Ffiniaid o ddangos croeso i ymwelwyr yw mynd â nhw i'r *sauna*. Ym Mhrifysgol Oulu y cefais fy medydd tân yn un o'r rhain, yng nghwmni noethlymun swyddogion Cyngor y Myfyrwyr, a gorfod neidio'n syth o'r *sauna* crasboeth i bwll nofio rhewllyd! Yna cawod sydyn a chlamp o bryd o gig carw a thatws stwmp dyfrllyd i ddilyn.

Mae'r iaith Ffineg yn gwbl wahanol i'r rhan fwyaf o ieithoedd eraill Ewrop, ac felly doedd fy ychydig wybodaeth o Ffrangeg a Lladin o ddim defnydd o gwbwl. Ychydig iawn o Saesneg a siaredid yno gan mai Swedeg a Rwsieg oedd yr ail-ieithoedd cyffredin. Roedd hyn yn gwneud y dasg o gyfleu fy neges ychydig yn anodd, yn enwedig felly wrth archebu bwyd. Ar daith hir rhwng dwy brifysgol roeddwn yn teithio fy hunan, a doedd neb yn y stafell fwyta yn deall Saesneg na Chymraeg, a dyna lle'r oeddwn yn dynwared sŵn iâr wrth geisio archebu wy! Doedd dim yn tycio, felly mi gyfeiriais ar y fwydlen at yr eitem rataf (gan nad oedd gen i syniad am werth yr arian yno chwaith) ac mi ges blatiad o gig pysgod hollol amrwd, amhosib i'w gnoi, a chwbwl ddi-flas.

Fflandrys

Yn 1974 roeddwn yn cynrychioli Cymru mewn Gŵyl i wledydd bychain Ewrop, a drefnwyd gan Blaid Genedlaethol Fflandrys, y Volks Unie, yn Ghent. Mae camp y Fflemiaid yn diorseddu'r iaith Ffrangeg yn eu gwlad, a hynny yn ystod yr ugeinfed ganrif, yn destun mwy o ryfeddod na champ y Ffiniaid hyd yn oed. Hyd ddiwedd y 19eg ganrif, Ffrangeg oedd yr unig iaith swyddogol yn y wlad a Ffrangeg oedd iaith llywodraeth, addysg a masnach, ond erbyn hyn yr iaith Fflemeg sy'n teyrnasu. Pan ofynnais, yn ddigon diniwed, sut yn y byd y cyflawnwyd y fath wyrth yr ateb a gefais oedd: 'Mae'n ddigon syml, – fe benderfynodd pobol Fflandrys nad oedden nhw am siarad Ffrangeg ddim mwy – a dyna ddylech chi ei wneud gyda'r Saesneg!'. Roedd y papur dyddiol Ffrangeg olaf yn Fflandrys newydd fynd i'r gwellt ychydig cyn i mi fynd yno, ac roedd gweld yr iaith Fflemeg ar diwb sebon dannedd ac ar baced creision brecwast yn cadarnhau gorchest ieithyddol pobol Fflandrys. Y cam nesaf, meddent wrthyf, fydd ennill annibyniaeth oddi wrth y rhan Ffrengig o wlad Belg, ond fydd hynny ddim heb lawer o ymgyrchu ffyrnig, fel a gafwyd eisoes ar faterion ieithyddol.

Cynhaliwyd yr Ŵyl ei hun mewn 'seiclodrom' ar ffurf bowlen enfawr gyda'r llwyfan yn y canol, ar waelod y fowlen fel 'tae, a'r seddau yn codi'n derasau o'i amgylch. Cynhyrchwyd y cyfan yn ofalus ac yn theatrig effeithiol, y gynulleidfa mewn tywyllwch a llif-oleuadau'n canolbwyntio'r sylw ar y cyflwynydd a'r perfformwyr. Cyn pob perfformiad, cerddai merch a llanc ifanc yn urddasol ar draws y llwyfan yn chwyrlïo baner y wlad dan sylw, a chlywid llais dros yr uchelseinydd yn cyflwyno crynodeb o hanes y wlad honno. Roedd cantorion yno o'r holl wledydd Celtaidd, Gwlad y Basg, Catalonia, Ocsitania, Alsas, yr Iseldiroedd (yr un yw'r Iseldireg â'r iaith Fflemeg i bob pwrpas), a Walonia (sef y rhan Ffrengig o wlad Belg – fel gwlad ar wahân, wrth gwrs). Dim sôn am na Lloegr na Ffrainc na Sbaen, fel pe na baent yn bod. Roedd Gŵyl ar y raddfa yma yn brofiad newydd i mi – dros 12 awr o ganu i gyd, a'r gynulleidfa yno yn gryno o'r dechrau un (mor wahanol i Wyliau Cymru).

Daeth y cyfan i ben tua dau o'r gloch y bore gyda pherff-
ormiad cofiadwy gan y Chieftains o Iwerddon, a seiniau'r
pibau penelin yn esgyn i entrychion y seiclodrom. Gwnaeth y
profiad hwn imi sylweddoli am y tro cyntaf y posibiliadau
mawr a allai ddeillio o gael cysylltiad agosach rhwng
cenhedloedd llai Ewrop; ar wahân, mae'n hawdd mynd i
gredu bod ein tasg yn amhosib ond, gyda'n gilydd, mae
gennym gronfa aruthrol o nerth ac ysbrydoliaeth sy'n
gyffredin.

Gwlad y Basg

Ategwyd y profiad hwn y flwyddyn ganlynol pan fu Gwilym
Tudur a minnau yn cynrychioli Cymru mewn Gŵyl arall i
'leiafrifoedd' Ewrop yn San Sebastian, prifddinas Gwlad y
Basg. Roedd yr awyrgylch y tro hwn yn ferw gwyllt, a chych-
wynnodd y cyfan gyda'r newydd syfrdanol fod milwyr Sbaen
wedi saethu at yr orymdaith a gynhaliwyd i agor yr Ŵyl y
noson cyn inni gyrraedd. Gyda marwolaeth Franco roedd y
gormes gwaethaf ar ben, ond bob hyn a hyn byddai'r milwyr
yn colli'u pennau ac yn penderfynu bod angen dangos mai
nhw oedd yn dal mewn grym. Ni laddwyd neb y tro hwn, ond
roedd y bygythiad o drais gan yr awdurdodau yn yr awyr o
hyd. Nid bod hynny'n poeni dim ar y miloedd oedd yno o
Wlad y Basg, yn gorfoleddu yn eu rhyddid newydd a'u
hwynebau yn arddangos pob math o symbolau'r frwydr, gan
gynnwys Tafod y Ddraig! Roeddem wedi mynd a chyflenwad
o fathodynnau, sticeri a thaflenni Cymdeithas yr Iaith gyda
ni, a chipiwyd y cyfan gan ddwylo eiddgar mewn dim o dro.
Cyn hir gwelwyd y tafodau yn ymddangos ar wynebau a
breichiau yng nghanol yr holl faneri ac arwyddion eraill, gan
gynnwys peth wmbredd o bleidiau a mudiadau Basgaidd.

Cawsom gynhadledd i'r Wasg ar y cyd gyda rhai o'r
perfformwyr eraill, ac un o'r cwestiynau oedd pam oeddem
ni'n canu mewn ieithoedd nad oedd fawr neb yn eu deall.
Onid gwell fyddai canu mewn Saesneg a Sbaeneg er mwyn
lledaenu ein neges i'r byd? Canwr o wlad y Basg atebodd
gyntaf, a chofiaf y teimlad o ryddhad a balchder a gefais o'i

glywed yn dweud yr union bethau y bûm innau'n eu hailadrodd gynifer o weithiau, – sef mai canu yn ein hiaith ein hunain oedd yn dod yn naturiol inni, na allem wneud dim arall, a bod y weithred o ganu yn ein hieithoedd ni ynddo'i hunan yn rhan o'r neges ac ynddo'i hunan yn ddatganiad o ffydd, ac yn her i'r *status quo*. Roedd ymateb y Wasg Sbaenaidd yn union yr un fath ag ymateb y Wasg Seisnig Brydeinig, ac yr oedd safbwynt y cantorion 'lleiafrifol' yn union yr un fath â'n safbwynt ninnau yng Nghymru. Unwaith yn rhagor, cefais yr awydd i glosio'n nes at wledydd bychain Ewrop, ac y mae hynny bob amser wedi bod yn rhan bwysig o fy agwedd i tuag at y Gymuned Ewropeaidd. Ar hyn o bryd mae'r Gymuned honno yn llawer rhy debyg i glwb i'r cenedl-wladwriaethau mawr, ond trwyddi gallwn ni'r gwledydd llai ddod i nabod ein gilydd ac i gyd-weithio gyda'n gilydd ar gyfer y dyfodol. Os trown ein cefn ar Ewrop, cael ein hynysu mewn Prydeindod a wnawn.

Difyr oedd clywed am ymdrechion Franco a'i blismyn i sensro caneuon gwleidyddol y Basgiaid, ac roedd gweddillion y drefn honno'n parhau mewn grym gan fod pob un ohonom wedi gorfod anfon copi o eiriau'n caneuon i'r awdurdodau o flaen llaw. Yn y chwedegau, fel yng Nghymru, y dechreuwyd cyfansoddi caneuon i gyd-fynd â'r ymgyrch dros ryddid Gwlad y Basg a'i hiaith frodorol, a chyhoeddodd yr awdurdodau 'restr ddu' o ganeuon oedd yn waharddedig. Rhaid oedd i bob canwr anfon rhestr o'r caneuon yr oedd am eu canu mewn unrhyw gyngerdd cyhoeddus, er mwyn i'r plismyn eu pasio. Eglurodd un o'r cantorion, fodd bynnag, nad oedd hynny'n broblem fawr, er bod y plismyn yn arfer sefyll yng nghefn y neuadd i gadw llygad a chlust ar y perfformwyr. 'Byddaf yn anfon un rhestr atyn nhw, ac yn cadw at y teitlau hynny, ond yn canu caneuon gwahanol! Mae'n syndod pa mor dwp y gall plismyn Sbaen fod!' meddai dan chwerthin. Ond fel yr oedd Gwilym a minnau yn gadael San Sebastian, wedi mwynhau croeso a phrofiadau bythgofiadwy, clywsom fod yr awdurdodau wedi dirwyo trefnwyr yr Ŵyl yn drwm am fod caneuon gwaharddedig wedi cael eu canu, dirwy a olygai nad oedd unrhyw elw ar ôl i'r mudiad ysgolion Basgeg.

Roedd canu i'r dorf o wyth mil o bobol yn brofiad gwefr-eiddiol. Cyflwynai'r arweinydd gynnwys pob cân cyn imi ganu ac roedd eu hymateb yn wresog a deallus, fel pe baent yn deall pob gair. Cafodd 'Carlo' dderbyniad cystal â'r un, yn enwedig am mai dyna yw enw brenin Sbaen oedd newydd gymryd yr awennau wedi i Franco farw. Ond saif dwy gân Fasgaidd yn y cof, oedd yn dangos mor agos i'r wyneb yr oedd y bygythiad o drais – o du'r awdurdodau Sbaenaidd, ac o du ETA. Canodd un o gantorion amlycaf Euscadi ei gân am genedlaetholwyr ifanc a laddwyd gan filwyr Franco, ac yn ystod y gân dangoswyd eu lluniau ar sgrîn anferth ar y llwyfan a diffoddwyd holl oleuadau'r stadiwm. Taniwyd miloedd o fflamau bychain gan y gynulleidfa, yn fatshus, yn danwyr sigaréts ac yn ganhwyllau, ac yr oedd y môr o fflamau bychain yn olygfa nad anghofiaf byth. Yn nes ymlaen canwyd cân gynhyrfus arall ac, wrth i'r dorf ymuno yn y gytgan, ar un pwynt taflai pawb rywbeth i'r awyr gyda'i gilydd – capiau, cotiau, sgarffiau, rhaglenni, – unrhyw beth a phopeth, nes yr edrychai fel pe bai'r stadiwm gyfan yn codi a disgyn. Pan ofynnais beth oedd arwyddocâd hyn, eglurwyd imi mai cân oedd hi i gofnodi marwolaeth pennaeth yr heddlu militaraidd, prif boenydiwr byddin Franco a phrif elyn y Basgiaid a laddwyd gan fom y flwyddyn gynt; darganfuwyd ei gorff ar falconi fflat ar chweched llawr adeilad cyfagos.

Ni ddylid cael yr argraff, fodd bynnag, bod pawb yn derbyn trais fel y ffordd i ennill rhyddid i Wlad y Basg. Cymysg iawn oedd yr ymateb pan ofynnais am ddulliau ETA, a'r sylw oedd yn crynhoi'r sefyllfa i mi oedd y geiriau hyn gan un llanc ifanc oedd yng nghanol y frwydr: 'Does neb yn hapus gyda hyn, ond pe baech yn nabod heddlu a milwyr Sbaen mi fyddech yn deall. Am bob Basgwr sy'n cael ei ladd, mae aelod o fyddin Sbaen yn cael ei ladd gan ETA, a dyna'r unig ffordd ar hyn o bryd i'w hatal rhag saethu mwy ohonom'. Mae'n anodd iawn dod allan o gylch felly o drais, ac y mae meddwl rhywun yn mynd yn ôl o hyd at un o luniau mwyaf cofiadwy Pablo Picasso, sef ei deyrnged i'r rhai a gollodd eu bywydau pan fomiwyd prifddinas draddodiadol

Euscadi – Guernica – gan awyrennau'r Natsïaid, cyfeillion Franco, yn Ebrill 1937.

Gadawsom Odostia (San Sebastian) ac Euscadi (Gwlad y Basg) yn drymlwythog o anrhegion a roddwyd inni gan y Basgiaid, ac yn drymlwythog a atgofion cyffrous. Gan fy mod wedi cyfeirio at y modd y gallwn ddysgu gwersi gan wledydd eraill, ni allem wneud yn well na dysgu gan y Basgwyr sut y mae trefnu ysgolion i adfer ein hiaith, a sut mae adeiladu cyfundrefn o ffatrïoedd, siopau a banciau cydweithredol fel a wnaed yn Euscadi gan gynllun Mondragon. Ac o ble y daeth y syniadau gwreiddiol y sefydlwyd Mondragon arnyn nhw? O gyfeiriad y Cymro Robert Owen, y Drenewydd.

Yr Unol Daleithiau, 1979

Yn dilyn cyflafan refferendwm Gŵyl Ddewi 1979, colli fy sedd ar Gyngor Arfon a gorseddu Magi Thatcher, cafodd Hefin Elis a minnau gyfle i ddianc i America yn yr hydref. Roedd criw o Gymry, dan yr enw Cyngor y Ddau Gant, wedi trefnu taith o gyngherddau a darlithoedd ar fy nghyfer mewn cymdeithasau Cymreig, ambell brifysgol ac ambell Glwb. Y bwriad oedd ceisio diddanu a chenhadu yr un pryd – cenhadu ar ran y Blaid, Cymdeithas yr Iaith, Nant Gwrtheyrn a Thai Gwynedd – gyda gitâr mewn un llaw, a blwch casglu yn y llaw arall.

Does gen i ddim rhyw gariad mawr tuag at y Taleithiau Unedig, yn enwedig dan arweiniad peryglus George Bush, ond mae rhywbeth ynglŷn â'r lle sy'n gallu'ch denu'n ôl ar eich gwaetha rywsut. Mae croeso'r trigolion yn ddigwestiwn ac y mae hynny'n rhan fawr o'r apêl, ond hefyd mae anferthedd y lle, amrywiaeth rhyfeddol y tirlun, yr hinsawdd, y diwylliant a'r gymdeithas yn peri eich bod yn cael eich synnu dro ar ôl tro. Cyn gynted ag y credwch eich bod yn deall yr Americanwyr, mae rhywbeth yn digwydd i'ch bwrw oddi ar eich echel ac i agor drws newydd. Ond er y pellteroedd anferth a'r holl amrywiaeth, y mae yna gysondeb hefyd. Cysondeb pobol sydd heb wreiddiau ac sy'n chwilio am gyswllt â gwlad eu cyn-deidiau, a phobol sy'n dal i gredu yn y 'Freuddwyd Americanaidd' ond heb fod yn hollol sicr beth yw'r freuddwyd honno.

Fel pob ymweliad â'r wlad ers hynny, roedd ymweliad '79 yn gyfres wyllt o gyffro a syfrdandod. Mae'r hanes wedi'i gofnodi'n fanwl yng nghyfrol gyntaf *Cyfres y Cewri*, felly cyfeiriaf at rai pethau'n unig yma. Roedd streic ym maes awyr Manceinion pan adawodd Hefin a minnau, a chawsom ein cludo i Lundain ac aros yno dros nos. O ganlyniad, roeddem yn cyrraedd Efrog Newydd hanner awr cyn y cyngerdd cyntaf yn Ysgol y Cenhedloedd Unedig. Ond roedd Veronica, prif drefnydd y daith, wedi paratoi ar ein cyfer yn dda, a chyn i'r awyren lanio daeth neges dros yr uchel-seinydd: *'Mr Iwan and Mr Elis, travelling from Wales, will have priority during disemabarkation at New York Kennedy Airport'*. A dyma ninnau yn cael ein bugeilio i flaen y ciw, heibio i holl deithwyr y Dosbarth Cyntaf a heibio i bawb arall, heb orfod dangos na phasbort na dim i neb! Roedd Veronica wedi cael gafael ar Gymro oedd â swydd uchel yn y Maes Awyr, felly allan â ni'n syth i dacsi *stretch limo* ac ar ein pennau i Ganolfan y Cenhedloedd Unedig. Roeddem yn perfformio cyn pen dim, yna cyfweliad hir i orsaf deledu Wyddelig leol, hanner o ganu eto cyn sgwrsio am hydoedd gydag aelodau o Gymdeithas Gymraeg Efrog Newydd, cyn troi am ein llety. Doedd hyn yn ddim ond rhagflas o'r tair wythnos wyllt oedd o'n blaenau.

Cawsom ddeuddydd i brofi peth o flas yr Afal Mawr. Mynd am y tro cyntaf i siambr y Cenhedloedd Unedig ac i ben y Ganolfan Fasnach, nad ydyw mwyach, a chanu mewn gwasanaeth yn y Capel Cymraeg. Oddi yno i Washington i gyfarfod Evan Parker, a fu'n swyddog yn y fyddin yn Vietnam ac ar sawl cwrs dysgu Cymraeg ym Mangor, ac a wisgai fathodyn Mistar Urdd fel y bydden yn ei adnabod. Cinio drannoeth yn adeilad Banc y Byd yng nghwmni pedwar Cymro Cymraeg sy'n uchel swyddogion yno (dwn i ddim a ddylen ni fod yn falch o hynny!), a Noson Lawen yn nhŷ Cadeirydd y Clwb Gwerin lleol. Ymlaen i Baltimore at Anne Cowie a Barbara Morgan a chynnal cyngerdd yno. Taith i le o'r enw Cardiff i siarad â Chymry ardal y glofeydd a'r chwareli llechi, cyn symud i Delaware at Peter Williams, a drefnodd gyngerdd-awr-ginio inni yn y Brifysgol. Lle bynnag yr aem, roedd cyfle i gael cyfweliad radio neu deledu neu bapur newydd lleol; dyna un gwahaniaeth amlwg rhwng ein gwlad ni ag America, – mae'r cyfryngau lleol yno yn llawer mwy brwd ac awyddus am stori ac, wrth gwrs, mae llawer mwy o orsafoedd lleol yno.

O Delaware i Philadelphia, yn cynnal darlith ar Gymru un noson a chyngerdd y noson ganlynol. Cyfnod cipio'r gwystlon yn Iran oedd hi, a gwres y casineb tuag at yr Iraniaid yn codi ar bob llaw. Ar y Sul, mynd i gapel gorlawn a'r gweinidog yn cyflwyno Hefin a minnau i'r gynulleidfa gyda'r geiriau: 'And I'm sure they will let us hear the longest place-name in the world in their beautiful Welsh accent'. Ond ddaru Hefin na minnau ddim magu digon o beth bynnag sydd ei angen arnoch i godi ar eich traed i wneud y fath beth mewn capel fel dau barot, ac achubwyd ein crwyn gan Gymraes alltud a adroddodd yr enw dros y capel, a chael cymeradwyaeth fyddarol am wneud. Dianc o Philadelphia, mewn bws Greyhound, ar daith hir i Pittsburg i gyfarfod â chymeriad unigryw o'r enw Dave Renshaw. Gwyliwr nos mewn ffatri oedd Dave, a'i wybodaeth o'r iaith Gymraeg a Chymru, y Blaid a'r Gymdeithas yn rhyfeddol. Ac yr oedd y rhaglen a drefnwyd ar ein cyfer yn orlawn – tri chyfweliad papur newydd, canu'n fyw ar raglen deledu amser brecwast, dwy ddarlith am Gymru i'r Brifysgol, cyngerdd i'r Gymdeithas Gymraeg a thair noson mewn clwb o'r enw Wobbly Joe's. O'r holl dasgau a gefais yn America, hon oedd y fwyaf anodd o ddigon; roedd disgwyl inni ganu am dair awr – pedwar sbot o dri chwarter awr yr un, a hynny dair noson yn olynol. Enwyd y lle ar ôl y Wobblies, syfaenwyr y mudiad undebol yn Pittsburgh, a doedd hi ddim help i mi bod gan y Cymry yr enw o fod ar ochr y meistri yn y diwydiant glo a dur, – hynny, mae'n debyg, am fod llawer o Gymry ymysg rheolwyr cyntaf y diwydiannau hynny oherwydd eu profiad. Er mwyn llanw'r oriau lluchiai Hefin a minnau bopeth i'r rhaglen, yn emynau, caneuon rygbi a chaneuon gwerin o bob lliw a llun, ac yn wir, erbyn y drydedd noson, teimlwn fy mod yn dechrau ennill fy mhlwy. Wrth imi gyfieithu geiriau 'Pam fod eira yn wyn' i gloi'r noson, a thynnu pob stop allan i wneud yr argraff orau posib, safodd merch ifanc a'i dwrn yn yr awyr a bloeddio: *'Right on!! Hang in there man!!'* – sef o'i gyfieithu yw, mae'n debyg, 'mod i'n gneud yn eitha ag ystyried popeth.

Ffarwelio â Dave Renshaw egsentrig a'i deulu yn y maes awyr drannoeth a hedfan i Rochester, a Hefin a minnau fel dau gadach. Diolch i'r drefn, roedd y ddeuddydd yn Rochester yn gymharol hamddenol – un cyfweliad papur newydd, un rhaglen deledu ac un cyngerdd. Arhosem yng nghartref Richard Loomis, arbenigwr ar Chaucer a Dafydd ap Gwilym, a chyfieithydd cywyddau'r bardd Cymraeg i'r Saesneg. Roedd hi'n bleser ei glywed yn sôn am Dafydd ap Gwilym a'i gyfnod, a'i ddealltwriaeth o'r Gymru gyfoes hefyd yn rhyfeddol. Croesi'r ffin wedyn i Ganada a threulio deuddydd neu dri hynod o ddifyr yn ardal St. Catharine's, Rhaeadr Niagara a Thoronto, yng nghwmni Jane Hughes a fu'n rhedeg siop Gymraeg o'r enw 'Siani Flewog' am gyfnod, Alun Hughes a Siân Thomas, sydd bellach wedi hen sefydlu yma yng Nghymru ac wedi dysgu Cymraeg yn rhugl. Uchafbwynt y rhan yma o'r daith efallai oedd ymddangos ar y Bob Mclean Show, rhaglen deledu rwydwaith a ddarlledwyd dros Ganada gyfan. Cefais sgwrs hir am Gymru a'r iaith a'r caneuon, a chanu un o 'nghaneuon i orffen, cyn gwneud lle i'r gwestai nesa, yr actor Vincent Price. Symud ymlaen wedyn i gyfarfod Cymry Ottawa – llawer ohonyn nhw'n siarad Cymraeg ac wedi ymfudo yn weddol ddiweddar. Doedd ganddyn nhw ddim rhyw lawer i'w ddweud wrth fy neges wleidyddol i, ond roedd eu cwrw yn dipyn gwell na lager diflas yr ochr arall i'r ffin. Mi ges gyfle i weld geiriau o waith fy hen ewyrth, John Tydu Jones, sydd wedi eu cerfio ar fwa'r Tŵr Heddwch yn adeilad y Senedd yn Ottawa:

> All's well, for over there among his peers
> A Happy Warrior sleeps.

Taith hir wedyn yn ôl i'r ffin, ac oddi yno i Utica, lle a fu unwaith yn un o brif ganolfannau'r Cymry yng Ngogledd America. Ar ddechrau'r ugeinfed ganrif roedd pump o gapeli Cymraeg yno, ond mae'r un sydd ar ôl bellach wedi hen gefnu ar yr iaith fel cyfrwng naturiol. Arhosem yn nhŷ Mair

Lloyd, gweddw un a aeth i Utica o Gymru yn weinidog, a chafwyd croeso a chwmni difyr a diddorol ganddi. Unwaith eto cawsom gyfarfod â nifer o hen bobol rhugl eu Cymraeg oedd yn holi am yr hen wlad ac, yn amlwg, yn dal i hiraethu ar ei hôl.

Am ba reswm bynnag, dyw'r Cymry ddim yn llwyddo i ddal gafael ar eu hiaith yn America; dwy neu dair cenhedlaeth ar y mwya, ac yna ebargofiant. Yr unig arwydd gobeithiol erbyn hyn yw bod nifer cynyddol yn dysgu'r iaith o'r newydd, ac yn cymryd gwir ddiddordeb yn yr hyn sy'n digwydd yng Nghymru heddiw. Gymaint gwell yw hyn na morio mewn Cymreictod sentimental ynghlwm wrth Gymru sydd wedi hen farw ers cenedlaethau. Ar ein noson olaf yn Efrog Newydd cefais gyfle i roi neges go gryf i'r rhai a ddaeth ynghyd i'r swper ffarwel, ynglŷn â'r frwydr wleidyddol yng Nghymru, a'u hannog i gefnogi'r frwydr ym mhob ffordd posib. Roeddwn yn teimlo ar y pryd fy mod wedi cael hwyl arni, er imi siarad heb flewyn ar fy nhafod, ond ni welaf unrhyw bwrpas i fwydo'r hen syniad meddal o'r 'hen wlad'. Os yw Cymry America am fod o gymorth, rhaid iddyn nhw wybod beth yn union sydd yn digwydd yng Nghymru fel y mae heddiw. Roeddwn hefyd yn siarad yn sgîl methiant affwysol y refferendwm, ac y mae'n dda imi gael byw i fynd yn ôl i'r Unol Daleithau cyn Refferendwm 97 i ddarogan, yn llawn ffydd a gobaith, y byddem yn llwyddo'r tro hwnnw! A byw wedyn i ddychwelyd yno yn 2001 i ddweud bod y Cynulliad Cenedlaethol, er gwanned yw, yn ffaith, a Chymru wedi cychwyn ar ei thaith i ryddid.

Cyrhaeddais y Maes Awr drannoeth heb fy mhasbort ond, diolch i ŵr Veronica, Yussef (alltud o Balesteina a golygydd papur newydd y Palestiniaid yn America), cawsom daith wallgo yn ôl i'r fflat – y rhan fwyaf ohoni ar y llwybr a gedwir ar agor i'r ambiwlans am fod y pum lôn yn llawn o draffig i'r ddau gyfeiriad – a chyrraedd yr awyren fel yr oedd y drysau'n cau. Unwaith eto yr oedd Veronica wedi cael hyd i Gymro mewn swydd uchel a gytunodd i ddal yr awyren yn ôl nes imi gyrraedd! Diolch Veronica, a diolch Yussef, am bopeth. Dau go lipa a gyrhaeddodd yn ôl i Gymru wedi'r daith fythgofiadwy honno.

Gŵyl Geltaidd Berlin, 1980

Ie, Gŵyl Geltaidd ym Merlin, a honno wedi'i threfnu gydag arddeliad, gyda chantorion a dawnswyr ac offerynwyr a chrefftwyr o bob un gwlad oedd ag unrhyw gysylltiad Celtaidd yn heidio yno. Nid yn unig y gwledydd Celtaidd 'arferol' – Cymru, Llydaw, Yr Alban, Iwerddon, Manaw a Chernyw – ond gwledydd fel Asturias a Galicia ar Benrhyn Sbaen, sy'n credu'n gydwybodol eu bod hwythau o'r un tylwyth â ni. Cynhaliwyd yr Ŵyl ym Merlin am fod yr Almaenwyr yn hawlio mai yn rhannau deheuol eu gwlad y cychwynnodd y Celtiaid eu taith tua'r Gorllewin.

Roeddwn yn aros mewn fflat gyda chwpwl ifanc oedd yn cymryd diddordeb mawr yn ein diwylliant a'n gwleidydd-iaeth, ac wedi bod yn astudio geiriau fy nghaneuon cyn imi gyrraedd ac yn fy holi'n dreiddgar amdanyn nhw. Aeth y gŵr ifanc â mi ar drên i weld y mur enwog, ac i fynd â mi drosodd i'r Dwyrain. Aed â ni i stafell danddaearol tra roedd y milwyr arfog yn edrych ar ein papurau. Daeth y milwyr yn ôl gyda phasbort fy nghyfaill a'i hebrwng drwy ddrws dur anferth, er iddo geisio'u perswadio nad oedd am fynd hebdda i. Doedd dim yn tycio, a thrwy'r drws â fo yn ddigon diseremoni, gan fy ngadael i yn teimlo'n bur ofnus erbyn hyn. Roedd yr holl beth – y lleoliad, y milwyr, yr awyrgylch – yn union fel ffilm eilradd, a minnau heb syniad beth oedd yn mynd i ddigwydd nesa. Wedi cyfnod a ymddangosai fel tragwyddoldeb, daeth y milwyr i'r golwg, dychwelyd fy mhasbort i mi a'm hebrwng yn gyflym i waelod grisiau concrid a'i gwneud yn hollol eglur, gyda stumiau sarrug, fy mod i fynd i fyny'r grisiau am fy mywyd. Dyna wnes i a chael fy hunan yn ôl ar orsaf y trên, heb syniad ble'r oeddwn, nag i ba gyfeiriad yr oeddwn am fynd. Mi neidiais ar y trên cynta, dod oddi arno yn y stesion nesa a cherdded nes cyrraedd rhywle cyfarwydd. Wedi oriau o grwydro a holi llwyddais i gyrraedd y fflat, ac er mawr lawenydd i mi – ac i'm ffrindiau – roedd y gŵr ifanc wedi cyrraedd o'm blaen. Roedd yr esboniad yn ddigon syml, er yn anodd ei gredu, sef nad oedd fy mhasbort blwyddyn i yn dderbyniol i adael imi fynd i'r Dwyrain!

Wedi blas o ddiwylliant y drefn Gomiwnyddol, aeth

149

gweddill yr ymweliad heibio'n ddidramgwydd a chefais gyfarfod eto gyda chantorion fel Glenmor o Lydaw, Brenda Wootton o Gernyw, un o'r cantoresau gorau a glywais erioed, – y ddau ysywaeth wedi'n gadael bellach – a Miro Casabella o Galicia. Roeddwn wedi cyfarfod â Miro o'r blaen yn San Sebastian ac wedi synnu mor debyg oedd testun llawer o'n caneuon. Fel y mae gennym ni ganeuon am Dryweryn, yr oedd yntau yn canu am foddi cwm a phentref yng Ngalicia. Dan drefn Franco roedd deddf gwlad yn rhoi'r hawl i beirianwyr feddiannu tir yn gyfreithlon trwy osod eu traed arno, a phan geisiodd y trigolion lleol eu rhwystro, saethwyd llanc ifanc yn farw yn y fan a'r lle gan yr heddlu. Fel finnau, hyfforddwyd Miro yn bensaer, ac fel finnau, canai yn unig yn ei iaith frodorol, y Galisieg.

Cyrhaeddodd yr Ŵyl ei huchafbwynt ar y nos Sadwrn olaf gyda cherddorion o bob un o'r wyth gwlad yn canu a chwarae offerynnau o bob math a dawnsio'n ddi-derfyn yn y neuadd, yn y cyntedd, ar y stryd ac yn y bwyty mawr cyfagos, a'r Berlinwyr ifanc wrth eu bodd yng nghanol y fath fwrlwm. Uchafbwynt arall yr wythnos oedd llunio datganiad, wedi'i arwyddo gan gynrychiolwyr o'r wyth gwlad, yn galw am hawliau llawn i'r ieithoedd brodorol, hunaniaeth i'r gwledydd, atal yr ecsbloetio ar diroedd ac adnoddau gan Ffrainc, Sbaen a Lloegr, a deiseb yn cefnogi dwy ymgyrch yn arbennig, sef yr un am sianel deledu Gymraeg ac ymgyrch pobol Plogoff yn Llydaw yn erbyn gorsaf niwclear. Credaf mai Per Denez oedd un o brif symbylwyr y datganiad hwn, ac yr oedd yn hwb i achos ac i hyder pob un o'r gwledydd Celtaidd pan fu ymgyrch y sianel yng Nghymru ac ymgyrch Plogoff yn erbyn yr atomfa yn llwyddiannus maes o law.

Sardinia

Gŵyl werin arall i wledydd bychain Ewrop aeth â mi i ynys Sardinia, rywbryd yng nghanol yr wythdegau. Ni chofiaf yn union pa flwyddyn oedd hi ond yr oedd yr achlysur yn gofiadwy am imi gael hunllef o daith. Roeddwn yn gadael y Waunfawr yng nghanol y ffliw ac yn mynd ar y trên dros nos yng Nghaergybi er mwyn cael lle i gysgu yr holl ffordd i Euston. Cyrhaeddais y gwely a gofynnais i'r stiward am alwad tua saith y bore. Mi ddeffrais a sylweddoli bod y trên ar stop, a hithau bron yn wyth o'r gloch. Daeth pen y stiward rownd y drws yn ymddiheuro'n llaes bod y trên wedi gorfod aros oherwydd gwaith atgyweirio ar y lein, ac y byddem yn cyrraedd Euston tua chwarter wedi wyth. Gan fod yr awyren yn gadael am chwarter i naw trodd y ffliw yn rhywbeth gwaeth; ond dim ond dechrau gofidiau oedd hynny. Rhuthrais o'r trên i dacsi a chyrraedd y maes awyr i sylweddoli bod fy nhocynnau ar sedd gefn y tacsi. Cefais fy nghyfeirio i faes parcio enfawr hanner milltir i ffwrdd lle'r oedd cannoedd o dacsis, i gyd yn edrych yn union run fath!

Wedi gwylio rhai dwsinau yn mynd heibio sylweddolais mai ofer y gwaith a llusgais yn ôl at ddesg y cwmni awyrennau rhag ofn bod yna waredigaeth, er bod fy awyren wedi hen fynd. Pan gyrhaeddais y ddesg, pwyntiodd y dyn ei fys ataf a dweud: '*Where have I seen that face before?*' Edrychais arno'n hurt, fel y diflannai i'w swyddfa. Daeth yn ôl ymhen munud gyda fy nhocynnau a'm pasbort – roedd y gyrrwr tacsi wedi gwneud y peth amlwg, a dychwelyd y dogfennau coll i'r cwmni. Chwarae teg i'r cwmni, fe lwyddwyd i drefnu fy mod yn dal awyren arall ac anelu am yr Eidal ar hyd llwybr gwahanol, llwybr oedd yn mynd â mi drwy sawl maes awyr, ac ar sawl awyren. Does dim pwrpas manylu, ond dywedaf yn unig mai dyna'r daith ryfeddaf a gefais erioed, gan i bob awyren fod yn hwyr am ryw reswm neu'i gilydd, a methu o drwch blewyn a dal yr awyren nesaf. Canlyniad y cyfan oedd imi orfod treulio'r noson ganlynol ym maes awyr Milan. Doedd fawr o siap ar gysgu gan fod dynes llnau yn dod o gwmpas bob hyn a hyn gyda chlamp o hwfer swnllyd. Yr unig beth a gofiaf yw bod llanc o Wlad Pwyl wrth fy ymyl, a ddysgodd imi ynganu Lech Walesa ('Fawensa'), felly rhaid mai tua 1983 oedd hi.

I dorri stori hir yn fyr cyrhaeddais Cagliari – prif dref Sardinia – ddiwrnod yn hwyr, y bore ar ôl y noson yr oeddwn i fod i berfformio, ac yn teimlo fel cadach llestri oherwydd y ffliw. Ta waeth, wedi dod o hyd i'r gwesty, a chyfarfod nifer o Gymry eraill oedd yno (gan fod yr Ŵyl yn un amlweddog, yn cynnwys darlleniadau gan feirdd a darlithiau gan academwyr yn ogystal â'r dawnswyr, yr offerynwyr a'r cantorion arferol), trefnwyd fy mod yn canu y noson honno. Roedd y llwyfan mewn lle digon tebyg i hen chwarel, gyda'r gynulleidfa luosog yn eistedd mewn amffitheatr a naddwyd o'r graig. Ar y llwyfan roedd crefftwyr, yn fasgedwyr a gwehyddion ac artistiaid o bob math o'r gwahanol wledydd yn ymarfer eu crefft a'u celfyddyd, a ninnau'r cantorion yn perffformio yn eu canol. Fel y cyrhaeddais y llwyfan i ganu, dechreuodd glaw ysgafn cynnes ddisgyn drwy'r llifoleuadau, a minnau'n crynu wrth edrych ar y torfeydd yn eistedd ar y creigiau uchel o'm cwmpas. Am ryw reswm – oherwydd y 'creigiau geirwon' ar bob llaw efallai – penderfynais yn y fan a'r lle daro 'Oes gafr eto?' ac, o'r eiliad honno, dechreuodd y ffliw wella. Oriau'n ddiweddarach, yng nghanol y nos, cawsom wledd o gig a gwin fel na all ond gwledydd y Môr Canoldir ei ddarparu, ac yr oeddwn yn drist iawn o orfod gadael yn gynnar fore drannoeth. Cyrhaeddodd y cyfaill oedd yn fy nghyrchu i'r maes awyr yn hwyr ac, er iddo yrru fel cath wallgo i gythrel, collais yr awyren am Rufain...

Cymry Paris

Ddwywaith yn ystod y nawdegau, bu Euros Rhys a minnau yn difyrru aelodau Cymdeithas Cymry Paris ar adeg Gŵyl Ddewi. Mae achlysuron fel hynny yn esgus da i gael gweld lle difyr fel Paris yng nghwmni, a thrwy lygaid, Cymry eraill sy'n nabod y lle fel cefn eu llaw. Er na all y Cymdeithasau Cymreig alltud yma dalu dim ond eich costau fel rheol, mae'n fantais fawr cael rhywun i'ch tywys o le i le, a chael cwmni diddan i swpera mewn lle bwyta bychan diarffordd lle mae'r bwyd yn odidog, yn lle'ch bod yn cael eich blingo yn un o dai bwyta drudfawr canol y ddinas.

Yr hyn sy'n rhoi blas ychwanegol ar ymweliadau fel hyn yw bod y gynulleidfa yn gwir werthfawrogi'r canu, am ei fod yn brofiad gweddol brin, a bod rhywun yn sicr o gyfarfod cymeriadau annisgwyl o ddiddorol, megis Nest Pierry, sy'n llais cyfarwydd i wrandawyr Radio Cymru ers blynyddoedd, a'r feiolinydd Elenid Owen o Gaerdydd, sy'n teithio'r byd fel aelod o un o *ensembles* llinynnol amlycaf y byd clasurol, a Jim Rowlands, y Cymro o ardal Rhuthun sy'n cyfansoddi a chanu a recordio yn Gymraeg – a hynny yn Ffrainc.

Y Nawdegau

Fel y dywedais cyn mynd i grwydro'r byd yn y bennod ddiwethaf, roedd 1988 yn groesffordd bwysig yn fy hanes. Wedi helbulon a phrofiadau chwerw'r wythdegau, roedd cyfnod newydd mwy gobeithiol yn ymagor o'm blaen ac, fel y cychwynnodd siomedigaethau'r 80au yn 1979, roedd y 90au gobeithiol yn cychwyn i mi yn 1988.

Honno oedd blwyddyn yr ailgychwyn i mi mewn sawl ffordd – ailgychwyn canu o ddifri, gyda'r Band y tro hwn ac, yn bwysicach na dim, priodi Bethan a chychwyn cartref newydd ar aelwyd 'Carrog', Rhos-bach. Roeddem ein dau wrth ein bodd gyda'r cartre newydd, a Bethan yn ei helfen yn gosod ei stamp arbennig ar y lle, y tu mewn a'r tu allan. Cwrs pensaernïaeth neu beidio, gan Bethan y daeth y syniadau wrth gynllunio ar gyfer addasu'r cartre newydd, ac fe dyfodd y 'bocs' i fod yn lle amgenach yn ystod y nawdegau, a datblygu ei gymeriad arbennig ei hun.

Sain

Wrth inni wynebu'r nawdegau gyda'n gilydd, dechreuodd pethau wella mewn sawl agwedd ar fywyd. Yn fy mywyd busnes bob dydd, roedd cwmni Sain yn datblygu i fod yn gwmni llewyrchus ac amlweddog, a'r bartneriaeth rhwng O. P. Huws a minnau, er mor annhebyg yr ydym mewn sawl ffordd, yn gweithio'n dda. Efallai'n wir fod y bartneriaeth yn gweithio'n well am ein bod yn wahanol – O.P. gyda'i ben busnes caled, ei frwdfrydedd di-ball a'i glust ar y ddaear, a minnau â'm hagwedd mwy calon-feddal wedi'i ffrwyno â greddf fusnes gryfach erbyn hyn. Nid ydym yn cytuno ar bopeth, ond allan o'r tensiwn creadigol hwnnw y daw llawer o'r ynni sy'n gyrru'r cwmni yn ei flaen. Yr hyn sy'n bwysig yw ein bod yn cytuno ar y pethau sylfaenol; yr ydym ein dau yn genedlaetholwyr digymrodedd sydd am weld y Gymraeg yn llwyddo fel cyfrwng busnes a phob agwedd arall ar fywyd ein cenedl. Yr ydym hefyd yn awyddus i adlewyrchu'r hyn sy'n digwydd yng Nghymru o safbwynt diwylliant y bobol ar gryno-ddisg, caset a fideo, a phob cyfrwng arall sy'n cael ei ddyfeisio. Mae O.P. yn reddfol ar flaen y gad gyda datblygiadau newydd, ac y mae'r ddau ohonom yn benderfynol y bydd cynnyrch Sain yn cael ei farchnata drwy'r byd gyda chymorth y dechnoleg ddiweddaraf, ac y bydd talentau Cymru i'w gweld a'u clywed ar y cyfryngau newydd i gyd.

Bu cwmni Sain yn ffodus iawn yn ei gyfarwyddwyr o'r cychwyn; roedd cyfraniad Huw, fel y nodais eisoes, yn allweddol wrth osod y sylfeini, ac wedi iddo fo symud ymlaen i fyd y teledu, roedd Hefin Elis yn allweddol wrth i'r cwmni ddatblygu yn ystod yr wythdegau, ac y mae'n parhau ar fwrdd y cwmni hyd heddiw. Wedi i Hefin yntau benderfynu canolbwyntio ar waith teledu, daeth cyfraniad O. P. Huws yn fwyfwy canolog, a does dim dwywaith mai iddo ef yn bennaf y mae'r diolch bod y cwmni wedi datblygu fel y mae heddiw. Fy mhrif gyfraniad i, mae'n debyg, oedd bod yn ddolen gyswllt, yn elfen o ddilyniant a chysondeb o'r cychwyn cyntaf hyd heddiw, a rhaid cyfaddef imi fwynhau'r profiad yn fawr. Mae pob diwrnod yn wahanol, a phob diwrnod yn dod â'i sialens newydd. A'r hyn sy'n destun ysbrydoliaeth gyson imi yw'r ffrwd o dalent sy'n dal i lifo yng Nghymru, y naill genhedlaeth ar ôl y llall.

A thra 'mod i'n sôn am y rhai a wnaeth gyfraniad i Sain dros y blynyddoedd, nid y cyfarwyddwyr oedd yr unig rai, wrth reswm pawb. Fel gyda phob cwmni arall, mae cyfraniad y staff i gyd wedi bod yn rhan annatod o'r twf ac o'r llwyddiant, yn enwedig felly am fod cymaint o'n gwaith, yn enwedig o safbwynt yr ochr dechnegol a'r stiwdio, wedi bod yn waith arloesol yn y Gymru Gymraeg. Fel y bu yn hanes gweisg argraffu a sefydlwyd yn y 60au a'r 70au, bu'n rhaid i gwmni Sain hefyd arloesi gyda'r dechnoleg newydd ac, yn fwy diweddar, gyda'r chwyldro digidol, er mwyn cadw ar flaen y gad a sicrhau bod y Gymraeg yn barod am yr unfed ganrif ar hugain. Bydd gweddill y rhai a fu'n gweithio i Sain yn deall os cyfeiriaf yma at un yn unig, sef y llanc o Langefni a ddaeth atom yn niwedd y saithdegau, ac a fu farw'n drychinebus o ifanc yn 1982. Roedd Gareth Mitford Williams yn ŵyr i un o arwyr fy mhlentyndod i, sef yr arlunydd W. Mitford Davies, ac yn berson cwbl arbennig. Graddiodd yn un o golegau Rhydychen a chwrddais ag ef gyntaf pan oeddwn yn ymgeisydd ym Môn, a'r myfyriwr swil a distaw yn dangos y ffordd imi wrth ganfasio o gwmpas y stad tai cyngor lle'r oedd yntau'n byw, yn Llangefni. Roedd Gareth yn gallu troi ei law at unrhyw agwedd o waith Sain ac yn drylwyr broffesiynol a diffwdan ym mhopeth a wnâi, ond fe'i cofir yn bennaf am ei waith gyda Chôr Pantycelyn a'i osodiadau Cerdd Dant artistig. Gallai Gareth fod wedi gwneud cyfraniad aruthrol i fywyd Cymru mewn sawl cyfeiriad, ond fe'i trechwyd gan y creulonaf o afiechydon. Collwyd ei ddawn fawr a chollwyd un o'r cymeriadau anwylaf y cefais y fraint o'i adnabod erioed.

Colli Mam

Wedi marw Nhad yn haf 1984, roedd yn amlwg na fyddai Mam yn gallu aros yng Nghastell Bach Caerwedros yn rhy hir ar ei phen ei hun gan fod y lle braidd yn anghysbell (yn enwedig yn y gaeaf, ac yn enwedig o gofio bod Alun a minnau yn byw yng nghyffiniau Caernarfon a Huw yn Nhrelales gerllaw Penybont-ar-Ogwr). Felly penderfynwyd gwerthu'r hen fwthyn i ddau frawd lleol a phrynu tŷ unllawr ym mhentre Tal-y-bont, Ceredigion. Roedd gennym gysylltiadau cryf â'r pentre hwnnw gan i Fred Jones y Cilie, tad fy nhad, dreulio cyfnod hir yno fel gweinidog gyda'r Annibynwyr rhwng 1926 a'i farwolaeth yn 1948, ac yn 1928 enillodd etholiad i fod yn Gynghorydd cyntaf Plaid Genedlaethol Cymru ar Gyngor Sir Ceredigion. Er mai Nhad oedd wedi bod yno'n byw, roedd Mam yn edrych ymlaen at gael mynd yno am nifer o resymau – roedd yn nabod rhai pobol drwy gysylltiadau'r teulu ac roedd chwiorydd Nhad yn byw yn y cyffiniau; roedd ar y ffordd rhwng y De a'r Gogledd fel y gallem ni alw heibio ar ein taith, ac yr oedd yn weddol agos at ardal ei maboed yn Sir Drefaldwyn a chartref ei brawd yn

Aberhosan. Roedd pob ymgais gennym ni'r bois i'w pherswadio i ddod yn nes atom i fyw yn gwbl ofer; roedd hi'n berson annibynnol iawn ei natur a'r peth olaf a ddymunai oedd 'bod yn faich ar neb'. Ymdaflodd i fywyd Tal-y-bont gyda'r brwdfrydedd rhyfeddol hwnnw oedd yn gymaint nodwedd ohoni, yn enwedig bywyd y capel, Merched y Wawr a'r Blaid, ac nid oedd fyth yn fyr o ddweud ei barn yn glir a heb flewyn ar ei thafod, hyd yn oed os oedd hynny'n pechu ambell un ambell waith. Bob tro y galwem heibio, roedd ganddi bwnc i'w drafod, âi'n ddadl boeth ar sawl achlysur ac ni phylodd fflam ei hysbryd i'r diwedd un.

Ond yr oedd y blynyddoedd yn dal i fyny efo Mam fel pawb arall ac nid oedd ei hiechyd yn rhy wych, er mai anaml y cyfaddefai hynny wrthym ni'r bois. Ar Ionawr yr ugeinfed, 1990, trefnwyd parti ar ei phen-blwydd yn 80 oed mewn pentre cyfagos i Dal-y-bont; ni ddywedwyd wrthi y byddai llond y lle, neu mae'n beryg y byddai wedi aros gartre ond, wedi gweld y teulu wedi dod ynghyd o bob cornel o'r wlad, roedd wrth ei bodd ac mi gawsom ddiwrnod i'w gofio. Yn naturiol, roedd fy ysgariad wedi bod yn ergyd fawr i Mam, ond roedd gweld y plant i gyd yn edrych mor hapus y diwrnod hwnnw yn gysur mawr iddi, ac edrychai flynyddoedd yn iau na'i hoed. Flwyddyn yn ddiweddarach cafodd waedlyn pur ddrwg yn gynnar ym mis Ionawr, a chan nad oedd meddyg priodol ar gael yn Aberystwyth bu'n rhaid i'r ambiwlans fynd â hi yr holl ffordd i Gaerfyrddin, a bu'r daith hirfaith honno yn dreth arni. Ar Ionawr y pedwerydd ar ddeg, 1991, euthum i Gaerfyrddin i'w nôl adre a daeth i aros at Bethan a minnau am rai dyddiau, ond doedd dim yn tycio ond mynd yn ôl i Dal-y-bont. Gwta fis yn ddiwedd-arach cafodd strôc drom a bu'n anymwybodol yn Ysbyty Bron-glais am wythnos, a ninnau'r plant a'r wyrion wrth ei gwely. Bu farw ar Chwefror y pedwerydd ar ddeg heb ddod ati'i hun.

Dal i gredu

Ar ôl i *Gwinllan a Roddwyd* ddod allan yn 1986, bu pum mlynedd o dawelwch tan yr albym nesaf, hynny'n bennaf oherwydd y cythrwfl yn fy mywyd personol a'r cyfnod o ailsefydlu cartre newydd. Cyhoeddwyd fideo o gyngerdd Corwen (*Dathlu Chwarter Canrif*) yn 1989 ac, yn nechrau Rhagfyr 1991, gwelwyd yr albym newydd, *Dal i Gredu* yn y siopau. Casgliad amrywiol iawn o ganeuon oedd arni, heb thema gref fel *Gwinllan,* ond mae'n cynnwys nifer o draciau a ddaeth yn rhan annatod o set llwyfan y Band a minnau yn ystod y nawdegau, yn enwedig 'Cân Angharad' (a gyfansoddwyd fel teyrnged i Angharad Tomos wrth iddi ennill y Fedal Ryddiaith yn Eisteddfod Genedlaethol Bro Delyn y flwyddyn honno); 'Esgair Llyn' (ar alaw 'The Fields of Athenry'); 'Cân yr Aborijini' (i drigolion gwreiddiol Awstralia ar achlysur dathlu daucanmlwyddiant gwladwriaeth y dyn gwyn ar y cyfandir hwnnw); 'Doctor Alan' (i Aelod Seneddol Caerfyrddin a gefnogodd y mudiad yn erbyn addysg Gymraeg yn y sir, safiad a gostiodd iddo'i sedd yn y diwedd) a 'Dal i Gredu' ei hun, ar alaw 'My way'. Daeth y rhain i gyd yn boblogaidd iawn ar lwyfan, ac yr oedd 'Dal i Gredu', er ei bod yn dechrau fel cân tafod-yn-y-boch, yn newid wrth fynd yn ei blaen i fod yn ddatganiad o ffydd wladgarol ac yn rhoi digon o le i minnau dynnu'r stops i gyd i'r pen, ac i dynnu'r lle i lawr fel arfer!

Mae dwy gân arbennig ar yr albym yma sy'n dipyn o ffefrynnau gen i, y naill i gofio'r Archesgob Oscar Romero a laddwyd wrth yr allor yn El Salvador am ei fod yn cefnogi'r werin yn erbyn gormes y llywodraeth filitaraidd, a'r llall i Nelson Mandela, un o ddynion mwyaf ein cyfnod ni yn ddios. Yng nghanol ein brwydrau ni dros hawliau Cymru a'r Gymraeg, roedd yn bwysig iawn ein bod yn uniaethu hefyd gyda brwydrau eraill, megis y frwydr yn erbyn system *apartheid* a gormes y dyn gwyn yn Ne Affrica. Yr wyf yn ei chyfri'n fraint o fod wedi cael chwarae rhan, er mor fychan, gyda phobol fel Hanif Banjee ym mudiad Gwrth-Apartheid Cymru, ac yn diolch imi gael byw i weld Nelson Mandela yn dod o garchar, a hynny heb ronyn o chwerwedd yn ei enaid er yr holl flynyddoedd o gaethiwed, a'r holl ddioddef:

Cân Mandela

Mae wynebau'r plant yn hen ar stryd Soweto
Wrth wylio rhag y milwyr rownd y tro,
Mae hi'n anodd cysgu bellach yn y sianti
A sŵn bwledi'n atsain ar y to,
    Peidiwch disgwyl inni ddiolch
Am ichi beintio ein cadwynau ni ag aur,
Mae'r cadwynau'n dal yn dynn am ein traed
Ond mi ganwn gân o obaith drwy ein dagrau
A gwyddom y daw Mandela yn rhydd.

Aeth miloedd ohonom neithiwr draw i'r eglwys
I ganu ac i wrando neges Crist,
Roedd dagrau'n llifo lawr ar hyd ein gruddiau
Ond doedd yno neb yn wylo, neb yn drist...

Os cawn ni ein harestio gan y plismyn,
Os cawn ni ein carcharu i gyd rhyw ddydd,
Bydd Iesu'n dal yn Geidwad a Gwaredwr
Ac mi ddown ni gydag Ef o'n rhwymau'n rhydd...

Ar yr albym yma hefyd y mae'r addasiad a wnes o un o ganeuon gorau Frank Hennessy, 'Tiger Bay', sy'n adrodd hanes teulu o ardal y glo yng nghymoedd Morgannwg yn hwylio o Gaerdydd i chwilio am fywyd gwell dros yr Iwerydd, ond sy'n cael eu hunain mewn caledi yno hefyd a'u breuddwyd am ryddid newydd yn chwalu; 'Draw, Draw Ymhell' yw ei theitl Cymraeg. Ysbrydolwyd 'Fel Yna Mae Hi Wedi Bod Erioed' gan ddewrder y myfyriwr a safodd o flaen y tanciau ar Sgwâr Tianamen yn Beijing ym mis Mehefin 1989, cyn i'r tanciau ladd cannoedd o bobol ifanc a gysgai yn eu pebyll. Mae'r albym yn cloi gyda'r Anthem Geltaidd a gyfansoddwyd gan Hefin Elis a minnau ar gyfer yr Ŵyl Ban-Geltaidd yn Iwerddon, ac a fabwysiadwyd yn swyddogol gan yr Ŵyl fel Anthem i'r gwledydd Celtaidd i gyd; mae hi bellach wedi'i chyfieithu i bob un o'r ieithoedd Celtaidd. Fel gydag alaw 'Esgair Llyn', roedd alaw draddodiadol o Iwerddon wedi bod yn canu yn fy mhen ers sawl blwyddyn; enw'r alaw oedd *'Buachaill an Eirne'* ('Bachgen o'r

Iwerddon'), a chredaf mai'r grŵp Clannad a glywais yn ei chanu gyntaf. Mae rhyw naws hudolus a dirdynnol yr un pryd yn yr alaw hyfryd hon ac mae'r geiriau a gyfansoddais iddi yn cyfeirio at bedair ardal brydferth yng Nghymru, ond pedair ardal sydd ar yr un pryd yn gartref i fygythiad a hedyn trychineb. Pe bai rhywun yn gofyn imi am fy hoff gân o safbwynt y geiriau, byddai hon yn go agos i'r brig:

Awel yr Wylfa

Mae awel yr Wylfa yn wylo i gyfeiliant y don
A'r adar yn trydar eu gofid ar lwyni y fron,
Mae llwybr y geinach i'w weled yn glir ar y ddôl
Ac mae'r wylan yn galw ar blant y tonnau yn ôl.

Ar erwau Trawsfynydd mae cysgod y cwmwl yn drwm,
A'r nentydd yn sibrwd eu pryder wrth lifo i'r cwm,
Mae llwybr y cadno i'w weled yn glir ar y ddôl
A'r ehedydd yn galw ar blant y mynydd yn ôl.

Mae dyfroedd Tryweryn yn curo ar gerrig y lan,
Fel hunllef yn mynnu ail-godi ysbrydion y fan,
Mae'r defaid yn brefu eu hiraeth o lethrau a dôl
A'r gylfinir yn galw ar blant y rhosydd yn ôl.

Mae gwyntoedd yr Epynt yn sgubo dros esgyrn y tir
Fel gwerin yn mynnu cael dial 'rôl diodde mor hir,
Mae olion y tanciau fel llwybr o waed ar eu hôl
A'r golomen yn galw ar blant y rhyfel yn ôl.

Caio a Celt: 'I ble'r aeth haul dy chwerthin?'

Bedwar mis wedi claddu Mam ym mynwent Capel-y-Wîg, Llangrannog, ganwyd y mab cyntaf i Bethan a minnau, Caio Llŷn, ac yr oedd aelwyd Carrog, Rhos-bach, yn aelwyd gyflawn. Profiad rhyfedd ar un wedd oedd bod yn dad unwaith eto wedi'r holl flynyddoedd, ond yr oedd yn brofiad yr oeddwn yn benderfynol o'i fwynhau a'i werthfawrogi'n llawn. A'r hyn a roes gymaint o foddhad â dim imi oedd y modd y gwnaeth Llion, Elliw a Telor gymryd at eu brawd bach newydd. Roedd Taid Garnfadryn ac Anti Maira hefyd wrth eu boddau, a bu'r daith rhwng y Garn a Rhos-bach yn bererindod gyson i bawb ohonom drwy gydol y nawdegau. Gymaint felly fel na pheidiodd Bethan a bod yn aelod yng nghapel y Garn hyd heddiw.

Ddwy flynedd yn ddiweddarach, bron i'r diwrnod, daeth Celt Madryn i'r byd, ond yr oedd cwmwl go ddu ar y gorwel. Pan oedd Celt yn ddeunaw mis oed, fe'i trawyd â salwch difrifol na wyddai neb beth ydoedd. Aeth i'r ysbyty ond fe'i hanfonwyd adre am na allen nhw ddarganfod dim byd o'i le. Fe wyddai Bethan a minnau fod Celt bach yn wirioneddol sâl, a chawsom gefnogaeth ein meddyg lleol i'w gael yn ôl i'r ysbyty. Yno mesurwyd cyfrif ei waed (yr hyn na wnaed ynghynt drwy amryfusedd) a gwelwyd ei fod bron cyn ised ag y gallai fod, ond doedd neb yn deall pam; roedd Celt fel pe bai'n gwaedu i farwolaeth, ond heb waedu. Tynnwyd y llyfrau allan o'n blaenau, a galwyd meddyg yn ôl o'i wyliau mewn cais ffrantig i ganfod y clefyd. Penderfynwyd ei fod yn dioddef o'r *Haemolytic Uraemic Syndrome*, cyflwr prin iawn sy'n gwneud i'r arennau 'ladd' y gwaed fel petae, ac sy'n gallu arwain at farwolaeth sydyn. O'r foment honno ymlaen nid oes gennym ond canmoliaeth i Ysbyty Gwynedd, y meddygon a'r nyrsus; gweithredwyd ar unwaith i roi gwaed newydd i Celt, ond rhaid oedd gwneud hynny'n araf iawn gan y gallai gormod o waed yn rhy sydyn ei ladd. Sicrhawyd gwely iddo yn Ysbyty Alder Hey yn Lerpwl lle'r oedd ganddynt arbenigwr ar gyfer clefyd yr arennau.

Y daith honno o Fangor i Lerpwl yw'r daith fwyaf hunllefus a brofais erioed. Roedd y meddyg wedi galw Bethan a minnau ato cyn inni adael ac egluro pa mor ddifrifol oedd y sefyllfa, ac y dylem baratoi ar gyfer y gwaetha. Roedd hyn yn naturiol wedi bod yn ergyd aruthrol i ni'n dau, a bu'n rhaid i Bethan ffonio'i thad ar unwaith, – gan fod y ddau mor agos roedd yn amhosib iddi gadw'r newydd rhagddo. Mi es innau adre i Carrog i nôl ychydig bethau gan y byddai rhaid i ni aros yn Lerpwl am rai dyddiau. Roedd Taid yno, wedi torri'i galon, er ei fod yn gwneud ei orau i guddio hynny. Roedd Bethan yn teithio yn yr ambiwlans gyda Celt, yn gwylio'r gwaed yn diferu'n araf i'w gorff bach eiddil, a minnau'n gyrru'r car y tu ôl i'r ambiwlans, yn cael trafferth i weld rhwng y glaw a'r dagrau. Wedi cyrraedd

Lerpwl, gwthio Celt ar droli ar daith a edrychai'n ddiddiwedd ar hyd y coridorau maith yn Alder Hey cyn cyrraedd y ward arennau, ac aros i'r arbenigwr edrych ar Celt, a ymddangosai'n bur ddi-fywyd erbyn hyn. Wedi iddo'i archwilio cawsom air gyda'r arbenigwr a dechreuodd rhyw lygedyn bach o olau ymddangos drwy'r duwch; eglurodd fod hyn a hyn o achosion bob blwyddyn a bod canran gweddol yn gwella a bod siawns eitha gan Celt, er mai gwell fyddai inni aros gydag o am noson neu ddwy.

Mae'r stori o hynny ymlaen, diolch i Dduw, yn un o anobaith yn troi'n obaith, a hwnnw'n cryfhau o ddydd i ddydd wrth i Celt fywiogi a dechrau cymryd sylw o'r hyn oedd yn digwydd o'i gwmpas. O dipyn i beth fe drechwyd yr aflwydd, a hynny heb iddo orfod mynd ar beiriant *dialysis* hyd yn oed. Does neb a ŵyr beth a achosodd yr afiechyd; mi allai fod yn rhywbeth a godwyd o'r pridd, o gysylltiad ag anifail, neu hyd yn oed o rywbeth yn ei fwyd, ond y wyrth yw i Celt bach atgyfnerthu mwy neu lai heb driniaeth arbennig wedi i'r aflwydd gael ei adnabod, ac i'r gwaed gael ei sefydlogi. Mae un peth yn sicr, ni allai ein dyled fod yn fwy i'r meddygon ym Mangor a Lerpwl, a'r nyrsus yn y ddau le am eu gofal a'u hynawsedd, a buom fel teulu yn cyfrif ein bendithion byth ers iddo wella.

Roeddwn yn recordio cyfres deledu yn fuan wedi hynny, a theimlais, am y tro cyntaf yn fy mywyd, y dylwn sgrifennu cân am y profiad y buom drwyddo fel teulu. Doeddwn i ddim am swnio fel pe bawn yn gwneud defnydd o'r profiad am y rhesymau anghywir – rhywbeth yr wyf bob amser yn ofnus ohono ym myd adloniant – nac ychwaith am swnio'n rhy sentimental. Eto, roedd yn brofiad mor ysgytwol fel y ffurfiodd y gân bron ar fy ngwaetha ac, wedi'i gorffen, roeddwn fel pe bawn wedi cael gwared o faich oddi ar f'ysgwyddau. Recordiwyd y gân ar gyfer y teledu ac ar gyfer y record, ond ychydig a genais arni yn fyw. O bryd i'w gilydd, roedd rhywun yn dod ata'i i ofyn amdani am eu bod nhw wedi bod trwy brofiad tebyg, a'r peth mwyaf anodd o'r cwbl oedd ei chanu i rywun oedd wedi colli plentyn mewn sefyllfa debyg, ac eto'n dweud bod gwrando'r gân yn help iddyn nhw i ddod dros eu galar. Ar adegau fel hynny byddaf bron yn ofni'r grym sydd yn gallu deillio o gân.

Yr un flwyddyn ag y ganwyd Celt (1993), cyhoeddais albym o ganeuon gwerin wedi'i chynhyrchu gan Tudur Morgan, a chlywir ei gyfeiliant medrus ef ar y gitar arni hefyd. Roeddwn wedi bod yn dyheu am recordio casgliad fel hwn ers blynyddoedd lawer, ac wrth wireddu'r dymuniad mi geisiais hefyd gysoni iaith nifer o'r caneuon hyn sydd wedi eu llurgunio braidd dros y blynyddoedd wrth iddyn nhw gael eu cam-gofnodi, neu eu lled-gofio, ac rwy'n gobeithio y caf gyfle i wneud ail gyfrol debyg cyn bo hir. Yna, yn 1995, rhoddais nifer o ganeuon newydd, ac ail-recordio ambell i hen ffefryn, ar albym gyda'r gân a gyfansoddais i Celt. Mae nifer o ganeuon ar yr albym yma yr wyf yn hoff iawn ohonyn nhw am eu bod yn mynegi rhywbeth o bwys i mi, gan gynnwys Symudwch y Bobol, Rhywbryd Fel Nawr a Torri'r Cylch o Drais. Ar hon hefyd mae telyneg o waith Isfoel i'r planhigyn a dyfai ei fam wrth ddrws ei chartref, y Shili-ga-bŵd, a'r addasiad Cymraeg a wnes o'r gân Wyddelig heintus, *The rare old times* – 'Cana Gân, fy Nghymru'. Cân-deitl yr albym yw 'Cân Celt':

Cân Celt

I ble'r aeth haul dy chwerthin?
I ble'r aeth glaw dy gri?
Mae'r tŷ 'ma'n ddistaw heno
Heb sŵn dy chware di;
Rwyt ti'n gorwedd ar dy wely
A'th wedd yn holi pam,
Er nad oes gen ti ddim geirie:
'Pam na chaf fi wella, Mam?'

Mae oriau'r dydd yn llusgo
Ac oriau'r nos yn faith,
Dy lygaid yn ddigyffro
A llygaid Mam yn llaith;
Rwyt ti'n rhy ifanc eto
I ddweud fy enw i,
Ond mae llawer un ar weddi
Heno'n dweud dy enw di.

Daeth lliw yn ôl i'th ruddiau
A gwên a lenwai'r byd,
Gafaelaist yn y tegan
A gafodd lonydd c'yd.
Cei grio faint a fynni,
Cei dynnu'r lle 'ma i lawr;
Os gwyddost beth yw cariad,
Fe wyddom ninnau'n awr.

Roedd Celt yn gorfod mynd am archwiliad achlysurol i sicrhau bod yr aflwydd wedi clirio'n iawn ac, ymhen dwy flynedd, aeth am y tro olaf i Alder Hey a chael ei gyhoeddi'n holliach. Gofynnodd y nyrs iddo, gan edrych i fyw ei lygaid, oedd o'n teimlo'n iawn, gan iddo grio dipyn go lew wrth iddyn nhw dynnu gwaed o'i wythïen. Edrychodd Celt arni heb ddeall, gan nad oedd eto wedi dechrau dysgu Saesneg, ond daeth ei frawd mawr Caio i'r adwy, gafael yn ei law, a dweud 'Dywed 'ffanciw' wrthi Celt, a tyd adra', a'i dynnu am y drws. A 'ffanciw' mawr ddywed Bethan a minnau, hefyd, gydag arddeliad.

Yma mae Nghân

Roedd sawl cwmni teledu wedi gwneud cais i gomisiynwyr S4C drwy gydol yr wythdegau am gael gwneud cyfres ohonof yn canu fy nghaneuon, ond caent eu gwrthod bob tro. Doedd y peth ddim yn fy mhoeni 'n ormodol, ond roedd llawer o gynhyrchwyr yn methu deall pam. Roedd gen i ddigon ar fy mhlât gyda'r holl gyngherddau byw – doedd dim angen S4C arnaf i brofi bod fy nghaneuon yn apelio gan fod pobol yn heidio i wrando arna i'n canu, ddwywaith neu dair bob wythnos, ym mhob cwr o Gymru a'r tu hwnt. Roedd pobol yn prynu fy recordiau wrth y miloedd bob blwyddyn ac, yn fwy na dim, roedd pobol yn dod ataf o bryd i'w gilydd – ar gornel y stryd, mewn tafarn, neu ar ddiwedd oedfa mewn rhyw gapel bach ym mhellafoedd Llŷn – i ddiolch am ambell bennill, neu i egluro pam yr oedd ambell gân, neu ambell linell hyd yn oed, yn golygu rhywbeth arbennig iddyn nhw. Mae'r berthynas rhwng canwr â'i gynulleidfa, yn enwedig canwr sy'n canu ei ganeuon ei hun, yn berthynas arbennig iawn, ac rwy'n ei chyfri hi'n fraint fy mod wedi cael rhywfaint o ddawn i gyffwrdd â phobol drwy 'nghaneuon dros y blynyddoedd.

Mae'n debyg bod yna ddau brif reswm pam i S4C, yn y degawd cyntaf, fod yn amharod i roi cyfres imi. Y rheswm cyntaf yw'r rheswm gwleidyddol amlwg. Wedi'r cyfan mae S4C yn wasanaeth a grewyd o ganlyniad i ymgyrch wleidyddol benderfynol iawn, ac ymgyrch a arweiniwyd gan genedlaetholwyr. Ar ben hynny, mae S4C yn wasanaeth sy'n cael ei ariannu'n llwyr gan y Llywodraeth – o Lundain, nid o Gaerdydd. Felly mae wedi bod yn fater sensitif iawn o'r cychwyn i ba raddau y gall S4C fforddio bod yn wasanaeth sy'n rhoi llais i genedlaetholdeb yng Nghymru. Ein delfryd ni a fu'n ymgyrchu drosti oedd y byddai gennym yng Nghymru wasanaeth teledu a radio, yn Gymraeg ac yn Saesneg, fyddai'n gwbl annibynnol ar y drefn Brydeinig, ac yn gallu siarad â llais cwbl ddigywilydd Gymreig. Does dim angen i mi ddweud ein bod ymhell iawn o gyrraedd y nod honno; cawl eildwym Prydeinig ei naws wedi'i gyflwyno inni mewn gwisg Gymraeg yw'r rhan fwyaf o'r arlwy a gawn drwy S4C. Nid dweud yr wyf ei fod yn wasanaeth sâl, – mae llawer i'w ganmol ynddo, yn enwedig pan edrychwn ar y sothach sy'n cael ei alw'n deledu yn America a llawer o wledydd cyfandir Ewrop, ond y mae ymhell o fod yn wasanaeth cenedlaethol Cymreig a Chymraeg, yn enwedig felly o safbwynt y newyddion a materion cyfoes.

Cyrhaeddodd y pwysau gwleidyddol ar S4C benllanw tua'r un adeg ag yr oedd Huw Jones yn ceisio olynu Geraint Stanley Jones fel Prif Weithredwr. Gwnaed adroddiad ar ran y Blaid Lafur yr adeg honno oedd yn dadlau bod perygl i'r cyfryngau yng Nghymru syrthio i ddwylo'r cenedlaetholwyr. Yn wir, dadleuai'r adroddiad hwnnw fod Radio Cymru eisoes wedi mynd i ddwylo'r cenedlaetholwyr, a bod yn rhaid sicrhau nad oedd yr un peth yn mynd i ddigwydd i S4C. Cofiaf un frawddeg yn arbennig: *'The Welsh language is far too valuable to be left in the hands of the Nationalists'.* Fel rhan o'r adroddiad, ceisiwyd profi bod nifer o genedlaetholwyr amlwg yng nghyffiniau Caernarfon yn rhedeg y diwydiant teledu yno (enwyd fy mrawd Alun Ffred a minnau ymhlith eraill), a hyd yn oed yn defnyddio arian S4C i bwrpas gwleidyddol. Enwyd cwmnïau fel Barcud ac Arianrhod, dau gwmni yr oedd gan Huw Jones gysylltiad â nhw, ond dau gwmni nad oedd ag unrhyw gysylltiad â'i gilydd. Yn dilyn yr adroddiad hwn, aeth Rhodri Morgan mor bell â chyflwyno cynnig yn Nhŷ'r Cyffredin yn cyhuddo Arianrhod o fod yn gyfrwng i sianelu arian S4C o Barcud i goffrau Plaid Cymru, ac arwyddwyd y cynnig gan nifer o bobol, gan gynnwys Kim Howells a Paul Flynn.

Roedd y cyhuddiad mor ddifrifol fel yr aeth Barcud at gwmni rhyngwladol o gyfrifwyr i archwilio llyfrau'r cwmni, a dangosodd yr archwiliad y tu hwnt i bob amheuaeth nad oedd unrhyw arian erioed wedi mynd o Barcud i Arianrhod, ac yn sicr ddim i goffrau Plaid Cymru. Pan gyhoeddwyd y canlyniad hwn, tynnodd Kim Howells a Paul Flynn eu henwau'n ôl gydag ymddiheuriad, ond ni wnaeth Rhodri Morgan hynny hyd heddiw. Pe bai gennym unrhyw beth yn debyg i wasg wrthrychol Gymreig yng Nghymru, oni fyddai rhywun wedi mynd i bac Prif Weinidog y Cynulliad ynglŷn â'r cyhuddiad gwarthus a di-sail hwnnw erbyn hyn? Ofnaf mai disgwyl yn ofer y byddwn i weld y cyfryngau yng Nghymru yn dinoethi dulliau llwgr y Blaid Lafur yn ein gwlad, ond mi gawn ein gweddill a'n gwala o 'ymchwiliadau' i weithgarwch Plaid Cymru, fel a gafwyd hyd syrffed yn barod.

Yr ail reswm, mae'n debyg, yw bod y 'gwybodusion' sy'n troi ym myd y celfyddydau cyfryngol yn y Brifddinas wedi pasio erioed bod fy ngherddoriaeth i a'm bath yn rhy henffasiwn ac ansoffistigedig i hawlio'i le ar y cyfryngau modern. Pobol yw'r rhain sy'n ymhyfrydu yn eu cysylltiadau rhyngwladol a'u chwaeth gosmopolitan, ac sydd wrth eu boddau ar longau yn Cannes adeg y Gwyliau Ffilm a Theledu, ac sy'n smalio mai Prydain mewn gwasgod sidan Gymreig yw Cymru wedi'r cyfan. Wrth gwrs, efallai mai chwilen yn fy mhen i yw hyn i gyd, ond y mae elfen o wirionedd yma, credwch chi fi!

Ta waeth am hynny, mi newidiodd pethau, a chomisiyn-wyd cyfres o 'nghaneuon o'r diwedd. Cafwyd ffigyrau gwylio uchel iawn i'r ddwy gyfres gyntaf a deledwyd o dan y teitl

'Yma mae 'Nghân', ac ymateb twymgalon gan y werin na welant fyth y tu mewn i gwch yn Cannes! Comisiynwyd trydedd cyfres lle datblygwyd thema Albanaidd, gan adrodd peth o hanes yr Alban a thynnu cymhariaeth rhwng yr Alban a Chymru, a minnau'n cael cyfle i addasu i'r Gymraeg nifer o ganeuon Albanaidd oedd wedi apelio ataf dros y blynyddoedd. Hanfod y cyfresi hyn oedd fy mod yn rhoi pob cân yn ei chyd-destun ac yn ei chyflwyno mewn lleoliad oedd a rhyw gysylltiad â hi, er mwyn dangos nad rhywbeth yn bodoli mewn gwagle yw cân ond bod iddi bob math o gysylltiadau amrywiol – weithiau â lle arbennig, dro arall â digwyddiad neu hanes neu stori arbennig, a thro arall â pherson neilltuol. Pan ddaeth comisiwn am bedwaredd cyfres, penderfynwyd mynd ar ôl y cysylltiad Americanaidd a'r rhai a ymfudodd o Gymru am wahanol resymau i Ogledd a De America. Y tro hwn y stori oedd yn cael y prif le, a'r caneuon wedi eu cyfansoddi fel cyfeiliant i'r stori.

Efrog Newydd, Medi 2001
Roedd tair o'r rhaglenni yn adrodd hanes Cymry a ymfudodd i Ogledd America, a difyr iawn oedd dilyn hynt ambell gymeriad megis Hugh W. Hughes o Nebo ger Pen-y-groes yn Arfon. Roedd yn un o naw o blant ond cyrhaeddodd America ar ei ben ei hun yn 1857 yn 21 oed, gyda phum doler yn ei boced, a chafodd waith yn y gweithfeydd plwm yn Wisconsin. Symudodd wedyn i weithio yn y chwareli llechi yn ardal Vermont, yng nghanol cannoedd o Gymry eraill. Daeth yn un o ddynion busnes mwyaf llwyddiannus a chyfoethog y diwydiant llechi, ac ennill y teitl 'Slate King of America'. Gadawodd ei gyfoeth i'w fab, a fu fawr o dro yn gwario'r cyfan yn ôl pob sôn. Cymeriad arall oedd yr un a roes ei enw (a'r tir) i Barc Griffith yn Los Angeles, yn ogystal â'r tir i adeiladu Hollywood, theatr fawr awyr agored ac arsyllfa sêr. Doedd dim prinder o Gymry i olrhain eu hanes; y cwestiwn mawr yw i ble y diflannodd y Cymreictod? Mae'r Gwyddelod a'r Eidalwyr a'r Iddewon yn amlwg eu dylanwad, eu presenoldeb a'u cenedligrwydd ym mhob man, ond mae

gan y Cymry'r ddawn o ddiflannu rhywsut, ac ymdoddi i'r diwylliant Americanaidd.

Roeddem yn gorffen y ffilmio yn Efrog Newydd ym mis Medi 2001, ac wedi penderfynu defnyddio tyrau'r Ganolfan Fasnach fel symbol o fawrdra'r Unol Daleithiau, ac fel cyflwyniad i gân ddychanol a sgrifennwyd adeg yr ymfudo mawr o Gymru ac a recordiwyd gan Pedwar yn y Bar, 'Dewch i'r America'. Buom ar ben Twr y Gogledd ar Fedi'r seithfed yn gwneud sawl linc ar gyfer y rhaglen, ond roedd yr holl fastiau radio yno yn ymyrryd â'r sain. Penderfynwyd gwneud cais i fynd i fyny drannoeth cyn troi am adre a chawsom gymorth parod gan un oedd yn gweithio ar un o loriau uchaf y twr i fynd a'r gêr i gyd i fyny eto, heb orfod ciwio. Y tro hwn roedd y sain yn iawn ond roedd niwlen ysgafn yn cuddio'r olygfa o'r ddinas. Felly aethom i lawr a ffilmio wrth fôn y ddau dŵr, er mwyn cael golwg ddramatig o'u maint a'u huchder. Ar ganol y ffilmio daeth un o blismyn y lle atom i ddweud y byddai'n rhaid inni symud ymlaen gan nad oedd hawl i ffilmio yno, ond cawsom amser i orffen ý linc, chwarae teg iddo.

Yna, am y tro cyntaf bron yn yr holl gyfres, dywedodd Hefin Elis, y cynhyrchydd, ei fod am wneud y linc unwaith eto o lan y dŵr ger Pont Brooklyn yn edrych yn ôl ar adeiladau Manhattan, rhag ofn na fyddai'r linc wrth draed y Ganolfan Fasnach yn gweithio. A dyna fu. Cyrhaeddwyd yn ôl i Gymru ar Fedi'r nawfed a thradwy, ar yr unfed ar ddeg, roeddwn i fel y rhan fwyaf o'r ddynoliaeth orllewinol, mae'n debyg, yn gwylio'r lluniau anhygoel ar y sgrîn deledu o'r ddau dŵr anferthol yr oeddem yn eu ffilmio dridiau ynghynt yn chwalu i'r llawr, a'r holl bobol ddiniwed – rhai ohonyn nhw mae'n siŵr wedi'n helpu i ffilmio ar y Sadwrn cynt – yn trengi yn y gyflafan. Roedd Hefin wrthi'n golygu'r gyfres ar y pryd a bu'n rhaid dileu ambell olygfa o barch i'r rhai a fu farw, a defnyddiwyd y linc a wnaed ger Pont Brooklyn yn lle'r un a ffilmiwyd ger y ddau dŵr.

Patagonia

Doeddwn i erioed wedi bod yn un o'r rheiny oedd yn gwirioni am Batagonia, ac eto yr oedd rhyw chwilfrydedd yn codi o bryd i'w gilydd am y lle. Hyd yn oed pan ysgrifennais gân deyrnged ar gyfer Cyfarfod Coffa Michael D. Jones, tad cenedlaetholdeb Cymru, yn yr Hen Gapel flynyddoedd yn ôl, roeddwn yn lledawgrymu mai camgymeriad oedd ceisio sefydlu'r Gymru Rydd ar ddaear gwlad arall:

O ganol gormes creulon ar werin Cymru dlawd
Fe gyrchaist yr Afallon yn gartref i dy frawd,
Gliried dy weledigaeth, gadarned oedd dy ffydd
Sefydlwyd, ar dir estron, y Gymru newydd rydd –
    Cydiwn yn dy freuddwyd, a chofiwn dy neges di
    A chodwn y Gymru newydd ar ddaear ein Cymru ni.

Ond pan ddaeth y cyfle i wneud y rhaglenni am y Wladfa, a'r cyfle i durio'n ddyfnach i hanes yr antur enbyd honno, aeth fy chwilfrydedd yn drech na mi a gafaelais yn y cyfle. Rhaid imi gyfaddef bod yr holl hanes wedi cydio ynof. Mae'n amhosib dirnad yn union y math o ddigalondid ac anobaith oedd yn peri i gynifer o bobol godi pac, gadael gwlad eu tadau, ac anelu am wlad ddiarth ym mhellafoedd byd. Ond, o fethu gweld gobaith am well byd yma yng Nghymru, fe daniwyd y bobol hyn â breuddwyd eirias. Breuddwyd am greu Cymru newydd Gymraeg, lle caent ryddid i addoli ac addysgu eu plant fel y mynnent yn eu hiaith eu hunain, ar gyfandir newydd. A'r dyhead hwnnw a'u cadwodd yn fyw yn ystod y fordaith enbyd ar y Mimosa a thrwy fisoedd a blynyddoedd cyntaf caled y Wladfa. Roedd Lewis Jones ac Edwin Cynrig Roberts ac eraill wedi gwneud gwaith gwych o'u hysbrydoli, ond roedd brwdfrydedd y tanio wedi camarwain hefyd, a doedd neb yn barod am y caledi oedd o'u blaenau.

Wrth ddilyn yr hanes, a chreu caneuon newydd i geisio cyfleu yr holl antur, y gobeithion a'r tor-calon, y gwrhydri a'r cweryla, y dewrder a'r dyfalbarhad rhyfeddol, roeddwn yn cynhesu fwyfwy at stori epig Patagonia. Camgymeriad neu beidio, ni allwn, ac ni ddylem, fyth anghofio'r bennod hon yn hanes ein cenedl. Wrth gwrs, bu sawl pennod debyg – yn hanes Cymru ac yn hanes gwledydd bychain eraill – ond pennod Patagonia yw'r unig un yn achos Cymru a lwyddodd i adael ei hôl ar y wlad fabwysiedig. Archentwyr yw 'Cymry' Patagonia, ac ni ddylem synnu at hynny o gwbwl, ond mae trigolion Patagonia heddiw yn cydnabod eu dyled i'r arloeswyr o Gymru a sefydlodd drefi a phentrefi'r rhan hon o'r Ariannin. Nid hawdd yw anghofio brwdfrydedd y ferch o dras Sbaenaidd ym mwyty newydd Yr Hen Felin yn Nhrelew, wrth iddi egluro pam mai'r Ddraig Goch oedd yn chwifio dros y fynedfa. Aeth â mi i weld y lluniau oedd ar y wal yn dangos y Cymry yn cario'r cynhaeaf i'r union felin yr oeddem yn bwyta ynddi, a chyfeiriai at Lewis Jones a'i gyfeillion gydag edmygedd amlwg. Ac, yng nghanol y dre fawr o 100,000 o drigolion, saif cerflun anferth o Lewis Jones, y Cymro a roddodd ei enw i'r lle, ac o gwmpas y cerflun mae nifer o banelau yn dangos golygfeydd o hanes yr arloeswyr Cymreig cynnar.

Profiad hynod i Gymro alltud hefyd yw gweld yr arwyddion ar strydoedd y dref yn dwyn enwau pobol fel Michael D. Jones, Edwin Roberts, Lewis Jones, Llwyd ap Iwan, R. J Berwyn ac eraill. Biti na fyddai rhai o drefi Cymru yn dilyn ei hesiampl! Ym mhentre prydferth y Gaiman, ychydig i fyny'r cwm, mae'r Gymraeg i'w chlywed ar y stryd ac yn amlwg ar arwyddion y siopau, y Davarn Las a'r Tai Te. Roedd y croeso'n gynnes, er imi gael cyfarchiad pur swta gan Luned Gonzalez, prifathrawes Coleg y Gaiman, sy'n or-wyres i Michael D. Jones: 'A chi ydi Dafydd Iwan, sy'n credu mai hen ddyn gwirion oedd Michael D. Jones yn ein hel i le fel hyn?'

Cyfeirio yr oedd, mae'n debyg, at y nodyn sydd yn fy llyfr o ganeuon, wrth droed y gân i'w hen daid. Er imi ddychryn ychydig, deallais yn ddigon buan mai enghraifft o hiwmor sych y foneddiges oedd hyn, a bu'n hynod o gyfeillgar ac yn gymorth mawr inni yn ystod ein harhosiad. Cefais Noson Lawen i'w chofio yn y Tŷ Gwyn yn y Gaiman – dwy, a dweud y gwir, achos bu'n rhaid inni gynnal dwy yn union ar ôl ei gilydd gan i gymaint o docynnau gael eu gwerthu. Y cof arall o'r Gaiman a fydd gen i am byth yw hwnnw am y noson yn y 'Bwthyn' – deg ar hugain o ddynion o bob oed mewn garej ar stad o dai, cig oen yn rhostio ar yr *asado* yn y gornel, y gwin yn llifo a'r caneuon yn diasbedain (mewn Cymraeg a Sbaeneg) i gyfeiliant medrus sawl gitâr. Uchafbwynt y noson i mi oedd parti cydadrodd yn cyflwyno 'Maradona' gan Selwyn Griffith ac, wrth i'r lleisiau lefaru, Sbaenwr rhugl ei Gymraeg, yr un sbit â Maradona, yn jyglo pêl-droed! Os byth y cewch gyfle i fynd i'r 'Bwthyn', ewch yno ar bob cyfri a mynnwch ddarllen y llyfr ymwelwyr; mae'n brofiad nad anghofiwch mohono.

Mae sawl atgof arall o'r Gaiman y byddaf yn eu trysori, yn enwedig y croeso annisgwyl a gawsom yn Yr Ysgol Gerdd, a chôr ifanc y Gaiman – a fu ar daith yng Nghymru'n ddiweddarach yn y flwyddyn – yn canu rhai o fy nghaneuon mewn harmoni hyfryd. Yna sgwrs hir a difyr gyda'r ddiweddar Mrs Macdonald (mam Elvey), oedd â stôr o ganeuon ar ei chof. Mynd i weld Irma Hughes de Jones, sydd wedi cofnodi cymaint am fywyd y Wladfa mewn cerddi a rhyddiaith ar draws y blynyddoedd, ac er bod ei chof yn dechrau pallu mi ges ganddi ei fersiwn hi o 'Mae'n Wlad i Mi', yn sôn am y Wladfa, ar gyfer y cyngerdd y noson honno.

Byddai gweddill ein profiadau ym Mhatagonia yn llenwi cyfrol eu hunain ond bodlonaf ar sylw neu ddau am Gwm Hyfryd. Y ffaith sylfaenol am y Wladfa yw ei bod yn ddwy ran, – Trelew a'r Gaiman a Dyffryn Camwy yn y dwyrain, a Chwm Hyfryd, lle mae Esquel a Threvelin yn brif drefi, yn y gorllewin – a rhwng y ddwy ran y mae 400 milltir o ddiffeithwch undonog y Paith. Wedi gweld rhyfeddodau'r dwyrain, yn enwedig y rhwydwaith cymhleth a dyfeisgar o ffosydd a chamlesi a fu'n waredigaeth i'r Cymry, croesi'r paith am oriau i gyfeiriad yr Andes a chael croeso gwych mewn bwyty yn Nhrevelin, blasu'r cig eidion mwyaf gogoneddus a gefais erioed a chlywed Vincent a'i ffrindiau yn canu. Y profiad mwyaf unigryw o'r noson honno oedd clywed gŵr o dras Sbaenaidd yn canu 'Cân Victor Jara' yn Sbaeneg, gan yrru ias drwy 'nghorff. Roedd Vernon Hughes, un o'r Cymry a fu'n ein tywys o gwmpas, yn gweithio gyda'r Indiaid brodorol ac aeth â ni ar daith hir ac anghyfforddus i un o'u pentrefi bychain. Cawsom groeso ar ffurf seremoni draddodiadol ac eglurwyd mai ni oedd y tramorwyr cyntaf erioed i weld y seremoni honno. Roedden nhw'n byw mewn amgylchiadau cyntefig iawn. Eglurodd y wraig oedd yn amlwg yn arwain mai pwrpas y seremoni oedd ymbil ar eu Duw i ganiatau iddyn nhw i fyw ar eu tir cysegredig, i fyw yn null eu traddodiad nhw fel Indiaid o'r llwyth Tehuelche ac i siarad eu hiaith eu hunain. Roedd yn anodd cadw'r dagrau draw wrth inni weld gweddill prin y brodorion gwreiddiol yn ceisio dal at eu traddodiad ac, er bod i'r Cymry hanes o gyfeillgarwch hir gyda'r Tehuelche, ni allwn lai na meddwl ein bod ninnau hefyd wedi bod yn rhan o'r broses greulon o ddisodli trigolion gwreiddiol cyfandir cyfan gan ddiwylliant y dyn gwyn. Cenais ambell gân werin am yn ail â'u caneuon nhw a theimlo rhywbeth yn ein clymu gyda'n gilydd – pobol o ddau ddiwylliant gwahanol iawn yn ymladd am yr hawl i fyw ar dir ein cyndadau.

Teithio gyda'r Band

Fel y dywedais eisoes, newidiodd y cyngerdd mawr yng Nghorwen yn 1988 holl gyfeiriad fy mherfformiadau byw, a 'Dafydd Iwan a'r Band' oedd yn teithio Cymru drwy gydol y nawdegau. Amrywiai'r nosweithiau yn fawr ond sylweddolwyd yn fuan nad oedd sŵn y Band yn addas ar gyfer neuaddau bach (heb sôn am festrïoedd) ac felly neuaddau a chlybiau mawr, pebyll enfawr a sguboriau fferm oedd y drefn fynychaf, a'r caneuon yn tueddu mwy tuag at roc na gwerin. Rhaid cyfaddef imi, o dro i dro, deimlo y byddai awyrgylch ychydig yn fwy hamddenol a distaw yn beth braf, ond y peth pwysicaf oedd ein bod yn rhan o fwrlwm adloniant a apeliai at bob oed, yn arbennig felly at yr ifanc. Efallai mai'r peth mwyaf calonogol ynglŷn â'r cyfnod byrlymus hwn oedd bod y genhedlaeth iau wedi tyrru i'n cyngherddau, ond hefyd bod cyfran helaeth o'r digwyddiadau yn denu pobol o bob oed. Mae hyn yn arbennig o wir am y nosweithiau a drefnwyd mewn pebyll yn dilyn sioeau amaethyddol mewn llefydd fel Llanddarog, Cwmsychpant, Castell Newydd Emlyn a Llandeilo.

Ond, yr uchafbwyntiau oedd Gŵyl y Cnapan a'r nos Sul

ym Mhentre'r Ifanc yn Llanelwedd bob blwyddyn. Roedd Gŵyl y Cnapan wedi symud o Drefach Felindre i bentre Ffostrasol, ac yno mewn sied, ac yn ddiweddarach mewn pabell, y cafwyd rhai o'r nosweithiau mawr, cyn i'r Ŵyl symud i faes y tu allan i'r pentre ac efallai dyfu'n rhy fawr a cholli peth ar ei chymeriad. Ni wn a fydd yna Gnapan eto – gobeithio'n fawr y bydd – ond hyd yn oed os na fydd, roedd cyfraniad yr Ŵyl hon i ddiwylliant Cymru yn gyfraniad allweddol. Bu'n rhan o brofiad magu hyder y Cymry yn ystod degawd tyngedfennol y nawdegau. Mae arnom ddyled fawr i'r ardal hon o Geredigion am gyfrannu mor helaeth at ein difyrrwch a'n diwylliant fel cenedl, a bu'n bleser cael bod yn rhan o'r cyfan. Yr unig gŵyn fach sydd gen i yw bod yr achlysur wedi tyfu mor fawr, a'r disgwyliadau mor uchel erbyn y diwedd, fel mai treulio'r diwrnod yn y Glanrafon yn Nhalgarreg (gyda diolch i Hefin a Megan am eu croeso a'u lletygarwch dihafal bob amser) oedd yr unig ffordd y gallai'r Band a minnau ddelio â'r peth, a Hefin yn ein gyrru i Ffostrasol ar gyfer y perfformiad, yna'n ôl i glydwch y Glanrafon. Mae'n debyg mai dyna'r peth agosaf a brofais erioed i fywyd y 'sêr pop' bondigrybwyll, sy'n cael eu cludo o fan i fan a'u cysgodi rhag y byd go iawn! Ond yr oedd gwefr llwyfan y Cnapan a'r dorf enfawr yn rhywbeth na allwn fyth ei anghofio, ac yr oedd cwmni pentrefwyr Talgarreg i'r oriau mân yn cadw traed rhywun ar y ddaear yn solet.

Cyfeiriais eisoes at Lanelwedd. Profiad rhyfedd iawn oedd y tro cyntaf hwnnw ar nos Sul, Gorffennaf yr unfed ar hugain, 1991. Cyrraedd pabell enfawr Pentre'r Ifanc (a drefnwyd gan Fudiad y Ffermwyr Ifanc) yn y prynhawn i glywed cwmni sain a disco o'r Drenewydd yn gosod eu gêr, a'r recordiau Saesneg yn diasbedain ar draws y cwm a phob gair o'r cyflwyniadau hefyd yn Saesneg. Doedd gennym ddim syniad o'r math o gynulleidfa i'w ddisgwyl, na sut dderbyniad a gaem yn canu Cymraeg yng nghanol hyn i gyd. Beth bynnag, bu'r DJ wrthi'n ddyfal am sbel a'r gynulleidfa'n dechrau ymlwybro o'r dre ac o'r pebyll cyfagos. Yna fe'n cyflwynwyd ni. Dringo i'r llwyfan yn teimlo'n reit bryderus, wedi paratoi ar gyfer y methiant mwyaf yn ein hanes. Ond, yn raddol, wedi imi ddechrau canu, ymddangosodd y dyrfa fel pe bai o nunlle a dechreuodd y dawnsio. Roedd yr ail sbot yn well fyth, ac erbyn y sbot ola roedd y lle'n wenfflam a Chymry ifanc Cymraeg a di-Gymraeg yn morio canu a dawnsio wrth eu boddau. Yr hyn yr oeddwn yn dotio ato'n fwy na dim oedd y ffordd rwydd yr oedden nhw'n derbyn y Status Quo un funud a Dafydd Iwan a'r Band y funud nesa, fel 'tae hynny y peth mwya naturiol yn y byd. Wedi'r flwyddyn honno buom yno bob nos Sul cyn dechrau'r Sioe Amaethyddol tan ddiwedd y ganrif, a'r gynulleidfa'n tyfu bob blwyddyn. Erbyn y blynyddoedd ola roeddem yn perfformio hefyd yn y 'Bandstand' ar faes y Sioe ar y dydd Llun, – traddodiad sydd wedi ehangu erbyn hyn ac sy'n un o atyniadau mawr y maes rhyfeddol o ddifyr sydd i Sioe Genedlaethol Cymru. Roeddem wedi bwriadu rhoi pen ar y mwdwl gydag un sioe olaf i'w chofio yn 2001, ond daeth aflwydd y Traed a'r Genau ar draws a chanslwyd y Sioe gyfan.

Ni allwn adael y cyfnod hwn heb sôn am un ardal arbennig o Gymru a ddaeth yn gyrchfan gyson i'r band a minnau. Yr ardal honno yw'r Gwendraeth, a theimlwn ar adegau mai hon oedd fy ail gartref. I Fenter Iaith Cwm Gwendraeth y mae'r diolch am drefnu llawer o'r nosweithiau hyn, ond buom yn canu i nifer o fudiadau eraill hefyd: capeli, clybiau rygbi, clybiau cymdeithasol, Plaid Cymru ac i Gymdeithas yr Iaith. Pontyberem oedd un o'r prif ganolfannau – buom yno mewn sawl clwb a neuadd, a phob un yn orlawn bob tro – a'r un modd yn y Tymbl, Meinciau, Mynydd y Garreg, Pont-iets, Cross Hands, Cefneithin, Trimsaran a mannau eraill. Yr hyn oedd yn wych am y llefydd hyn oedd bod pobol yn mynd allan i fwynhau eu hunain. Doedd dim gwaith 'twymo' arnyn nhw – roedd y gwres yno o'r dechrau, ac erbyn 'Yma o Hyd' ac 'I'r Gad' roedd y lle'n wenfflam. Yr hyn oedd yn rhoi boddhad arbennig i mi oedd gwybod mai cadarnleoedd Llafur oedd y rhain, a bod yr ymdeimlad o Gymreictod bellach yn dod yn fwyfwy canolog yn eu bywydau, ac yn eu gwleidyddiaeth. Doeddwn i ddim yn fwriadol fynd ati i bregethu gwleidyddiaeth plaid, ond mi wyddwn yn iawn fy mod yn tanio'r fflam genedlaethol a doedd dim pylu ar y fflam honno yng Nghwm Gwendraeth.

O'r Gwendraeth, lledodd y cylch i Gwm Tawe a Dyffryn

Aman, a daeth Penygrôs Rhydaman mor gyfarwydd i mi â Phen-y-groes Arfon. Yn wir, mae tebygrwydd mawr rhwng y ddau le – dau gwm gweithfaol, y naill gyda'r glo a'r llall gyda'r llechi, dau gadarnle Llafur a'r Gymraeg, a'r ddau fel ei gilydd yn graddol droi yn gadarnleoedd i genedlaetholdeb. Gwelwn y radicaliaeth yn trosglwyddo'n naturiol o'r hen sosialaeth Gymraeg-Brydeinig i'r sosialaeth Gymraeg wladgarol a Chymreig, a hynny o flaen fy llygaid. Roedd gwneud y Gymraeg yn gyfrwng hwyl ac asbri, yn ogystal â chyfrwng y gwladgarwch newydd hwn, yn rhan o fy neges a dyna pam y bu rhai mannau – gan gynnwys fy mhentref genedigol – yn gyndyn iawn i ofyn imi ddod yno i ganu. Clywais droeon am aelodau o'r Blaid Lafur ar bwyllgor aml i glwb yn dadlau'n ffyrnig yn erbyn fy ngwahodd ond, yn raddol, roedd cylch y gwahoddiadau yn ehangu, a phan gefais fynd i Frynaman yn y diwedd, roedd y croeso'n wresog a'r ymateb yn wych. Yr un modd yn y Betws, Tŷ-croes, Rhydaman, Ystradgynlais, Llandybïe, Gwaun-Cae-Gurwen, Garnant ac ati. Mae'r atgofion yn fyrdd, ac yn foddfa o chwys!

Yn ystod ein blwyddyn olaf o berfformio yn 2000, bu Huw Llambed yn recordio nifer o'n perfformiadau byw yng Nghwm Gwendraeth a'r Cnapan, Llanelli a Chwmsychbant, a chyhoeddwyd pigion o'r recordiadau hyn – *Dafydd Iwan a'r Band – yn fyw!* – ar CD a chaset ar gyfer Nadolig 2001. Cyhoeddir ail gyfrol tua'r un pryd â'r llyfr hwn, yn niwedd 2002. Y ddwy albym yma fydd y cofnod swyddogol o'r perfformiadau a fu'n gymaint rhan o fy mywyd i a'm cyfeillion dros ddegawd olaf y ganrif.

Pan ddaeth hi'n amser yr ail refferendwm ar ddatganoli yn 1997, roeddwn yn gallu synhwyro'r brwdfrydedd yn y Gymru Gymraeg, yn enwedig mewn lle fel Cwm Gwendraeth ac yn enwedig ymysg cynulleidfaoedd ifanc y Cnapan a'r Sioe. Does dim dwywaith yn fy meddwl i mai'r Cymry Cymraeg hyn a gariodd y dydd ar y noson hanesyddol honno ym Medi 1997. Ond, cyn hynny, roeddwn innau i brofi rhywbeth prin yn fy hanes – buddugoliaeth mewn etholiad!

Ennill lecsiwn a sefydlu Cynulliad.

Erbyn 1995 roedd y Torïaid wedi penderfynu bod Cymru am gael ad-drefniad arall ar batrwm ein llywodraeth leol. Dilewyd yr wyth Sir a'r holl Gynghorau Dosbarth, a chrewyd 22 o Siroedd newydd 'unedol'. Penderfynais innau ei bod yn bryd imi daflu fy het i'r cylch unwaith yn rhagor a sefyll dros Blaid Cymru yn ardal y Bontnewydd. Bûm wrthi'n ddyfal yn canfasio o ddrws i ddrws oherwydd gwyddwn nad ar chwarae bach y curwn yr un a fu'n Gynghorydd 'annibynnol' ar yr ardal ers blynyddoedd lawer. Roedd y bleidlais yn agos iawn, ond enillais o drwch y blewyn. Mi wyddwn y byddai hyn yn ddechrau cyfnod newydd cyffrous yn fy hanes, ac yn hanes Plaid Cymru mewn llywodraeth leol. Am y tro cyntaf erioed, roedd y Blaid yn rheoli Cyngor Sir, ac etholwyd fy mrawd, Alun Ffred, yn arweinydd. Gan ei fod yn Gyngor newydd, cawsom gyfle i ddewis ein swyddogion o'r dechrau a chafwyd blwyddyn 'gysgodol' i baratoi ar gyfer y drefn newydd. Roedd criw brwdfrydig o 43 o gynghorwyr yng ngrŵp y Blaid ac yr oeddem i gyd yn ymwybodol ein bod yn wynebu sialens fawr ac yn creu tipyn o hanes. Er y gallwn fod yn falch o sawl agwedd ar waith y Cyngor Gwynedd newydd – yn enwedig ym maes cymorth i fusnesau lleol, rhwydwaith o swyddogion adfywio cymunedol, a'r gwaith o adfywio Ardal y Llechen, y fraint fwyaf oedd cael gorseddu'r Gymraeg fel iaith holl weinyddiad mewnol y Cyngor, gan wireddu un o brif ddyheadau Saunders Lewis yn ei ddarlith radio yn 1962.

Dyddiau cyffrous oedd y rhain, a rhaid cyfaddef bod y cyffro wedi parhau trwy gyfnod y refferendwm ac etholiadau'r Cynulliad Cenedlaethol – cyfnod sefydlu'r Cynulliad etholedig cyntaf a fu yn hanes y Gymru fodern. Mater o dristwch oedd na chafodd Cymru Senedd gyda phwerau deddfu fel a gafodd yr Alban, gan ei bod yn gwbl amlwg erbyn hyn nad oes gan y Cynulliad y gallu i gyflawni ei swyddogaeth yn llawn. Serch hynny, bu'r newid yn y modd y caiff Cymru ei llywodraethu yn newid hanesyddol a sylfaenol. Mater o amser fydd hi bellach cyn y gwelwn Senedd go iawn. O'r diwedd, rydym yn dechrau edrych ar anghenion Cymru fel uned genedlaethol ym maes yr economi, addysg ac iechyd ac, er fod yna ddiffygion mawr yn y modd y dewisodd Llafur Newydd ymgymryd â'r gwaith wedi ymadawiad Ron Davies, mae'r broses wedi dechrau. Roeddwn innau, fel Cadeirydd y Pwyllgor Cynllunio ar Gyngor Gwynedd, ac yna fel arweinydd y portffolio Amgylchedd, Cynllunio a Phriffyrdd, yn gallu bod yn rhan o'r broses o greu strategaethau cynllunio ac economaidd newydd ar y cyd gyda'r Cynulliad, ac y mae'r gwaith hwnnw'n parhau.

Un o ddiffygion mawr Rhodri Morgan a'i Gabinet yw eu bod yn mynnu gor-gymhlethu'r modd y caiff Cymru ei llywodraethu, yn hytrach na gweld sefydlu'r Cynulliad fel cyfle i gael trefn mwy syml, agored a theg. Y duedd yw amlhau Gweision Suful, pentyrru strategaethau ac 'initiatives' annelwig, cynyddu nifer y cwangos a'r pwyllgorau, a chymhlethu'r drefn i'r fath raddau fel bod y cyhoedd yn cael eu drysu. Yn y cyfamser mae'r gwir ddiffygion yn ein heconomi a'n cymunedau yn dal heb eu datrys. Un enghraifft amlwg yw'r modd y mae arian 'Amcan Un' Ewrop wedi cael ei weinyddu. Does dim dwywaith y bydd yr arian hwn yn gwneud gwahaniaeth mawr, ond gymaint mwy fyddai'r effaith pe bai'r drefn yn symlach a mwy uniongyrchol, heb sôn am y diffyg arian o du'r llywodraeth i ategu'r arian a ddaw o Gronfa Ewrop.

Diffyg mawr arall Rhodri a'i griw yw eu bod wedi gwneud y Cynulliad yn Gynulliad Caerdydd yn hytrach nag yn Gynulliad Cymru gyfan. Y sialens sy'n wynebu Plaid Cymru yw argyhoeddi pobl Cymru y gallwn gywiro'r diffyg hwn a sicrhau twf economaidd a swyddi newydd ym mhob rhan o Gymru, nid ym Mae Caerdydd yn unig. Hwn, yn fy marn i, fydd un o brif bynciau'r etholiad i'r Cynulliad yn 2003 – pwnc sydd o bwysigrwydd mawr i Gymoedd y De, yr ardaloedd a ddieithriwyd yn y Gogledd-Ddwyrain a'r De-Orllewin, ac wrth gwrs yn y Gymru wledig sydd mewn peryg gwirioneddol o gael ei gwaedu i farwolaeth gan ddiboblogi a'i boddi gan fewn-fudwyr y llyfrau siec.

Ond, drwy'r cyfan i gyd, er gwaethaf methiant y Blaid Lafur i gymryd ei chyfle ac er gwaethaf y bygythiadau enfawr sy'n wynebu'r Gymru wledig a'r cymunedau Cymraeg, rwy'n parhau'n obeithiol. Yr hyn na allwn fforddio i'w wneud yw disgyn i bydew o hunan-dosturi ac o ddarogan gwae a difodiant y genedl. Yn fwy nag ar unrhyw adeg arall yn ein hanes fel cenedl, mae'r dyfodol yn ein dwylo ni fel Cymry a rhaid inni fachu ar y cyfle, codi'n pennau'n uchel a mynnu byw. Un o'n diffygion pennaf ni fel Cymry yw diffyg ymarferoldeb; ryden ni'n rhy barod i orddibynnu ar eiriau teg a breuddwydion meddal. Mae ein gwleidyddiaeth ni fel cenedlaetholwyr yn troi'n rhy rwydd at y slogan syml, y ralibnawn-Sadwrn a'r araith rethregol. Ac mi ddylwn i wybod – rwyf wedi bod yn rhan o hyn fy hunan am dros ddeugain mlynedd!

Mae lle pwysig mewn unrhyw gymdeithas ddemocrataidd iach i'r brotest gyhoeddus ac y mae ymgyrchu all-seneddol yn rhan annatod o'r broses o ail-greu ein cenedl. Ond, yn y diwedd, rhaid inni hefyd wneud y gwaith caib-a-rhaw, a'r pin-ac-inc; rhaid gweithio ar bolisi ymarferol a'i gael ar y llyfr statud a'i weithredu. Mae hynny, gwaetha'r modd, yn golygu oriau mewn pwyllgor a gweithgor a stydi. Mae rhywbeth naïf ryfeddol yn y duedd bresennol i ladd ar 'y gwleidyddion', fel pe bai'r byd yn mynd i fod yn berffaith pe baem yn cael gwared o bob gwleidydd. Fel y dywedodd Saunders Lewis, am ein bod yn fodau amherffaith y mae angen llywodraeth arnom i roi trefn ar bethau, a lle bo llywodraeth, mi fydd gwleidyddion. Gallwn newid y gwleidyddion, a newid y ffordd y mae gwleidyddion yn ymddwyn ac yn gweithio, ond di-ystyr ydi beio gwleidyddion am bob diffyg yn ein cymdeithas.

Yr un modd gyda'r economi; waeth inni heb ag eistedd yn ôl a disgwyl bod 'rhywun arall' yn mynd i setlo pethau a chreu gwaith i'n pobl; rhaid inni wneud yn fawr o'n hadnoddau a bwrw iddi ein hunain. Mae llawer o'n cyd-Gymry yn gwneud hynny eisoes; mae'n amser bellach i fwy ohonom fentro. Ofnaf ein bod yn dal yn rhy gaeth i'r diwylliant amatur 'gweithio dros yr achos' lle mae'r iaith yn y cwestiwn. Mi wn bod peryg i hyn gael ei gam-ddeall, ond rhaid i ni weithredu dros yr iaith mewn modd masnachol effeithiol os ydym am ei gweld yn ffynnu yn y byd sydd ohoni. Rwyf wedi gweld, ar hyd y blynyddoedd o ganu, yr agwedd ryfedd sydd gennym tuag at y Gymraeg yn y byd masnachol – rhyw gred na ddylai neb gael ei dalu am wneud rhywbeth yn Gymraeg, rhyw syniad mai dyletswydd yw prynu llyfr Cymraeg neu wylio rhaglen deledu Gymraeg neu brynu record Gymraeg. Canlyniad yr agwedd hon yw gwendid ein cyfundrefn broffesiynol Gymraeg – y diffyg siopau proffesiynol Cymraeg da, yn enwedig yn ein prif drefi a dinasoedd, y diffyg cyfundrefn ddosbarthu effeithiol i nwyddau Cymraeg a Chymreig, a'r diffyg mawr mewn theatrau a pherffformiadau ym myd adloniant Cymraeg. Dydw i ddim am orffen ar nodyn rhy negyddol, ond rhaid imi ddweud bod perygl mawr i'r byd Cymraeg gael ei noddi allan o fodloaeth. Mae'n hollol iawn i arian cyhoeddus gael ei ddefnyddio i bwrpas i gynnal gweithgarwch Cymraeg, ond rhaid inni hefyd sicrhau bod yna gyfundrefn fasnachol effeithiol a phroffesiynol yn sylfaen i'r cyfan, a'n bod yn hyfforddi'n hunain i wneud beth bynnag a wneir yn Gymraeg, neu i hyrwyddo cynnyrch Cymraeg a Chymreig mewn modd sy'n cystadlu gyda'r gorau yn y byd Saesneg neu fyd-eang. Fel arall, twyllo'n hunain yr ydym y gall y Gymraeg fod yn fwy na hobi neu grair neu anifail anwes o iaith.

Dal i grwydro, ond diwedd y gân?

A beth am y dyfodol i mi? Wedi blynyddoedd o fygwth rhoi'r gitâr yn y to, mi wnes i hynny i bob pwrpas ar ddiwedd y flwyddyn 2000. 'Ond dyw hynny ddim yn wir,' mi glywaf rywun yn dweud, 'roedd e'n canu yn Llanddarog pwy nosweth!' Y gwir yw fy mod wedi rhoi terfyn ar y cyngherddau cyson yn llwyr, a bu hynny yn gryn ysgytwad i'r system ac yn gryn golled mewn sawl ystyr i mi a bois y Band. Efallai yn fwy felly i Charli, Gari, Tudur, Euros, Pwyll a Pete nag i minnau, gan eu bod i gyd yn dibynnu'n rhannol neu'n gyfangwbl ar eu cerddoriaeth am eu cynhaliaeth. Ac mi ryden ni i gyd yn colli'r gwmnïaeth a'r gymeradwyaeth, wrth gwrs. Ond credaf imi wneud y peth iawn ac mai doeth oedd rhoi gorau i'r teithio a'r perfformio hwyrol parhaus, cyn i'r perfformio gael y gorau arna i. Ar y llaw arall, mae'n gwbl amhosib i roi'r gorau i ganu fel diffodd lamp, a bob hyn a hyn mi gaf fy mherswadio gan hen ffrind i 'roi un gân fach arall' er mwyn rhyw achos neu'i gilydd. Fel arfer, y dyddiau hyn, rhyw 'sgwrs a chân' mewn awyrgylch anffurfiol i Gymdeithas Ddiwylliannol leol yw'r drefn, heb bwysau gormodol ac heb orfod colli gormod o chwys.

Ac, o bryd i'w gilydd, ambell i raglen deledu. Dros y blynyddoedd diwethaf, bu rhai o'r rhaglenni hyn yn fodd imi gael mynd dramor i lefydd hynod o ddiddorol; bûm am gyfnod yn llys-gennad i UNICEF a chefais gyfle i wneud rhaglen yn Slofenia, y wlad gyntaf i ymryddhau oddi wrth yr hen Iwgoslafia. Mae'n wlad arbennig o hardd a dymunol ac eisoes wedi gwneud ei marc yn y byd, yn enwedig ym maes chwaraeon. Yr adeg yr es i yno roedd miloedd o ffoaduriaid o Bosnia yn cysgodi mewn hen farics ac ysgolion a ches gyfle i glywed eu hanes, eu hofnau a'u gobeithion, a chyfle i ganu i'r plant. Dro arall, cyflwynais raglen o Ethiopia gyda Judith Humphreys ar waith Cymorth Cristnogol ac asiantaethau tebyg, a gadawodd yr ymweliad hwnnw ei ôl arnaf. Er gwaetha'r tlodi affwysol roedd gweld y bobl yn gweithio i wella'i stad, yn codi argae â'u dwylo yng ngwres tanbaid yr haul, a'r gwragedd yn cario'u babanod ar eu cefnau wrth weithio, a'u gweld yn medru dal i wenu drwy'r cwbl yn ysbrydoliaeth. Does gen i ddim amheuaeth o gwbl fod yn rhaid inni waredu'r gwledydd hyn o'u dyledion trymion i'r IMF a Banc y Byd, er mwyn rhoi cyfle iddyn nhw godi o'u tlodi. Yn arbennig o gofio bod y sychdwr sy'n eu bygwth yn ganlyniad i'n ffordd farus ni o fyw yng ngwledydd cyfoethog y byd. Mi ddes o Ethiopia wedi fy swyno gan ysbryd cariadus un o werinoedd tlotaf ein daear.

Yn fwy diweddar cefais gyfle i olrhain cysylltiad Cymreig Eglwys y Mormoniaid, a synnu a rhyfeddu at eu trefnus-rwydd a'u disgyblaeth. Cefais gyfle i ganu gydag un o gorau mawr y byd, Côr y Tabernacl, yn Ninas y Llyn Halen, Utah. Yr hyn a'n synnodd yn fwy na dim oedd cymaint o drigolion yr ardal oedd yn falch o arddel eu tras Cymreig – gan gynnwys dros hanner y côr o dri chant a hanner o aelodau.

Dyddiau difyr

Mae'r elfennau eraill yn fy mywyd yn parhau – Sain yn brif gynhaliaeth, gyda Chymdeithas Tai Gwynedd, Cwmni Cyhoeddi Gwynn ac Arianrhod yn fwy ar y cyrion, a'r gwaith gyda Chyngor Gwynedd a Phartneriaeth Caernarfon yn parhau i roi llawer o foddhad, er yn llyncu gormod o amser prin. Mae ELWa hefyd yn mynnu mwy o amser, yn arbennig felly yr Uned Ddwyieithrwydd sydd newydd ei chreu, ac a all, os ELWa a'i mynn, wneud cyfraniad mawr i hybu addysg ac addysgu Cymraeg, ond amser a ddengys. Rwy'n dal i gadeirio Gweithgor Gwledig Fforwm Economaidd y Gogledd, sy'n ceisio mynd i'r afael â sawl agwedd bwysig o'r economi wledig ac amaethyddol a hynny ar gyfnod dyrys iawn, ac yn aelod o'r Bartneriaeth Wledig genedlaethol, siop siarad a drefnir gan y Cynulliad (er y gallai fod wedi datblygu'n gorff mwy buddiol pe na bai Carwyn Jones wedi cael ei symud o'i swydd). Gartref yma yn y Bontnewydd a Chaeathro mae llawer o ddatblygiadau cyffrous ar droed i'r ddwy gymuned, gan gynnwys datblygu'r Ganolfan a'r Maes Chwarae yn y Bont, a ninnau ar fin agor y Capel yng Nghaeathro ar ei newydd wedd fel Canolfan Gymunedol ac fel lle o addoliad – yr ateb i sawl cymuned arall yn fy marn i. Ond, unwaith eto, amser yn unig a ddengys pa mor llwyddiannus y byddwn yn cynnal gweithgarwch y ddau bentre.

Mae un peth yn galondid mawr, sef nad oes unrhyw fygythiad i'r Gymraeg yn yr un o'r ddau bentre hyd yn hyn. Yn wir, gan fod Caio a Celt yn bêl-droedwyr brwd, bydd Bethan a minnau yn treulio sawl orig ar ystlys y cae pêl-droed, ac y mae'n bleser clywed y Gymraeg yn seinio bron yn ddieithriad yn ystod y gemau. Efallai nad yw'r termau bob amser mor Gymreigaidd yn y byd pêl-droed ag ydyn nhw yn y byd rygbi, gwaetha'r modd, ond mae'r Gymraeg yn gyhyrog fywiog yn yr ardal hon o hyd. Cofiaf fynd ar fws o'r Bont gyda'r plant i weld gêm ryngwladol rai blynyddoedd yn ôl, gyda chymysgedd da o bobl o bob oed a phob cylch o fywyd a chymdeithas, a chael fy hun yn dotio at y ffaith mai Cymraeg oedd iaith y sgwrsio, y tynnu coes, y canu a'r cellwair gan bawb o'r Bont i Anfield ac yn ôl. A hynny heb arlliw o ymwybyddiaeth nac ymhonni gwleidyddol o gwbl, dim ond Cymreictod, dyna i gyd. Mae'n falm i'r enaid i fod yn y fath gwmni ac i fyw yn y fath ardal, ac i sylweddoli bod yna ruddin yn y Gymraeg a all oroesi pob bygythiad, doed a ddelo.

Yn ddisymwth braidd, mi gefais fy hun yn Is-Lywydd Plaid Cymru unwaith eto yn ystod 2002. Roedd y Blaid wedi bod trwy gyfnod gwael ac wedi cael ei lambastio o sawl cyfeiriad, nid yn lleiaf gan ei haelodau ei hun. Roedd yn haeddu peth o'r cerydd, ond aeth pethau dros ben llestri'n llwyr wrth i duedd naturiol y Cymry i ladd ar ei gilydd, ac i feio'r Blaid am bopeth (yn arbennig am fewnlifiad y Saeson i gefn gwlad), ddod i'r amlwg mewn modd digon annymunol. Cafodd y cyfryngau Prydeinig-Gymreig fodd i fyw wrth i fudiadau newydd godi fel madarch, ac wrth i broffwydi newydd ymddangos o sawl llwyn a pherth i ddatgan bod y Blaid wedi colli ei gweledigaeth, Ieuan wedi'i cholli hi'n lân, a'r genedl a'r iaith ar fin dibyn difancoll unwaith yn rhagor. Roeddem yn ôl yng nghanol gwleidyddiaeth yr 'unfed awr ar ddeg' dros ein pennau, a'r awydd hunanddinistriol yn bygwth meddiannu cenedlaetholdeb Cymru yn llwyr. I raddau, roedd hyn yn ganlyniad i'n hagwedd arwynebol a diletantaidd ni fel cenedlaetholwyr; wedi oes o ymgyrchu emosiynol ac o freuddwydio am y Gymru Rydd, cawsom erthyl gwan o Gynulliad a gwelwyd Plaid Cymru fel rhan o'r esgus hwnnw dros Senedd. Torrodd y dadrithiad mawr drosom ac, yn hytrach na cheisio atebion ymarferol, penderfynwyd bod pawb wedi methu, bod yr hen broffwydi i gyd yn gau ac y byddai'n rhaid dechrau o'r dechrau eto. Roeddwn i'n un a ganfasiwyd i sefydlu Cymuned a chytunais fod angen corff o bobl i flaenllymu'r ymgyrch dros y cymunedau Cymraeg, ond credwn y dylid gwneud hynny o fewn y Blaid, nid o'r tu allan. Pan benderfynwyd sefydlu Cymuned fel corff annibynnol roeddwn yn dal i obeithio y gallai wneud gwaith buddiol fel math o *Greenpeace* Cymraeg, ac yn sicr mae wedi llwyddo i droi'r llifolau ar argyfwng y cymunedau gwledig. Ond dwi ddim wedi fy argyhoeddi bod y cydberthynas rhwng y Blaid, Cymdeithas yr Iaith a Chymuned yn un ddeinamig a chreadigol, heb sôn am fod yn ddealladwy i'r Cymro cyffredin. Ond cawn weld.

Pan benderfynwyd dileu'r nifer o Is-Lywyddion yn y Blaid a chreu un swydd genedlaethol, credwn yn gryf y dylai rhywun fod yn y swydd o'r tu allan i'r Cynulliad a'r Seneddau yn Llundain ac Ewrop, ac y dylai fod yn ddolen gyswllt rhwng yr aelodau ar lawr gwlad a'r gwleidyddion proffes-iynol. Credwn hefyd y dylai fod yn dod o gefndir brwydr yr iaith, a phenderfynais yn y diwedd na fedrwn ymesgusodi rhag rhoi fy enw ymlaen am y swydd. Mae fy mhererindod i yn rhengoedd y Blaid wedi bod yn rhyfedd ar un ystyr. Roeddwn yn ymgeisydd seneddol yn 31 oed ond wnes i erioed sefyll mewn sedd oedd yn wirioneddol enilladwy. Dros y blynyddoedd mi ges wahoddiad i roi fy enw ymlaen fel darpar ymgeisydd yng Nghaerfyrddin, Ceredigion a Meirionnydd, tair etholaeth y mae gen i gysylltiadau cryf â nhw a thair sedd y gallwn, mae'n debyg (os caf ddiosg fy ngwyleidd-dra cynhenid am eiliad), fod wedi eu hennill. Ond gwrthod wnes i, yn bennaf am fod fy ngwaith gyda Sain a'm cysylltiadau teuluol yn fy nghadw yn Arfon.

Ac, wrth gwrs, roedd Dafydd Wigley yn Arfon, a phan fydd rhywun mor gryf ac mor effeithiol â Dafydd yn Aelod, mae tuedd naturiol i unrhyw un sydd a mymryn o uchelgais wleidyddol yn yr ardal deimlo fel Brynmor Williams pan oedd Gareth Edwards yn fewnwr dros Gymru! Yr adeg y penderfynodd Dafydd sefyll i lawr am San Steffan mi sylweddolais nad oedd gen i unrhyw awydd bellach i fod yn Aelod Seneddol. Pan ddaeth hi'n amser i roi enwau i mewn ar gyfer y Cynulliad, unwaith eto cefais fy hun yn dal yn ôl; wedi treulio fy oes yn dyheu am gael bod yn rhan o Senedd Cymru, mi ddiflannodd yr awydd pan ddaeth yr awr. Peidiwch a gofyn imi esbonio'r peth, ond fel hynny y digwyddodd pethau. A bod yn garedig â mi fy hun, efallai fy mod yn synhwyro na fyddwn yn gallu dygymod â bod yn rhan o Gynulliad oedd heb y pwerau angenrheidiol i wneud y gwaith, neu efallai fod fy hoffter o waith llywodraeth leol, lle mae rhywun yn gweld ôl ei waith yn y gymdeithas o'i gwmpas, yn dynfa rhy gryf i'm cadw o grafangau Caerdydd a'r Bae. Neu, a bod yn llai caredig, efallai mai osgoi'r cyfrifoldeb a wnes i, fel y gwnes i raddau yn 1972 pan giliais o Gadair Cymdeithas yr Iaith ar adeg dyngedfennol. Pa ddehongliad bynnag sydd agosaf at y gwir, fel hynny y bu.

Ymhen blwyddyn byddaf yn drigain oed, ac yr wyf finnau, fel cynifer o'm cyfoedion, yn dechrau breuddwydio am lacio gafael a 'chael mwy o amser i mi fy hun a'r teulu'. Mae O.P a minnau bob hyn a hyn yn crybwyll yr angen i ollwng gafael ar awenau'r cwmni ac i ystyried symud i'r sedd gefn. Rwyf finnau'n pregethu'n aml am y rheidrwydd i gael gwaed ifanc newydd ar Gynghorau fel y gallwn ni, yr hen begors, fynd allan i bori. Byddai'n braf cael mwy o amser i hamddena ond mi wn yn fy nghalon, ac fe'm dysgwyd gan Mam a Dad, bod yn rhaid imi gadw fy hun yn brysur, neu bydd y diogyn naturiol sydd ynof yn siŵr o gymryd drosodd. Serch hynny, rwy'n ddiolchgar imi gael y ddawn i ymlacio ac i fwynhau miri bywyd i'r eithaf yn ogystal â'i ddagrau. Ac rwy'n diolch yn fwy na dim i Bethan a'r plant, Caio Llŷn a Celt Madryn, ac hefyd i Llion Tegai, Elliw Haf a Telor Hedd, am nad oes gen i fawr o achos i ddagrau, ond dagrau wrth ganu ambell i gân, yn y dyddiau difyr hyn.

Ysbryd Mimosa

Wrth baratoi am y blynyddoedd nesaf o gryfhau llywodraeth Cymru, ac o gynyddu hunanhyder ein cenedl, mae un ofn yn llechu yn fy nghalon. Onid oes peryg inni golli'r ysbryd hwnnw o antur, o her, ac o gyffro wrth inni fynnu i'n cenedl ei lle yn y byd? Onid oes peryg i'r hwyl a'r asbri a ddylai fod yn rhan o ddeffroad cenedl, ac o sefydlu gwlad ar ei newydd wedd, gael ei foddi mewn môr o fiwrocratiaeth a strateg-aethau a chynadleddau diddiwedd? Yr ateb syml yw: 'Oes'!

Ddylen ni ddim gorfod dibynnu ar ambell i fuddugoliaeth gan dîm pêl-droed Cymru , neu – pwy a ŵyr? – ein tîm rygbi, am ein dogn o wefrau cenedlaethol. Rhaid dod â'r ysbryd hwnnw i mewn i bob agwedd o'n bywyd fel cenedl, ac yn arbennig felly i'r gwaith o greu'r drefn a fydd yn ein galluogi i fyw fel gwlad rydd, ac i gydweithio gyda gwledydd eraill Ewrop a thu hwnt i greu byd gwell i'n plant.

Wrth gofio am y rhai a adawodd Gymru yn y bedwaredd ganrif ar bymtheg i greu Cymru Rydd ar ddaear De America, rhaid inni o leiaf edmygu eu dewrder a'u synnwyr o fentro anturus. Pobol oedden nhw a daniwyd gan ddyhead mawr. Does dim angen i ni eu dilyn i bellafoedd daear, oherwydd aros yma yng Nghymru i greu gwlad well yw'r her sy'n ein hwynebu ni, ond efallai y dylem gael gafael ar beth o ysbryd y rhai a fentrodd ar fwrdd y Mimosa yn y dyddiau pell hynny. Yn sicr ddigon, rhaid inni beidio â cholli golwg ar y ffaith ein bod yn rhan o'r antur fwyaf yn hanes ein cenedl, a rhaid inni deimlo'r gwynt yn ein hwyliau a chlywed y rhaffau'n tynnu a'r tonnau'n tasgu o'n cwmpas, os ydym am gyrraedd rhywle gwerth ei gyrraedd:

Ysbryd Mimosa

Llifodd y dagrau i lawr dros ein gruddiau
Wrth edrych ar greithiau ein gwlad,
Ond yn ein calon mae tanbaid obeithion
Y daw terfyn ar ormes a brad;
Trown gefn ar gweryla a'r ofer chwedleua –
Gwaredwn daeogrwydd o'r tir...
    Ysbryd Mimosa! Rhyddid i Walia!
    Cawn hwylio yn rhydd
    I'r Gymru a fydd
    Ar ddaear dyfodol ein byd.

Codwn yr hwyliau, tynnwn y rhaffau,
Ffarwel i'r anobaith i gyd;
Daliwn y gwyntoedd, hwyliwn y moroedd,
Daeth yn amser i newid ein byd.
Codwn ein hannel draw at y gorwel
A chawn gyrraedd yr hafan cyn hir...
    Ysbryd Mimosa! Rhyddid i Walia!
    Cawn hwylio yn rhydd
    I'r Gymru a fydd
    Ar ddaear dyfodol ein byd.

Trown ein hwynebau i gyfeiriad y golau –
Cawn fyw yn y Gymru Gymraeg,
Cloddiwn sylfeini a chasglwn y meini
A chodwn ein tŷ ar y graig;

Rhagom i ryddid! Rhagom i wynfyd!
Cawn Walia, fe hawliwn ein tir...
Ysbryd Mimosa! Rhyddid i Walia!
Cawn hwylio yn rhydd
I'r Gymru a fydd
Ar ddaear dyfodol ein byd.